HET RIJK DER SCHADUWEN

HET RIJK DER
SCHADUWEN

ALAN FURST

OREGA

Originele titel: *Kingdom of shadows* (Alan Furst)
© MM Alan Furst.
First published in Great Britain by Victor Gollancz, MM.
© Zuidnederlandse Uitgeverij N.V., Aartselaar, België, MMII.
Alle rechten voorbehouden.

Nederlandse vertaling: Harry Naus.
© omslagfoto: Brassai © Estate Brassai
D-MMII-0001-358
Gedrukt in de EU
NUR 312

'Deze natie heeft al geboet voor haar zonden
in het verleden en in de toekomst' – Volkslied van Hongarije

In de tuin
van barones Frei

Op 10 maart 1938, even na vier uur in de ochtend, reed de nachttrein van Boedapest de Gare du Nord binnen. In de Ruhrvallei en Picardië had het gestormd, de regendruppels glinsterden op de zijkanten van de *wagon-lits*. Op het station in Wenen had iemand een baksteen naar het raam van een eersteklascoupé gegooid, met als gevolg een gematteerde ster in het glas. Later die dag, aan de grenzen, hadden sommige passagiers problemen ondervonden, waardoor de trein met vertraging in Parijs arriveerde.

Nicholas Morath – hij reisde met een Hongaars diplomatiek paspoort – haastte zich over het perron naar de taxistandplaats buiten het station. De chauffeur van de eerste taxi in de rij keek even naar hem, vouwde toen kwiek zijn *Paris-Midi* op en ging rechtop achter het stuur zitten. Morath gooide zijn tas achterin op de vloer, waarna hij instapte. 'Avenue Bourdonnais, huisnummer acht', zei hij.

Een buitenlander, dacht de chauffeur. *Een aristocraat*. Hij startte zijn taxi en reed snel langs de *quai* naar het zevende arrondissement. Morath draaide het raampje naar beneden en liet de bijtende stadslucht in zijn gezicht blazen.

Avenue Bourdonnais, nummer acht. Een kil *haut bourgeois*-fort. Een lichtbruin, bakstenen pand, geflankeerd door de gezantschapsgebouwen van kleine naties. Het was duidelijk dat degenen die daar huisden mensen waren die waar dan ook konden verblijven, vandaar dat ze daar woonden. Met een grote sleutel opende Morath de poort, liep over de binnenplaats en gebruikte een andere sleutel om de buitendeur van het gebouw te openen.

'Bonsoir, Séléne', zei hij. De zwarte Belgische herder was van de conciërge en bewaakte 's nachts de deur. Als een schaduw in de nacht kwam de hond te voorschijn en bewoog zich naar zijn hand voor een aai, waarna ze zuchtte en languit op de tegels ging liggen. *Séléne, de maangodin*, dacht hij.

Het appartement van Cara bevond zich op de bovenste verdieping. Hij ging naar binnen, zijn voetstappen op het parket echoden door de lange gang. De slaapkamerdeur stond open. Dankzij de gloed van een straatlamp kon hij een fles champagne en twee glazen op de toilettafel zien staan. Van een brandende kaars op de rozenhouten ladekast was slechts een poel van goudkleurige was overgebleven.

'Nicky?'

'Ja.'

'Hoe laat is het?'

'Half vijf.'

'In je telegram stond dat het middernacht zou worden.' Ze ging rechtop zitten en schopte de gewatteerde dekens van zich af. Ze was in haar liefdeskledij in slaap gevallen. Zij noemde het haar *petite chemisette*, dat zijdeachtig, zwart en heel kort was, met verfijnd, kanten filigraanwerk aan de bovenzijde. Ze boog zich naar voor en trok het over haar hoofd uit; over haar borst liep een rode striem op de plaats waar ze op de zoom had geslapen.

Met een hoofdbeweging deed ze haar lokken naar achteren en glimlachte hem toe. 'Nou?' Toen hij geen antwoord gaf, zei ze: 'We gaan champagne drinken, niet dan?'

O, nee. Maar dat zei hij niet. Zij was zesentwintig, hij vierenveertig. Hij pakte de champagnefles van de toilettafel, hield de kurk vast en draaide de fles langzaam tot die ging sissen. Hij vulde een glas en gaf het aan haar, waarna hij voor zichzelf inschonk.

'Op jou en mij, Nicky', zei ze.

De champagne was afschuwelijk. Waterig en zoet, zoals hij wist dat die zou zijn. De *caviste* in de Rue St.-Dominique zette haar op een vreselijke manier af. Hij plaatste zijn glas op de vloerbedekking, liep naar de kast en begon zich uit te kleden.

'Was het heel erg?'

Morath haalde zijn schouders op. Hij was naar Slowakije gereisd, naar een familielandgoed waar de koetsier van zijn oom op sterven lag. Na twee dagen was de man overleden. 'Oostenrijk was een nachtmerrie', zei hij.

'Ja, het is op de radio.'

Hij hing zijn pak op aan een kleerhanger, maakte van zijn overhemd en ondergoed een bundeltje en deed het in de wasmand. 'Nazi's in de straten van Wenen', zei hij. 'Vrachtwagens vol. Ze schreeuwen, zwaaien met vlaggen en slaan joden in elkaar.'

'Zoals in Duitsland.'

'Erger nog.' Hij haalde een frisgewassen handdoek van de kastplank.

'Ze waren altijd zo aardig.'

Hij liep naar de badkamer.

'Nicky?'

'Ja.'

'Kom even bij me zitten, daarna kun je een bad nemen.'

Hij zat op de bedrand. Cara draaide zich op haar zij, trok haar knieën tot aan haar kin op, haalde diep adem en ademde heel langzaam uit, blij dat hij eindelijk bij haar thuis was, en hij wachtte geduldig op wat zij voor hem in petto had.

Nou ja. Caridad Valentina Maria Westendorf – de grootmoeder – de Parra – de moeder – y Dionello. *En wel helemaal, een meter achtenvijftig lang.* Afkomstig uit een van de rijkste families van Buenos Aires. Aan de muur boven haar bed hing een naakt van haarzelf, een houtskooltekening, gemaakt door Pablo Picasso in 1935 in een atelier in Montmartre, compleet met een glimmende lijst van twintig centimeter bladgoud.

Buiten was de straatlamp uitgegaan. Door de dunne gordijnstof heen kon hij het extatische grijze licht van een regenachtige Parijse ochtend zien.

Morath lag op zijn rug in het afkoelende water van de badkuip. Hij rookte een Chesterfield en tikte de as zo nu en dan in een paarlemoeren zeepbakje. *Cara, schat van me.* Klein, volmaakt, verdorven en zo glad als een aal. 'Een lange, lange nacht', had ze tegen hem gezegd. Ze dommelde in, soms schrok ze wakker van het geluid van een auto. 'Zoals in pornofilms, Nicky, al mijn fantasieën, de goede en de verdorven, maar in elke film speelde jij mee. Hij komt niet, dacht ik, dus bevredig ik mezelf en val als een blok in slaap.' Maar dat deed ze niet; ze zei dat ze dat niet had gedaan. *Verdorven* fantasieën? Over hem?

Hij had het aan haar gevraagd, maar zij lachte slechts. Was zij de sla-vin en hij de meester? Was dat het? Of betrof het oude, ondeugende oom Gaston die verlekkerd gluurde vanuit zijn merkwaardige stoel? Misschien was het iets van de Sade – *en nu word je naar de privé-ver-trekken van de abt gebracht.*

Wat zou het in het omgekeerde geval geweest kunnen zijn? De 'goede' fantasieën waren zelfs nog moeilijker voor te stellen. De Zwaarmoedige Koning? *Tot vanavond was mijn leven zinloos.* Errol Flynn? Cary Grant? De Hongaarse huzaar?

Hij moest erom lachen, omdat hij zo iemand was geweest, alleen niet in een operette. Als luitenant in de cavalerie van het Oostenrijks-Hongaarse leger had hij in de moerassen van Polesië gevochten tegen de kozakken van Brusilov, in 1915, aan het oostfront. Bij Lutsk, bij Kovel en Tarnopol. Hij kon de brandende schuren nog steeds ruiken.

Morath liet zijn voet op de goudkleurige kraan rusten en staarde naar de samengetrokken, rozig witte huid, van de enkel tot aan de knie. Het gevolg van granaatscherven – een willekeurige artilleriegra-naat liet in een straat in een anoniem dorpje een fontein van modder opspatten. Voordat hij het bewustzijn verloor, had hij het voor elkaar gekregen zijn paard dood te schieten. Daarna werd hij wakker in een eerstehulppost en keek hij op naar twee chirurgen – een Oostenrijker en een Pool – die met bloed bespatte leren schorten voor hadden. 'Die benen moeten eraf', zei de een. 'Daar kan ik het niet mee eens zijn', zei de ander. Ze stonden ieder aan een kant van de planken tafel in de keuken van een boerderij en kibbelden terwijl Morath de grijze deken bruin zag worden.

Het noodweer dat hem door Europa was gevolgd, had nu Parijs be-reikt. Hij kon de regen op het dak horen kletteren. Cara sjokte de badkamer in, testte het water met haar vinger en fronste. 'Hoe hou je 't uit?' zei ze. Ze stapte in de badkuip en zat tegenover hem, met haar rug tegen het porselein, en draaide de heetwaterkraan helemaal open. Hij gaf haar de Chesterfield en zij zoog er minutieus aan – in feite rookte ze niet – waarna ze de walm op een spectaculaire wijze uitblies, alsof ze Marlene Dietrich was. 'Ik werd wakker,' zei ze, 'en kon niet meer slapen.'

'Wat zit je dwars?'

Ze schudde haar hoofd.

Ze hadden lang en intens met elkaar gespeeld. Dat konden ze samen het beste. 's Nachts en 's ochtends woelend samen de liefde bedrijven. Toen hij de slaapkamer had verlaten, was ze helemaal buiten westen – met open mond, sonoor en schor ademend. Ze snurkte niet, want volgens haar snurkte ze nooit.

In het licht van de witte badkamer kon hij zien dat haar ogen glommen, haar lippen had ze op elkaar geperst – *portret van een vrouw die niet huilde*. Wat was er aan de hand? Vrouwen voelden zich soms gewoon verdrietig. Had hij misschien iets verkeerds gezegd of gedaan, of verzuimd te doen? De wereld ging naar de verdommenis, misschien was het dat. Hij hoopte met zijn hele hart dat dat niet de reden was. Hij streelde haar benen, daar waar die om de zijne waren verstrengeld. Er viel niets te zeggen en Morath wist wel beter dan te proberen het toch onder woorden te brengen.

Die middag regende het minder hard. Parijs zag er een beetje *triste* uit in de motregen, maar was gewend aan het weer in de lente en verheugde zich op de avonturen in de avond. Graaf Janos Polanyi – eigenlijk heette hij von Polanyi de Nemeszvar, maar zo kwam hij praktisch nooit over, behalve als hij zijn visitekaartjes op tafel legde tijdens diplomatieke dineetjes – wachtte niet meer op zijn avontuurtjes tot het avond was. Hij was inmiddels een heel eind in de zestig, en de *cinq-à-sept affaire* beantwoordde aan het ritme van zijn verlangen. Een grote, zwaargebouwde man met een volle bos wit haar dat in het lamplicht bijna geel was. Hij droeg op maat gesneden, blauwe kostuums, afkomstig van Londense kleermakers. Bovendien geurde hij naar *bay rhum* – waar hij zich dagelijks diverse keren royaal van bediende – sigarenrook en Bourgondische wijn, die hij dronk bij zijn lunch.

Terwijl hij op zijn kantoor in het Hongaarse gezantschapsgebouw zat, maakte hij een prop van een telegram en gooide die vervolgens in de prullenmand. Nu zou het daadwerkelijk gaan gebeuren, dacht hij. *Een sprong in de hel*. Het echte werk – hel en verdoemenis. Hij wierp een blik op zijn horloge, verliet zijn bureau en nestelde zich in een leren stoel die in het niet verzonk door immense portretten, hoog aan de muren – een tweetal Arpad-koningen, te weten Geza II en Bela IV; de heroïsche generaal Hunyadi hing naast zijn zoon Matthias Corvinus, met de gebruikelijke raven. Iedereen was in afhangend bont, omhuld met gepolijst ijzer, voorzien van lange zwaarden, hangsnorren en vergezeld door edele honden, de rassen sinds lang verdwenen. In de gang buiten zijn kantoor hingen eveneens portretten, en er zouden er nóg meer hebben gehangen als daar plaats voor was geweest aan de muren. Een lange, bloedige geschiedenis, en aan schilders geen gebrek.

Twintig minuten over vijf. Zoals altijd was ze geraffineerd laat, en wel zodanig dat de verwachting zich roerde. Door de dichtgetrokken gordijnen was het bijna donker in de kamer. Een vertrek dat alleen werd verlicht dankzij één kleine lamp en de open haard. Moest er nog een houtblok op het vuur? Nee, zo kon het ermee door. Bovendien wilde hij niet wachten tot de portier de drie trappen had genomen.

Net toen zijn ogen zich wilden sluiten, klonk er een tactvolle klop op de deur, waarna Mimi Moux verscheen – de *chanteuse* Mimi Moux, zoals de roddelpers van de kranten haar noemde. Ze leek de eeuwige jeugd te bezitten, kwetterde als een kanarie, had grote ogen en koos altijd voor karmozijnrode lippenstift – een theatraal gezicht. Jachtig liep ze zijn kantoor in, kuste hem op beide wangen en raakte hem op de een of andere manier – hij vroeg zich af hoe ze dat in godsnaam voor elkaar kreeg – op hetzelfde moment op zestien verschillende plaatsen aan. Ze praatte en lachte, er kwam geen einde aan – waarbij het niet uitmaakte of je je in het gesprek 'mengde'. Ze hing haar Chanel, voor in de middaguren, op in een kast en vlinderde door de kamer in duur en aangenaam opbeurend ondergoed.

'Zet Mendelssohn op, schat, wil je dat doen?'

Met de armen voor haar borsten gekruist – ze veinsde zedigheid – begaf ze zich krampachtig naar een secretaire, waarop een platenspeler stond. Terwijl ze doorpraatte, zei ze: 'Stel je voor, daar waren we dan, helemaal gekleed voor de opera, het was simpelweg *insupportable*, niet dan? Natuurlijk wel, zeker, zoiets kon je niet uit onnozelheid doen, dat dachten we althans. Niettemin...' Ze zette het Eerste Vioolconcert op de draaitafel en plaatste de naald in de groef, waarna ze terugkeerde naar de leren stoel en ze zichzelf opkrulde in de ruime schoot van graaf Polanyi.

Uiteindelijk, op het juiste moment – van hun verschillende ondergewaardeerde deugden, peinsde hij, bezaten de Fransen het meest perfecte gevoel voor timing in Europa – ging ze op haar knieën voor zijn stoel zitten, maakte met één hand de knoopjes van zijn gulp los en hield ten slotte op met praten. Polanyi keek naar haar, de grammofoonplaat was afgelopen en de naald bewoog met een sissend geluid heen en weer in een lege groef. Hij had zijn hele leven gespendeerd aan het behagen van de vrouwen, dacht hij. Nu had hij een fase bereikt waarin zij hem genot wilden schenken.

Later, toen Mimi Moux was vertrokken, klopte de kokkin van het gezantschap zachtjes op zijn deur en kwam binnen met een dampend dienblad. 'Een bescheiden hapje, excellentie', zei ze. Soep, van twee kippen getrokken, met kleine knoedels en room, en een fles Echézeaux uit 1924. Toen hij klaar was met eten, leunde hij naar achteren in zijn stoel en zuchtte zeer tevreden. Nu, zo merkte hij op, was zijn gulp dicht, maar zijn broeksknoop open en zijn riem los. *Werkelijk net zo weldadig*, dacht hij. *Meer nog, zelfs?*

Café Le Caprice hield zich schuil in de eeuwige schaduw van de Rue Beaujolais en was veeleer een steeg dan een straat, verborgen tussen de tuinen van het Palais Royal en de Bibliothèque Nationale. Morath had zich lang geleden gerealiseerd dat zijn oom hem bijna nooit uitnodigde in het gezantschapsgebouw en de voorkeur gaf aan ontmoetingen in de meest onwaarschijnlijke cafés of soms thuis bij zijn vrienden. 'Kom tegemoet aan mijn wens, Nicholas,' zei hij dan, 'want het bevrijdt me een uurtje van het leven dat ik leid.' Morath mocht Le Caprice, een benauwd, goor, innemend pand. In de negentiende eeuw waren de muren geel geschilderd, waarna honderd jaar sigarettenrook voor een duurzame, volle amberkleur had gezorgd.

Net na drie uur in de middag maakten de mensen die daar lunchten aanstalten om te vertrekken en liepen de stamgasten met een afwezige blik terug naar binnen, naar hun tafels. *De dwaze wetenschappers*, dacht Morath. Ze brachten hun leven door in de Bibliothèque en zagen er zegevierend slonzig uit. Oude sweaters en vormeloze jasjes hadden de plaats ingenomen van de vlekkerige toga's en conische hoeden van de middeleeuwse alchemisten, maar het bleven dezelfde lui. Wanneer Morath hier arriveerde, herinnerde hij zich steevast de woorden die de ober Hyacinthe ooit over zijn clientèle had uitgesproken. 'Moge God verhoeden dat ze het daadwerkelijk *vinden.*' Morath begreep het niet. 'Wat vinden?' Daarop keek Hyacinthe geschrokken, beledigd bijna. *'Het*, natuurlijk, nogal wiedes, monsieur.'

Morath koos een tafel die door een groepje effectenmakelaars was verlaten; ze waren vanuit de Bourse hierheen gelopen. Hij stak een sigaret op, bestelde een *gentiane* en maakte het zich gemakkelijk in afwachting van zijn oom. Opeens hielden de mannen aan de belendende tafel op met discussiëren; ze vielen compleet stil en staarden naar de straat.

Een zeer plechtstatige Opel Admiral was voor Le Caprice gestopt. De chauffeur hield het achterste portier open. Een lange man in een zwart SS-uniform kwam te voorschijn, gevolgd door een heerschap in een regenjas, waarna oom Janos aan de beurt was, die al pratend gebaarde terwijl de anderen gretig en met een verwachtingsvolle, flauwe glimlach naar hem luisterden. Graaf Polanyi wees met zijn vinger en fronste theatraal terwijl hij kennelijk met de clou op de proppen kwam. Ze barstten alle drie in lachen uit, het was slechts vaag te horen in het café. En de SS'er gaf Polanyi een klap op de rug – *dat was een goeie!*

Ze namen afscheid en gaven elkaar een hand, waarna de burger en de SS'er terugkeerden naar de Opel. *Dat is iets nieuws*, dacht Morath. In Parijs zag je zelden SS'ers in uniform. In Duitsland waren ze natuurlijk alomtegenwoordig en nadrukkelijk aanwezig in de bioscoopjournaals: ze marcheerden, salueerden en smeten boeken in de vreugdevuren.

Zijn oom liep het café in. Het duurde even voordat hij Morath had gevonden. Iemand aan de belendende tafel maakte een opmerking, waarop een van zijn vrienden grinnikte. Morath ging staan, omarmde zijn oom, ze begroetten elkaar – zoals gewoonlijk spraken ze in het openbaar Frans. Graaf Polanyi nam zijn hoed en sjaal af, deed zijn handschoenen en jas uit en stapelde alles op de lege stoel.

'Hm, die ging erin als koek', zei hij. 'Over die twee Roemeense zaken-mensen?'

'Die ken ik niet.'

'Ze liepen elkaar tegen het lijf in de straten van Boekarest. Gheor-giu draagt een koffer. "Waar ga je heen?" vraagt Petrescu. "Cernauti", antwoordt zijn vriend. "Leugenaar!" schreeuwt Petrescu. "Je zegt dat je naar Cernauti gaat om mij te laten denken dat Jassy jouw reisdoel is, maar ik heb jouw kantoorbediende omgekocht en weet dat je op weg bent naar Cernauti!"'

Morath lachte.

'Ken je von Schleben?'

'Welke van de twee?'

'Die met de regenjas.'

Hyacinthe verscheen. Polanyi bestelde een Ricon.

'Ik denk het niet', zei Morath. Hij was daar niet helemaal zeker van. De man was lang en had wit, verbleekt haar dat iets langer was dan zou moeten. Bovendien straalde zijn gezicht iets demonisch uit; de geniepige grijns van een rotvent die iemand een poets kon bakken. Hij was tamelijk knap, iemand die voor minnaar zou kunnen spelen – niet degene die zegeviert, maar hij die aan het kortste eind trekt – in een Engelse salonkomedie. Morath was ervan overtuigd dat hij hem al eens eerder had gezien. 'Wie is dat?'

'Hij beweegt zich op het diplomatieke vlak. Niet het kwaaie soort, als puntje bij paaltje komt. Ik zal je een keer aan hem voorstellen.'

De Ricon arriveerde. Morath bestelde nog een *gentiane*. 'Ik heb nog niet geluncht', zei de oom. 'Niet echt. Hyacinthe?'

'Monsieur?'

'Wat staat er vandaag op het lunchmenu?'

'*Tête de veau.*'

'Hoe is die?'

'Niet slecht.'

'Ik denk dat ik dat maar neem. Nicholas?'

Morath schudde zijn hoofd. Hij legde een klein pakje op de tafel. Het was zo groot als zijn hand en gewikkeld in zeer oud, vergeeld mousseline dat misschien afkomstig was van een gordijnlap uit ver-vlogen tijden. Hij vouwde de stof open. Er kwam een zilveren kruis op een verschoten lint in zwart en goud te voorschijn, de kleuren van Oostenrijk-Hongarije. 'Dit heeft hij u gestuurd.'

Polanyi zuchtte. 'Sandor', zei hij, alsof de koetsier hem kon horen. Hij pakte de medaille op en legde die in zijn open hand. 'Een zilveren heldenkruis. Weet je, Nicholas, ik ben vereerd, want dit is wel degelijk iets waard.'

Morath knikte. 'Ik heb het aangeboden aan de dochter, met uw innige deelneming, maar daar wilde ze niets van weten.'

'Nee, natuurlijk niet.'

'Uit welke tijd is het afkomstig?'

Polanyi dacht even na. 'Eind jaren tachtig, zover ik dat kan overzien. Een Servische opstand, in het Banater Gebergte. Sandor was een van de sergeanten, in het regiment dat werd opgericht in Pozsoni. In die tijd was dat Pressburg.'

'En nu Bratislava.'

'Dezelfde plaats, voordat ze het aan de Slowaken gaven. In elk geval had hij de gewoonte om er zo nu en dan over te praten. De Serviërs hadden het hun moeilijk gemaakt – sommige dorpen moesten worden platgebrand. Ze hadden sluipschutters in de grotten, op de heuvelhellingen, gepositioneerd. Sandors compagnie had er een week voor nodig om ze klein te krijgen, waarna hij het erekruis kreeg.'

'Hij wilde het aan u geven.'

Polanyi knikte begrijpend. 'Is daar nog iets overeind gebleven?'

'Niet veel. Na het verschuiven van de grens hebben ze het huis leeggehaald. Deurknoppen, ramen, de prima vloeren, de stenen van de open haard, de schoorstenen en alle pijpen die ze maar van de muren konden slopen. Het vee is uiteraard allang verdwenen. Een gedeelte van de wijngaard is overgebleven. En de oude fruitbomen.'

'Nem, nem, soha', zei Polanyi. Nee, nee, nooit – de Hongaarse afwijzing van het Verdrag van Trianon, dat de oorzaak was van de overdracht van twee derde van het land en de mensen, nadat het Oostenrijks-Hongaarse leger was verslagen in de Eerste Wereldoorlog. Er klonk meer dan een spoortje ironie door in Polanyi's stem, waarna een schouderophaal volgde – *we kunnen alleen maar jammeren* – maar dat was niet alles. In zekere zin, complex en mogelijk obscuur, meende hij het.

'Op een dag krijgen we het land misschien terug.'

De groep aan de belendende tafel had aandachtig meegeluisterd. Een kleine, strijdlustige man met een kalend hoofd en wijdopen neusgaten – de vunzige lucht van zijn beschimmelde woning waaierde uit over hun aperitiefjes – zei: *'Revanchiste.'* Hij richtte zich daarbij niet tot hen, althans niet echt, en al evenmin tot zijn vrienden; misschien was het bedoeld voor de wereld als geheel.

Ze keken naar hem. *Revanchist, irredentistische Hongaarse fascisten,* bedoelde hij, waarbij de Rode Front-verontwaardiging in hem kookte. Maar Morath en Polanyi hoorden niet bij dat soort. Zij maakten deel uit van de Hongaarse Natie, zoals de Hongaarse adel werd genoemd. Magyaren met een stamboom die duizend jaar terugging, en ze waren zeer bereid om de hele klick met stoel en wijnfles in de Rue Beaujolais te smijten.

Toen de groepsleden aan de belendende tafel zich op een pretentieuze wijze weer met hun eigen zaken bemoeiden, wikkelde Polanyi de medaille omzichtig in de doek en stopte die in zijn binnenzak.

'Het heeft lang geduurd voordat hij uiteindelijk stierf', zei Morath. 'Hij had geen pijn, en hij was niet verdrietig – de oorzaak was gewoon zijn koppige ziel die niet wilde vertrekken.'

Toen Polanyi op dat moment van het kalfsvlees proefde, snoof hij zachtjes en bescheiden van tevredenheid.

'Bovendien,' zei Morath, 'wilde hij dat ik u iets zou vertellen.'

Polanyi trok zijn wenkbrauwen op.

'Het had te maken met het overlijden van zijn grootvader, die volgens hem vijfennegentig was geworden en indertijd in hetzelfde bed stierf. De familie realiseerde zich dat de tijd was aangebroken en had zich verzameld. Opeens raakte de oude man geagiteerd, hij begon te praten. Sandor moest zich naar hem toe buigen om hem te kunnen verstaan. "Weet dat het leven als het oplikken van honing is...," fluisterde hij. Hij zei dat drie, vier keer, en Sandor kon merken dat er meer zat aan te komen. Uiteindelijk kreeg hij het voor elkaar om te zeggen: "... honinglikken van een doorn." '

Polanyi glimlachte, bevestigde het verhaal. 'Het is twintig jaar geleden dat ik hem voor het laatst heb gezien', zei hij. Toen het land niet langer Hongarije was, wilde ik er niets meer mee te maken hebben, daar ik wist dat het verwoest zou worden.' Hij nam een slokje van de wijn, daarna nog een: 'Wil je ook wat, Nicholas? Ik zorg ervoor dat ze je een glas brengen.'

'Nee, dank u.'

'Ik wilde er niet heen gaan', zei Polanyi. 'Dat was zwak van me. Ik was me daarvan bewust.' Hij haalde zijn schouders op en schonk zichzelf vergeving.

'Hij koesterde geen wrok tegen u.'

'Nee, hij begreep het. Was zijn familie aanwezig?'

'Noem maar op. Dochters, een zoon, nichten en neven, zijn broer.'

'Ferenc.'

'Ja, Ferenc. Ze hadden alle spiegels omgekeerd. Een oude dame – een kostelijk mens; ze huilde, ze lachte en ze kookte een ei voor me – kon er maar niet over ophouden. Als de ziel het ondermaanse verlaat, mag hij nooit in de gelegenheid worden gesteld zichzelf in de spiegel te zien. Omdat, zei ze, in het andere geval de ziel het misschien fijn vindt om zichzelf te bekijken en dan telkens opnieuw terugkomt.'

'Ik denk niet dat mijn ziel dat zou doen. Hadden ze de tobbe met water klaargezet?'

'Bij de deur. Om de Dood de gelegenheid te geven zijn zeis schoon te maken. Anders zou hij helemaal naar de kreek moeten gaan en zou in dat huis iemand anders in dat jaar sterven.'

Gracieus at Polanyi van een homp brood die hij eerst in de saus had gedoopt. Toen hij opkeek, passeerde net de ober. 'Hyacinthe, *s'il vous plaît*, een glas voor mijn neef. En terwijl je daar toch mee bezig bent, neem je meteen nog een karaf mee.'

Na de lunch wandelden ze in de tuinen van het Palais Royal. Het was een donkere namiddag, een aanhoudende schemering, waarbij Polanyi en Morath als twee geesten in overjassen waren. Langzaam passeerden ze de grijze takken van de winterbloemperken.

Polanyi wilde nieuws horen over Oostenrijk – hij wist dat eenheden van de Wehrmacht gereed stonden bij de grenzen, klaar om het land in te marcheren om de 'rellen', georganiseerd door de Oostenrijkse nazi's, de kop in te drukken. 'Als Hitler zijn *Anschluss* voor elkaar krijgt, zal Europa in een oorlog verzeild raken', zei hij.

'De reis was een nachtmerrie', zei Morath. Een boze droom die begon met een absurditeit: een vuistgevecht tussen twee Duitse harmonicaverkopers in de gang van de eersteklaswagon. 'Stel je voor, twee gezette mannen met snorren die elkaar schreeuwend beledigden en elkaar met hun kleine, bleke vuisten sloegen. Tegen de tijd dat we ze konden scheiden, zagen ze knalrood. Toen we ze zover kregen dat ze gingen zitten, gaven we ze water. We waren bang dat een van hen ter plekke dood neer zou vallen, waardoor de conducteur de trein zou moeten laten stoppen om de politie te waarschuwen. Niemand, *niemand* in de wagon wilde dat.'

'Het begon in Boekarest, geen twijfel mogelijk', zei Polanyi. Hij legde uit dat Roemenië gedwongen was geweest de tarweoogst aan Duitsland te verkopen, en het ministerie van Financiën van het Reich weigerde in marken uit te betalen. Zij wilden alleen ruilhandel drijven. Uitsluitend tegen aspirine, Leica-camera's of harmonica's.

'Nou, dat was nog maar het begin', zei Morath. 'We bevonden ons nog steeds in West-Hongarije.' Terwijl de trein in Wenen stilstond, had een bleke, bevende man van ongeveer de leeftijd van Morath tegenover hem plaatsgenomen. Toen zijn familie – die de rest van de zitplaatsen in de coupé in beslag had genomen – naar de restauratiewagen vertrok, begonnen ze met elkaar te praten.

De man was een Weense jood, een verloskundige. Hij vertelde aan Morath dat de joodse gemeenschappen in Oostenrijk binnen een dag en een nacht waren verwoest. Het gebeurde plotseling, chaotisch, zei hij, niet zoals in Berlijn.

Morath wist dat hij met het laatste een bepaalde vorm van vervolging bedoelde – een trage, overdreven nauwgezette onderdrukking door burgerambtenaren. *Schreibtischtäter*, noemde hij ze. 'Moord door bureaucriminelen'.

In de stad was het gepeupel door het dolle heen geraakt. Ze werden geleid door de Oostenrijkse SS en SA. Ze sleepten joden, verklikt door de beheerders van de gebouwen, uit hun appartementen en dwongen hen de slogans voor Schuschnigg van de muren te schrobben. Hij was de gekozen kanselier na het referendum waar Hitler weigerde toestemming voor te geven. In de rijke joodse voorstad Wahring dwongen ze de vrouwen hun bontjassen aan te doen en vervolgens op handen en voeten de straten schoon te maken, waarna ze boven hen gingen staan en op de hoofden urineerden.

Morath begon zich zorgen te maken; de man stortte voor zijn ogen in. Had hij behoefte aan een sigaret? Nee, hij rookte niet. Een glas cognac, misschien? Morath bood aan om naar de restauratiewagen te gaan en er een te halen. De man schudde zijn hoofd; het had geen zin. 'We zijn er geweest', zei hij. Een joodse gemeenschap van achthonderd jaar oud eindigde in één nacht. In het ziekenhuis, één uur voordat hij besloot te vluchten, had een vrouw haar pasgeboren kind in de armen genomen en was vanaf de bovenste verdieping uit een raam naar beneden gesprongen. Weer andere patiënten kropen uit hun bedden en vluchtten de straat op. Een jonge co-assistent zei dat hij had gezien hoe de avond ervoor een man die bij een bar stond een scheermes uit zijn zak haalde en zichzelf de keel doorsneed.

'Was er geen waarschuwing vooraf uitgegaan?' vroeg Morath.

'Antisemieten in de politiek', zei de man. 'Maar om die reden besluit je niet je huis te verkopen. Ongeveer een maand geleden verlieten enkele mensen het land. Natuurlijk waren er sommigen,' zo voegde hij eraan toe, 'die het in 1933 voor gezien hadden gehouden, in de periode dat Hitler aan de macht kwam. In *Mein Kampf* had hij geschreven dat hij Oostenrijk en Duitsland wilde verenigen. *Ein Volk, ein Reich, ein Führer!* Maar een inkijkje in de politieke toekomst was als het lezen van Nostradamus. Godzijdank had hij zijn vrouw en kinderen twee weken eerder op de Donaustoomboot naar Boedapest gezet. Het was haar broer die daarvoor had gezorgd. Hij klopte aan en zei dat we moesten vertrekken. Hij drong erop aan. Er ontstond onenigheid, mijn vrouw was in tranen, verbittering. Uiteindelijk was ik zo kwaad dat ik hem zijn zin gaf.'

'Maar u bleef', zei Morath.

'Ik kon mijn patiënten niet achterlaten.'

Ze zwegen enkele ogenblikken. Buiten renden jongens met hakenkruisvlaggen over het perron. Ze scandeerden een of ander soort vers, een lied. Hun gezichten waren verwrongen van opwinding.

Polanyi en Morath zaten op een bank in de tuinen. Het leek daar zeer rustig. Enkele mussen hielden zich bezig met wat kruimels van een *baguette.* Een meisje in een jas met een fluwelen kraag probeerde met een stok een hoepel aan de gang te krijgen terwijl een kindermeisje naar haar keek.

'In de stad Amstetten, net buiten het station, wachtten ze bij een overweg, zodat ze stenen naar de treinen konden gooien', zei Morath. 'We konden de politie zien. Ze stonden daar met de armen over elkaar, ze waren gekomen om te kijken. Ze lachten, het was een of andere grap. Het hele gedoe had, meer dan wat ook, iets afschuwelijk ongewoons in zich. Ik herinner me dat ik dacht dat ze dit al een hele tijd hadden gewild. Onder alle sentimenten en *schlag* zat dit.'

'Hun gekoesterde *Wut*', zei Polanyi. 'Ken je dat woord?'

'Woede.'

'Ja, maar dan een bepaald soort toorn. De plotselinge woedeaanval die het gevolg is van wanhoop. De Duitsers denken dat het diep verscholen ligt in hun aard; ze lijden in stilte, waarna ze door het lint gaan. Luister naar wat Hitler zegt – steevast draait het om "Hoe lang moeten we dit nog doorstaan..." Wat dat ook moge zijn. Hij blijft erover doorgaan.' Polanyi zweeg even. 'En nu, door de *Anschluss*, mogen we ons verheugen op hun gezelschap aan *onze* grens.'

'Zal er iets gebeuren?'

'Met ons?'

'Ja.'

'Dat betwijfel ik. Horthy zal gesommeerd worden om Hitler te ontmoeten. Hij zal zijn hielen likken en met alles akkoord gaan. Zoals je weet, kan hij zich heel stijlvol gedragen. Uiteraard zal wat we feitelijk doen niet helemaal stroken met hetgeen we zijn overeengekomen, maar zelfs in dat geval, als alles voorbij is, zullen we niet in staat zijn onze onschuld te bewaren. Het is onmogelijk. En daar zullen we voor boeten.'

Een tijdlang keken ze naar de mensen die over de grindpaden liepen, waarna Polanyi zei: 'Deze tuinen zullen er in de lente schitterend uitzien. Net als de hele stad.'

'Laat het gauw gebeuren.'

Polanyi knikte. 'Weet je, de Fransen voeren oorlogen, maar hun land, hun Parijs, wordt nooit verwoest. Heb jij je ooit afgevraagd hoe ze dat voor elkaar krijgen?'

'Ze zijn slim.'

'Ja, dat is zo. Ze zijn ook dapper. Zelfs op het dwaze af. Maar uiteindelijk is dat niet de reden waarom ze datgene kunnen redden waar ze van houden. Dat doen ze door strooplikken.'

Elf maart, dacht Morath. Te kil om in een tuin te gaan zitten. De lucht was vochtig, scherp, alsof die in natte aarde was afgekoeld. Toen het begon te spetteren, gingen Morath en Polanyi staan en liepen onder de overdekte arcade. Ze passeerden de winkel van een beroemde modiste, een zaak waar dure poppen werden verkocht en een handelaar in zeldzame munten.

'Hoe liep het af met die Weense arts?' vroeg Polanyi.

'Hij bereikte Parijs toen het allang middernacht was geweest. Niettemin had hij problemen gekregen aan de Duitse grens. Ze probeerden hem terug te sturen naar Wenen, er zou iets niet helemaal in orde zijn met zijn papieren. Het ging om een datum. Gedurende die hele smerige business stond ik naast hem. Uiteindelijk kon ik niet anders dan me ermee bemoeien.'

'Hoe, Nicholas?'

Morath haalde zijn schouders op. 'Ik heb ze op een bepaalde manier aangekeken. Ze op een bepaalde wijze aangesproken.'

'Werkte dat?'

'Deze keer wel.'

4 april 1938.

Théâtre des Catacombes. 21.20 uur.

'Of ik hem ken? Ja, zeker wel. Zijn vrouw bedrijft elke donderdagmiddag de liefde met mijn echtgenote.'

'Meen je dat? Waar?'

'In het vertrek van de dienstmeid.'

De woorden werden niet op het podium uitgesproken – *zouden ze daar vandaan komen?* vroeg Morath zich af – maar waren opgevangen in de foyer tijdens de pauze. Terwijl Morath en Cara zich een weg baanden door de mensenmassa, werden ze opgemerkt; beleefde, heimelijke blikken. Een spectaculair stel. Het gezicht van Cara was niet het meest opvallende aan haar – zachte trekken, gewoontjes, moeilijk te herinneren. Het mooiste aan haar waren haar lange, honingblonde lokken, haar schitterende sjaals en de manieren die ze bedacht om ervoor te zorgen dat de mensen naar haar verlangden. Voor een avond avant-gardetheater had ze er een zigeunerrok aan toegevoegd, compleet met bijpassende oorringen en laarsjes van zacht leer, aan de bovenzijde omgevouwen.

Morath leek langer dan hij in werkelijkheid was. Hij had een volle, zwarte haardos, die vanaf het voorhoofd naar achteren was gekamd. Rond zijn ogen had hij iets strengs; volgens zijn paspoort waren ze groen, maar ze neigden veeleer sterk naar zwart. Door al dat obscure leek hij bleek, een fin-de-siècle decadent. Hij had ooit een filmproducent ontmoet. Een wederzijdse vriend, een figurant, had Morath bij Fouquet aan hem voorgesteld. 'Gewoonlijk maak ik gangsterfilms.' Dat had de man met een glimlach tegen hem gezegd. 'Of, u weet wel, films met een plot.' Maar momenteel zou een kostuumepos over niet al te lange tijd in productie gaan. Een grote cast, een nieuwe versie van *Taras Bulba*. Had Morath ooit geacteerd? Mogelijk zou hij een 'bendeleider' kunnen spelen. De vriend van de producer, een broodmagere, kleine man die op Trotsky leek, voegde eraan toe: 'Een oosterse kan, misschien.'

Maar ze hadden het bij het verkeerde eind. Morath had achttien jaar in Parijs gewoond, en het leven van een émigré, compleet met de aantrekkelijke privacy die daarmee gepaard ging, en de onderdompeling in de stad, compleet met de passie, het plezier en de duistere levensbeschouwing, hadden hem veranderd in de man zoals hij er nu uitzag. Het betekende dat de vrouwen hem aantrekkelijker vonden. Het betekende dat de mensen op straat hem best wel de weg durfden te vragen. Maar wat de producer had gezien, bleef niettemin ergens net onder de oppervlakte hangen. Jaren daarvoor, aan het einde van een korte liefdesaffaire, had een Franse tegen hem gezegd: 'Wel allemachtig, je bent helemaal niet hardvochtig.' Hij vond dat ze ietwat teleurgesteld had geklonken.

Tweede bedrijf. *Een kamer in het vagevuur – De volgende dag.*

Morath verplaatste zijn gewicht, een zinloze poging om gemakkelijker te kunnen zitten in de helse stoel. Hij legde het ene been over het andere, leunde naar de andere kant. Cara klampte zich vast aan zijn arm – *hou daarmee op*. Twaalf rijen stoelen, waarbij elke achtereenvolgende rij was bevestigd aan een houten frame. Waar haalde Montrouchet ze vandaan? vroeg hij zich af. Ongetwijfeld waren ze van een of ander allang opgeheven instituut. Een gevangenis? Een school voor kwallen van kinderen?

Op het podium vielen de zeven doodzonden een mistroostige man van de straat aan. De arme ziel. Hij zat op een kruk en had een grijze lijkwade aan. 'Ah, maar je sliep tijdens haar begrafenis.' Deze vrouw, die het goed bedoelde, was niet de jongste meer en naar alle waarschijnlijkheid Luilak, hoewel Morath het twee of drie keer bij het verkeerde eind had op het moment dat hij het toneelstuk daadwerkelijk probeerde te volgen. Ze hadden zachte kanten, die zonden. Dat was ofwel de fout van de toneelschrijver óf van Satan, daar was Morath niet helemaal achter. Het scheen hem toe dat Trots boos was, en Hebzucht maaide Afgunst het gras voor de voeten weg zodra hij daar maar de kans toe kreeg. Maar ja, het was dan ook Hebzucht.

Van de andere kant was Gulzigheid niet de kwaadste. Een gezette jongeman uit de provincie was naar de stad vertrokken en streefde een carrière in het theater of de film na. Het probleem was dat de toneelschrijver hem niet veel had laten doen. Wat kon hij zeggen tegen de arme, dode man van de straat? Je hebt te veel gegeten! Nou ja, hij probeerde er het beste van te maken; misschien zou een prominente regisseur of een producer naar het stuk gaan kijken. Je kon nooit weten.

Maar dat kon je wél weten. Morath keek naar het programmafoldertje op zijn schoot, de enige toegestane afleiding terwijl de witte mist van het toneel walmde. Het schutblad aan de achterzijde was bedoeld voor promotiedoeleinden. De recensent van *Flambeau Rouge*, ofwel Rode Toorts, had het spel 'Provocatief!' gevonden. Daaronder stond een citaat van Lamont Higson, van de *Paris Herald*: 'Het Théâtre des Catacombes is het enige Parijse theater uit het recente verleden dat open en bloot zowel Racine als Corneille opvoert.' Er volgde een lijst van sponsors, waarbij inbegrepen juffrouw Cara Dionello. Nou ja, dacht hij, waarom ook niet? In elk geval voegden een paar van die arme Argentijnse beesten die over de loopplank naar het slachthuis sjokten meer aan het leven toe dan rosbief.

Het theater bevond zich diep in het hart van het vijfde arrondissement. Oorspronkelijk hoorde het bij de plannen van Montrouchet om zijn stukken in de catacomben zelf op te voeren, maar de gemeentelijke autoriteiten hadden mysterieus beheerst gereageerd op de mogelijkheid dat acteurs ronddartelden in de dompige knekelvertrekken onder het metrostation Denfert/Rochereau. Uiteindelijk moest hij het doen met een muurschildering in de foyer; hopen clownesk-witte doodshoofden en dijbenen die scherp contrasteerden in de donkerte.

'Wat? Ben je het vergeten? Die avond bij de rivier?' Morath kwam te voorschijn uit dromenland en merkte dat Lust, misschien zeventien jaar oud, heel typerend, haar toneelzinnetje fluisterde terwijl ze op haar buik over het podium kronkelde. Opnieuw pakte Cara hem bij de arm, ditmaal deed ze het lief.

Morath sliep die nacht niet in de Avenue Bourdonnais, maar keerde terug naar zijn appartement in de Rue d'Artois en vertrok de volgende ochtend vroeg om de Nord Express naar Antwerpen te halen. Dit was een no-nonsensetrein. De conducteurs gedroegen zich bruusk en serieus, de stoelen waren bezet door handelssoldaten die marcheerden langs de oude handelsroute. Naast het ritmische bonken van de wielen op de rails klonk het geritsel van krantenpapier terwijl een omgeslagen blad van de *Figaro* met een heftige beweging op zijn plaats werd gehouden.

Hij las dat in Wenen de *Anschluss* formeel gemaakt diende te worden met behulp van een referendum – de Oostenrijkse stemgerechtigde begreep nu dat het alternatief voor *Ja* zeggen betekende dat de tanden uit je mond werden geslagen. Dit was, zo verklaarde Hitler in een speech op 9 april, het werk van God.

Er bestaat een hogere orde en wij zijn slechts ondergeschikten die daarnaar handelen. Toen op 9 maart Herr Schuschnigg zijn akkoord brak, ervoer ik op hetzelfde ogenblik dat de roep van de Voorzienigheid nu tot mij was gekomen. En wat er toen in drie dagen plaatsvond, was alleen maar voorstelbaar als de vervulling van de wens en de wil van de Voorzienigheid. Nu zou ik Hem graag dankzeggen dat Hij mij laat terugkeren naar mijn vaderland om nu de mogelijkheid te krijgen het grondgebied in het Duitse Reich te integreren! Morgen zal elke Duitser dat moment erkennen, het belang ervan weten te waarderen en nederig buigen voor de Almachtige, die in enkele weken tijd een wonder voor ons heeft geopenbaard.

Oostenrijk hield dus op te bestaan.

En de Almachtige, die nog niet helemaal tevreden was met Zijn werk, had besloten om de in verwarring gebrachte dr. Schuschnigg achter slot en grendel te zetten en te laten bewaken door de Gestapo, daar in een kamertje op de vijfde verdieping van het Hotel Metropole.

Voorlopig kon Morath er niet meer tegen. Hij legde de krant terzijde en staarde uit het raam naar de kleiaarde van Vlaanderen. Het spiegelbeeld in het glas was die van directeur Morath – in een kwalitatief zeer fraai, donker pak, met een eenvoudige das en een perfect overhemd. Hij reisde naar het noorden voor een ontmoeting met monsieur Antoine Hooryckx, in zakelijke kringen beter bekend als 'Hooryckx, de zeepkoning van Antwerpen'.

In 1928 was Nicholas Morath voor de helft eigenaar geworden van Agence Courtmain, een klein, redelijk lopend reclamebureau. Dit was een onverwacht, buitengewoon cadeau van oom Janos. Morath was opgeroepen om te lunchen op een van de restaurantboten, en terwijl ze langzaam onder de Seinebruggen door voeren, werd hij geïnformeerd over zijn verheven status. 'Uiteindelijk krijg je alles.' Dat had oom Janos gezegd. 'Dus kun je er net zo goed nu al gebruik van maken.' Voor Polanyi's vrouw en kinderen zou worden gezorgd, wist Morath, maar het echte geld, de duizenden vierkante kilometers tarwevelden in de poesta, compleet met de dorpen en de pachtboerderijen, de kleine bauxietmijn en de grote portefeuille met Canadese spoorwegaandelen, zouden uiteindelijk van hem zijn, samen met de titel, en wel zodra zijn oom zou zijn overleden.

Maar Morath had geen haast, wat hem betrof geen holderdebolder-snel-een-beetje. Polanyi zou nog lang niet dood gaan. En zijn neef vond dat prima. Het handige van de deal was – afgezien van het feit dat hij verzekerd was van een regelmatig inkomen – dat Nicholas beschikbaar was als graaf Polanyi hem nodig had om hem ergens mee te helpen. Intussen zorgde Moraths deel van de winst ervoor dat hij zijn aperitiefjes, minnaressen en een ietwat sjofel appartement op een redelijk *bonne adresse* kon betalen.

De Agence Courtmain bevond zich inderdaad op een zeer *bonne adresse*. Maar als reclamebureau moest er eerst reclame worden gemaakt wat betreft het eigen succes. En dat lukte – samen met verscheidene advocaten, effectenmakelaars en Libanese bankiers – door een absurd dure kantorensuite te huren in de Avenue Matignon. 'De eigenaar is zeer waarschijnlijk,' theoretiseerde Courtmain – dat het een *société anonyme* was, vormde geen aanwijzing – 'een boer uit de Auvergne met geitenstront in zijn hoed.'

Courtmain, hij zat tegenover Morath, liet zijn krant zakken en wierp een blik op zijn horloge.

'Op tijd?' vroeg Morath.

Courtmain knikte. Hij ging net als Morath zeer goed gekleed. Emile Courtmain was begin veertig. Hij had wit haar, dunne lippen, grijze ogen en een kille, afstandelijke persoonlijkheid die een hypnotiserende aantrekkingskracht uitoefende op praktisch iedereen. Hij glimlachte zelden, staarde ongegeneerd en zei weinig. Hij was ofwel briljant of dom, niemand wist dat, en het leek ook niet verschrikkelijk belangrijk. Het was volkomen onbekend wat voor een leven hij misschien had geleid na zeven uur 's avonds. Een van de reclametekstschrijvers beweerde dat Courtmain zichzelf ophing in de kast, nadat iedereen het kantoor had verlaten, en vervolgens wachtte tot het weer dag werd.

'We gaan toch niet naar de fabriek, hè?' vroeg Morath.

'Nee.'

Morath was daar dankbaar voor. De zeepkoning had hen een jaar geleden meegenomen naar zijn fabriek, gewoon om zich ervan te verzekeren dat ze niet zouden vergeten wie ze waren, wie hij was en wat de wereld liet draaien. Ze waren het niet vergeten. Enorme vaten met borrelend dierlijk vet, wegrottende hopen botten, ketels vol loog kookten zachtjes op een laag pitje. Dé eindbestemming van de meeste karren- en rijtuigpaarden in het noorden van België. 'Was je kont goed met dat spul!' riep Hooryckx uit; hij doemde als een industrieduivel op uit een wolk van gele stoom.

Ze arriveerden op tijd in Antwerpen en stapten buiten het station in een taxi. Courtmain gaf de chauffeur ingewikkelde instructies – het kantoor van Hooryckx bevond zich in een bochtig straatje aan de rand van de dokbuurt; enkele kamers in een deftig, maar bouwvallig pand. 'De wereld maakt me duidelijk dat ik een rijk man ben,' zei Hooryckx altijd, 'waarna diezelfde wereld alles wat ik heb weggrist.'

Achter in de taxi rommelde Courtmain in zijn aktetas en haalde een flesje eau de toilette van het merk Zouave te voorschijn; op het etiket staarde een soldaat met een woeste snor dwingend de wereld in. Dit was eveneens een product van Hooryckx, hoewel het absoluut niet zo populair was als de zeep. Courtmain schroefde het dopje eraf, kwakte wat van het spul op zijn gezicht en gaf het flesje door aan Morath. 'Ah', zei hij, terwijl de zware geur vrijkwam. 'Het beste zwoegpand van Istanboel.'

Hooryckx was opgetogen toen hij hen zag. 'De jongens van Parijs!' Hij had een dikke buik en zijn kapsel deed denken aan een cartoonpersonage dat zijn vinger in een fitting stopt. Courtmain haalde een gekleurde tekening uit zijn aktetas. Met een knipoog maakte Hooryckx zijn secretaresse duidelijk dat ze zijn advertentiemanager moest gaan halen. 'De echtgenoot van mijn dochter', zei hij. De man kwam enkele minuten later opdagen. Courtmain legde de tekening op de tafel, waarna ze eromheen gingen staan.

In een koningsblauwe lucht vlogen twee witte zwanen boven de legendarische *Deux Cygnes* – dit was iets nieuws. In 1937 kwam de afdeling tijdschriftreclame aanzetten met een afbeelding van een aantrekkelijke moeder – ze had een schort voor – die aan haar kleine dochtertje een reep *Deux Cygnes* liet zien.

'Zo', zei Hooryckx. 'Wat hebben die stippen te betekenen?'

'Twee zwanen...', zei Courtmain. Hij liet zijn stem wegsterven. 'Woorden zijn niet in staat het delicate, deze schoonheid van het moment, te beschrijven.'

'Horen die niet te zwemmen?' vroeg Hooryckx.

Courtmain diepte uit zijn aktetas de zwemversie op. Zijn bureauredactrice had hem gewaarschuwd dat dit stond te gebeuren. Op deze tekening maakten de zwanen rimpelingen in een vijver terwijl ze langs een bosje riet dobberden.

Hooryckx perste zijn lippen op elkaar.

'Ik zie ze liever vliegen', zei de schoonzoon. 'Chiquer, niet dan?'

'Wat moet ik ermee?' vroeg Hooryckx aan Morath.

'Deze doet het goed bij de vrouwen', zei Morath.

'Ga door.'

'Dit is wat ze voelen als ze het product gebruiken.'

De blik van Hooryckx gleed beurtelings van de ene tekening naar de andere. 'Natuurlijk', zei hij. 'Zwanen vliegen soms.'

Een ogenblik later knikte Morath. *Natuurlijk.*

Courtmain haalde nog een andere versie te voorschijn. De zwanen vlogen ditmaal in een aquamarijnkleurige lucht.

'Poeh', zei Hooryckx.

Courtmain griste die tekening weg.

De schoonzoon stelde voor om er een wolkje bij te doen. Een heel subtiel wolkje, niet meer dan een pennenstreekje, een laagje, op een blauw veld. Courtmain dacht daarover na. 'Heel duur', zei hij.

Hooryckx zei: 'Maar wel een uitstekend idee, Louis. Ik kan het voor me zien.'

Hooryckx trommelde met zijn vingers op het bureau. 'Het is prima als ze vliegen, maar ik mis die gebogen hals.'

'We kunnen het proberen', zei Courtmain.

Hooryckx staarde enkele seconden. 'Nee, zo is het beter.'

Na de lunch vertrok Courtmain om een toekomstige klant te ontmoeten. Morath ging naar het centraal gelegen handelsdistrict, naar een winkel die Homme du Monde, ofwel Man van de Wereld heette. Achter het raam stonden beminnelijke etalagepoppen in smoking. Binnen was het veel te warm. Een winkelbediende zat op haar knieën met speldjes tussen haar lippen. Ze nam bij een klant de maat op voor een avondpantalon.

'Madame Golsztahn?' zei Morath.

'Een moment, monsieur.'

Achter in de winkel werd een gordijn opzijgeschoven. Madame Golsztahn kwam te voorschijn. 'Ja?'

'Ik ben vanochtend vanuit Parijs gearriveerd.'

'O, u bent het', zei ze. 'Kom verder.'

Achter het gordijn was een man pantalons aan het persen. Hij bediende een pedaal dat een luide sis en een wolk van stoom veroorzaakte. Madame Golsztahn ging Morath voor langs een lang rek met smokings en jacquets naar een versleten bureau. De vakjes waren gevuld met kwitanties. Morath wist wie zij was, ook al hadden ze elkaar nog nooit ontmoet. Ze was beroemd om haar liefdesaffaires – in Boedapest, toen ze jonger was – bleek het onderwerp te zijn van gedichten in kranten met een kleine oplage, was de oorzaak van twee of drie schandalen en, naar men zegt, van een zelfmoord op de Elisabethbrug. Hij voelde het, terwijl hij naast haar stond. Een verlopen gezicht, steenrood, stug haar en het lichaam van een danseres, gehuld in een strakke, zwarte sweater en een rok. *Als de stroming in een rivier.* Ze glimlachte hem wrang toe. Voor haar was hij als een open boek, en ze zou er niks om gegeven hebben, waarna ze haar lokken van haar voorhoofd veegde. Er stond een radio aan. Schubert, misschien. Violen. Iets uitzonderlijk klefs. En om de paar seconden klonk de luide sis van de stoompers. 'Zo', zei ze, voordat er feitelijk iets was gebeurd.

'Zullen we naar een café gaan?'

'We kunnen beter hier blijven.'

Ze zaten naast elkaar aan het bureau. Zij stak een sigaret op en hield die tussen haar lippen; ze versmalde haar ogen terwijl de rook langs haar gezicht omhoog kringelde. Ze haalde een kwitantie tussen de andere uit, draaide die om en streek het papier met haar handen glad. Morath kon een paar letters en getallen zien, waarvan sommige waren omcirkeld. Ze zei: 'Geheugensteuntjes. Ik hoef ze nu alleen nog maar te ontcijferen.'

'Oké', zei ze uiteindelijk. 'Hier hebben we de vriend van uw oom in Boedapest. Hij staat bekend als een "leidinggevend politiefunctionaris". Hij verklaart dat "er op tien maart tekenen zijn van intense activiteit in alle geledingen van de *nyilas*-gemeenschap".' *Neelosh* – haar stem klonk vastberaden neutraal. Het betrof de pijlkruisers, onvervalste aan Hitler toegewijde fascisten; de EME, gespecialiseerd in bomaanslagen tegen joodse vrouwen; de *Kereszteny Kurzus*, de Christelijke Cursus, wat zoveel meer betekende als 'Christelijk', en verscheidene andere grote en kleine organisaties.

'Op vijf maart,' zei ze, 'was er een brand in een schuur in het acht-
ste district, *Csikago'* – Chicago, ofwel fabrieken en gangsters – 'poli-
tie-inspecteurs werden erbij geroepen toen aldaar opgeslagen geweren
en pistolen werden gevonden.'

Toen ze hoestte, bedekte ze haar mond met haar handrug; de sigaret plaatste ze tussen een reeks bruine brandstreepjes aan de rand van
het bureau. 'Een lid van de pijlkruisers, van beroep een kastenmaker
en gearresteerd wegens het bekladden van gemeengoed, was in het bezit van het privé-telefoonnummer van de Duitse handelsattaché. Een
politie-informant werd vermoord op zes maart. Acht jongemannen,
allemaal lid van de *Turul*, een studentenvereniging, werden opgemerkt toen ze een surveillance uitvoerden bij de legerkazerne bij
Arad. De vrachtwagen van een verhuizer stond geparkeerd in een
steeg nabij het zuidelijk gelegen treinstation en werd door de politie
doorzocht nadat informatie was verkregen van de vervreemde vrouw
van de chauffeur. Men vond een zwaar machinegeweer, een Berthier,
met vijfentachtig kogelriemen.'

'Ik zal hier notities van moeten maken', zei Morath.

Golsztahn ving zijn blik. 'U gaat toch niet toevallig ergens heen?'
Ze zweeg even. 'Naar het oosten?'

Morath schudde zijn hoofd. 'Alleen naar Parijs. Vanavond.'

Ze gaf hem een onbeschreven huurkwitantie. 'Gebruik de achterkant. De politiefunctionaris bericht dat "een rapport over deze gebeurtenissen onderweg is, volgens de gebruikelijke wijze, naar het
kantoor van kolonel Sombor in het Parijse gezantschapsgebouw".'

'Een momentje', zei Morath. Hij had de achterstand bijna ingelo-
pen. Sombor had bij de legatie iets te maken met de staatsveiligheid –
dezelfde naam als het hoofd van de geheime politie; hij kwam uit een
stad in het zuiden van Hongarije. Dat betekende doorgaans Hongaarse of Duitse, Saksische, afkomst.

Toen hij opkeek, vervolgde ze: 'Een informant die in de pijlkrui-
sersbeweging zit, rapporteert dat verscheidene van zijn collega's zich
gereed maken om hun families gedurende de eerste week van mei de
stad uit te sturen. En...' Ze tuurde aandachtig naar de bovenkant van
de kwitantie. 'Hè?' zei ze. Vervolgens: 'O. Twee bekend zijnde agenten van de Duitse inlichtingendienst, de SD, hadden in hun kamer in

het Hotel Gellert foto's van de bouwkundige blauwdruktekening van het politiebureau van het Water District en het Paleis van Justitie. De politiefunctionaris verklaart ten slotte dat er nog meer voorbeelden zijn van dit soort activiteiten, een dertigtal. Dit alles duidt op politieke acties in de nabije toekomst.'

Het was rustig in de avondtrein naar Parijs. Courtmain was aan het werk. Hij maakte vlug notities op een schrijfblok. Morath las de krant. De hoofdartikelen bleven in het teken staan van Oostenrijk en de *Anschluss*. Op de redactionele pagina citeerde een politiek columnist de Britse politicus Churchill, een lid van de Tory-oppositie. Het citaat was afkomstig uit een rede die hij eind februari in het parlement had gehouden. 'Oostenrijk is nu een onderworpen land, en we weten niet of Tsjecho-Slowakije zal gaan lijden onder een gelijksoortig lot.'

Nou, iemand in elk geval wel.

Morath raakte de kwitantie in zijn zak aan. Golsztahn had die van haar in een koffiekopje verbrand, waarna ze de as met het uiteinde van een pen in kleine stukjes prikte.

Van al deze mensen was Otto Adler misschien wel degene die het meeste van Parijs hield. Hij was er in de winter van 1937 gearriveerd en bouwde een bestaan op – echtgenote, vier kinderen, twee katten en een redactiekantoor – in een groot, oud en tochtig huis in St.-Germain-en-Laye, waar hij vanuit zijn werkkamer uit het raam kilometers ver kon uitkijken over de Parijse daken. *Parijs – het beste idee dat de mensheid ooit heeft gehad.*

'Driemaal is scheepsrecht!' Zo legde zijn vrouw het uit. Otto Adler was opgegroeid in Koenigsberg, de hoofdstad van Oost-Pruisen, in de Baltisch-Duitse gemeenschap. Nadat hij aan de Universiteit van Berlijn had gestudeerd, was hij een marxist geworden, waarna hij een tiental jaren, als dertiger, uitgroeide tot sociaal-democraat, journalist en pauper. 'Als je zo arm bent,' had hij gezegd, 'blijft er geen andere mogelijkheid voor je over dan een tijdschrift op poten zetten.' Aldus zag *Die Aussicht*, ofwel *De uitkijk*, het licht. Het tijdschrift bleek in de benauwende *Volksdeutsche* wereld van Koenigsberg niet zo populair te zijn. 'Deze mislukte ansichtkaartenschilder uit Linz verwoest op deze wijze de Duitse cultuur', schreef hij in 1933 over Hitler. Het leverde hem twee gebroken ruiten op, het gegeven dat zijn vrouw werd uitgescholden in de slagerswinkel, en niet lang daarna een groot, oud en tochtig appartement in Wenen.

Daar paste Otto Adler veel beter. 'Otto, schat van me, volgens mij ben je geboren om als Wener door het leven te gaan', zei zijn vrouw. Hij was kaal en had een rond, rozig gezicht en een stralende glimlach – hij gunde de wereld het allerbeste. Hij was een van die ruimhartige mensen die tegelijk goedaardig en boos kunnen zijn, en die op de koop toe om zichzelf lachen. Op de een of andere manier bleef hij het tijdschrift uitgeven. 'We zouden het veeleer *De os* moeten noemen, zoals het blad in weer en wind verder sjokt.' Na verloop van tijd begon hij wat Weens geld te verdienen – van progressieve bankiers, joodse zakenmensen en vakbondsleiders. Terwijl *Die Aussicht* steeds meer vaste voet aan de grond kreeg, lukte het hem een artikel te bemachtigen van Karl Kraus, een van de goden in de Duitse literatuurwereld, een woeste, briljante satiricus wiens discipelen – lezers, studenten – bekendstonden als *Krausianer*.

In 1937 publiceerde *Die Aussicht* een korte *reportage* van een Italiaanse journaliste, de vrouw van een diplomaat. Zij was aanwezig geweest bij een van die schandelijke diners van Hermann Goering, in Schorfheide, waar zijn jachthuis stond. De gebruikelijke nazipret bij de soep en de vis, maar voordat het hoofdgerecht arriveerde, verliet Goering de tafel en kwam terug in een hemd van ongelooid leer en over zijn schouder een berenvacht – een krijgerskostuum van de Germaanse stammen uit vervlogen tijden. Maar dat was natuurlijk bij lange na niet genoeg. Goering was gewapend met een speer en trok twee met kettingen opgetuigde, langharige Europese bizons achter zich aan door de kamer terwijl de gasten gierden en brulden. Maar dat was nog steeds niet genoeg. Het tijdverdrijf eindigde met de paring van de twee bizons. 'Een feestje om nooit te vergeten', stond er in *Die Aussicht*. De kinderen van Adler werden van school gestuurd, men kalkte een hakenkruis op zijn deur, de dienstmeid nam ontslag en de buren zeiden niet langer '*Grüss Gott*'.

In Genève vonden ze een groot, oud en tochtig huis. Maar niemand voelde zich daar erg gelukkig. Zoals de *Volksdeutschen* en de

Oostenrijkers de feestjesspeurders behandelden, zo behandelden de Zwitsers de schrijvers. Niemand zei een woord over het tijdschrift. Kennelijk kon hij alles publiceren in het democratische Zwitserland, maar het leven bestond daar uit een spinnenweb van regels en voorschriften die zowel de postadres- en woonvergunningen voor buitenlanders reguleerden als, zo scheen het Adler toe, de lucht die ze inademden.

Het was een beetje stil rond de eettafel toen Adler de familie informeerde over het feit dat ze moesten verhuizen. 'Een noodzakelijk avontuur', zei hij met een stralende glimlach. Onder de tafel legde zijn vrouw haar hand op zijn knie. Dus werd het in december 1937 Parijs. St.-Germain-en-Laye bleek een klassieker in de geografie van de bannelingen, een sinds lang bestaande schuilplaats voor prinsen die in veel landen niet welkom waren. Er bevond zich een indrukwekkende Promenade Anglais, waar je uren kon lopen; zeer geschikt voor bitterzoete overpeinzingen aangaande de verloren kroon, het kasteel van toen of het verdwenen thuisland. Adler ontmoette een welwillende drukker, legde contacten in de liberale gemeenschap van Duitse uitgewekenen en ging weer aan het werk om de fascisten en bolsjewieken ervan langs te geven. Dat was het lot van de sociaal-democraat; en wie was die man in de regenjas bij de krantenkiosk?

Ondertussen was Adler verliefd geworden op de openbare parken van Parijs. 'Wat voor een idioot neemt de trein om naar de parken te gaan?' Het soort mensen dat boeken had geschreven waarmee zijn aktetas gevuld was; Schnitzler, Weininger, Mann, misschien von Hoffmansthal, verder lagen er twee pennen in en een sandwich met kaas. Hij zat dan in de Jardin du Luxembourg en keek naar het gespikkelde licht dat tussen de platanen door op het kiezelpad scheen. Een paar centimes voor het ouwe, lastige mens dat de stoelen bewaakte en je waande je de hele middag in een schilderij.

Aanvankelijk ging hij alleen als het mooi weer was, later ook als het zachtjes regende. Het werd een gewoonte van hem. Naarmate de tijd voortschreed en de lente van 1938 langzaam overging in wat de zomer ook maar in petto had, schreef Otto Adler met zijn vulpen wederom een redactioneel artikel, of hij deed op dat moment even een dutje, in elk geval was hij vrijwel altijd in het park te vinden.

Op het briefje van barones Frei stond de uitnodiging voor 'Mijn beste Nicholas' om op 16 april om vijf uur 's middags bij haar thuis op bezoek te komen. Nicholas nam een taxi naar het metrostation Sèvres-Babylone, waarna hij naar de Rue de Villon liep.

De straat lag diep verborgen in een labyrint van smalle steegjes die kriskras de grens tussen het zesde en zevende arrondissement doorkruisten; zoals overal het geval was, bleek het paradijs ook hier verdomd moeilijk te vinden. Taxichauffeurs bladerden door hun stadsgids, waarna ze snel wegreden naar de Rue François Villon – genoemd naar de middeleeuwse rover-dichter – in een verre buurt waar bij aankomst zowel voor de chauffeur als de klant meteen duidelijk werd dat dit *absoluut niet* de juiste straat was.

De enige echte Rue de Villon was alleen maar toegankelijk via een gewelfde steeg – de impasse Villon – een tunnel waar de schemer eeuwig heerste en die de dappere *automobiliste* uitdaagde zijn geluk te komen beproeven. Soms lukte het, afhankelijk van het model en het bouwjaar van de auto, maar het bleef steevast een kwestie van centimeters en het zag er *niet* naar uit dat het plan ooit kon slagen. De steeg gaf geen hint wat zich daarachter bevond, en de toevallige passant neigde ertoe precies dát te doen, namelijk passeren, terwijl de waarlijk zelfverzekerde toerist opstandig in de tunnel tuurde en daarna pas vertrok.

Aan de andere kant echter straalde het hemelse licht op een rij zeventiende-eeuwse huizen, beschermd door smeedijzeren omheiningen die doodliepen tegen een tuinmuur; Rue de Villon 3 tot Rue de Villon 9, een volgorde waarvan de logica alleen bekend was bij God en de postbode. 's Avonds werd het piepkleine steegje verlicht door Victoriaanse gaslampen die zachte schaduwen maakten van een klimplant die over de bovenkant van de tuinmuur kronkelde. De tuin hoorde bij huisnummer drie – een vage indruk van het nummer was te vinden op een roestige, metalen deur die zo breed was dat er een rijtuig doorheen kon – en was het eigendom van barones Lillian Frei. Zij kende haar buren niet. De buren kenden haar niet.

Een dienstmeid deed de deur open en ging Morath voor naar de tuin. De barones zat aan de tuintafel en hield haar wang omhoog, zodat er een kus op gedrukt kon worden. 'Lieve schat,' zei ze, 'ik ben zo blij je te zien.' Morath vond het hartverwarmend; hij glimlachte als een vijfjarige jongen en kuste haar met genoegen.

Het kon best zijn dat de barones zestig was. Ze had een kromme rug als gevolg van een levenslange ineengedoken houding; een kant van haar rug vertoonde een bochel die boven haar schouder uitstak. Ze had glimmende, blauwe ogen, zacht, sneeuwwit haar en een uitstraling alsof ze de zon zelf was. Ze was op dat moment, zoals altijd, omringd door een meute viszla's – wat niet wilde zeggen dat Morath onderscheid kon maken tussen die honden. Maar de barones vertelde haar gasten altijd graag dat ze bij een zeer grote, wispelturige, verwaande familie hoorden die in het huis en in de tuin een romantisch epos zonder einde vormden. Korto was grootgebracht door Fina en hield van Malya, zijn dochter van de flirterige Moselda, die lang geleden was heengegaan. Natuurlijk konden ze, omwille van de zuiverheid van het geslacht, nooit 'bij elkaar' zijn. Dus in de loopse periode werd ijdeltuit Malya in de keuken gehouden terwijl arme Korto op de kiezels in de tuin lag, met de kop op zijn voorpoten gezakt. Of hij stond op zijn achterpoten, staarde dan kippig door de ramen en blafte net zolang tot de dienstmeid een vod naar hem smeet.

Nu stormden ze rond de benen van Morath. Hij boog zich om zijn hand over de satijnen vacht van hun flanken te laten glijden.

'Ja,' zei de barones, 'hier is jullie vriend Nicholas.'

De viszla's waren snel. Voordat Morath het in de gaten had, kreeg hij een natte kus op zijn oog gedrukt.

'Korto!'

'Nee, nee. Ik voel me gevleid.'

De hond zette zich schrap met zijn voorpoten.

'Wat is er, Korto? Wil je gaan jagen?'

Even ging Morath ruw met hem om; de hond mauwde van de pret.

'Wil je naar het bos?'

Korto danste zijwaarts – *pak me dan*.

'Een beer? Zou je met minder niet tevreden zijn?'

'Hij loopt niet weg, hoor', zei de barones, waarna ze zich tot de hond richtte: 'Nee, hè?'

Korto kwispelde met zijn staart. Morath rechtte zijn rug, waarna hij zich bij de barones aan de tafel voegde.

'Onvervalste moed', zei hij. 'En de laatste vijf minuten van zijn leven zouden de beste zijn.' De dienstmeid kwam eraan. Ze duwde een serveerwagentje met een glazen blad en een piepend wiel voor zich uit, plaatste een schaal met gebakjes op de tafel, schonk een kop thee in en zette die voor Morath neer. Met een zilveren gebakstang in de hand inspecteerde de barones de gebakjes. 'Eens even kijken...'

Opgerold korstdeeg, gevuld met walnoten en rozijnen. Ze kwamen uit de oven en de lichtgesuikerde korst was nog steeds warm.

'En?'

'Net Ruszwurm. Beter, zelfs.'

Voor die leugen knikte de barones hem minzaam toe. Onder de tafel bevonden zich veel honden. 'Jullie moeten wachten, schatten', zei de barones. Haar glimlach straalde verdraagzaamheid en mateloze vriendelijkheid uit. Morath was ooit halverwege de ochtend op bezoek geweest en telde toen twintig stukjes toast met boter op de ontbijtschaal van de barones.

'Ik ben verleden week in Boedapest geweest', zei ze.

'Hoe was het daar?'

'Gespannen, zou ik zeggen, onder de gebruikelijke commotie. Ik heb je moeder en zus ontmoet.'

'Hoe gaat het met ze?'

'Ze maken het goed. De oudste dochter van Teresa mag naar school in Zwitserland.'

'Dat is misschien wel het beste.'

'Misschien. Je krijgt de groeten van ze. Je moet ze een brief schrijven.'

'Dat doe ik.'

'Je moeder vertelde aan mij dat Eva Zameny haar man heeft verlaten.' Lang geleden waren zij en Morath verloofd en zouden gaan trouwen.

'Wat vervelend.'

De gelaatsuitdrukking van de barones verraadde dat zij daar geen moeite mee had. 'Beter zo. Haar echtgenoot was een rotzak. En hij was verslaafd aan gokken.'

Er klonk een bel in het huis, van het soort dat klingelde als je aan een koord trok. 'Dat zal je oom zijn.'

Er waren meer gasten gearriveerd. Vrouwen met voilehoeden en in korte jasjes en zwart met wit gestippelde jurken, die populair waren in de lente. Voormalige onderdanen van de dubbelmonarchie. De gasten spraken het Oostenrijkse dialect, doorspekt met Hoogduits, Hongaars en Frans; ze schakelden moeiteloos over op de andere talen als alleen een zeer speciale uitdrukking duidelijk maakte wat ze bedoelden. De mannen waren keurig gekapt en gebruikten goede cologne. Twee van hen droegen onderscheidingen. De een een zwart met goudkleurig lint onder een medaille met de inscriptie KUK – *Kaiser und Königlich*, ofwel 'Keizer en Koninklijk', de dubbelmonarchie. De andere man was onderscheiden voor zijn verdiensten in de Russisch-Poolse oorlog in 1920. Een beschaafde groep mensen, beleefd en attent. Het was moeilijk uit te maken wie rijk was en wie niet.

Morath en Polanyi stonden bij een grote buksboom in de hoek bij de tuinmuur, kop en schotel in de hand.

'Tjonge, wat zou ik graag een borrel hebben', zei Polanyi.

'We kunnen hierna ergens heen gaan.'

'Ik ben bang dat dat niet lukt. Cocktail met de Finnen. Dineren met de minister van Buitenlandse Zaken van Venezuela. Flores, in het zestiende.'

Morath knikte genegen.

'Nee, niet Flores.' Polanyi perste zijn lippen op elkaar en ergerde zich over die verspreking. 'Ik had Montemayor moeten zeggen. Flores is, pfft.'

'Nog nieuws van het thuisfront?'

'Alleen slechte dingen. Het is zoals je in je aantekeningen uit Antwerpen duidelijk hebt gemaakt. Erger nog.'

'Een ander Oostenrijk?'

'Niet bepaald. We zijn niet *Ein Volk*, een volk. Maar de druk neemt toe. *Jullie zullen onze bondgenoten worden, anders...*' Hij zuchtte en schudde zijn hoofd. 'Nu begint de echte nachtmerrie, Nicholas. De boze droom waarin het monster naar je toe loopt en jij niet kunt vluchten en als aan de grond genageld blijft staan. Ik begin steeds meer te denken dat deze mensen, die Duitse agressie, ons vroeg of laat de nek omdraaien. De Oostenrijkers hebben ons in 1914 meegesleurd in de oorlog – misschien kan iemand me op een dag precies vertellen *waarom* wij dat allemaal moesten doen. En nu begint het opnieuw. Vandaag of morgen kondigen de kranten aan dat Hongarije heeft besloten vóór de *Anschluss* te zijn. In ruil daarvoor zal Hitler onze grenzen met rust laten. Quidproquo, keurig geregeld.'

'Gelooft u dat?'

'Nee.' Hij nam een slok van zijn thee. 'Nee, correctie... "misschien". Hitler voelt zich geïntimideerd door Horthy, omdat Horthy alles is wat Hitler altijd heeft willen zijn. Oude adel, adjudant van Franz Josef, oorlogsheld, polospeler, zo getrouwd dat hij in de *fine fleur* van de society zit. Bovendien schilderen ze beiden. In feite heeft Horthy het langer uitgehouden dan welke Europese leider ook. Dat moet iets waard zijn, niet dan, Nicholas?'

De gezichtsuitdrukking van Polanyi verraadde exact wat het waard was.

'Dus de huidige onrust... is iets waarmee afgedaan kan worden?'

'Dat zal niet makkelijk zijn, misschien is het onmogelijk. We hebben te maken met een revolte. De conservatieven eruit, de fascisten erin, de liberalen *au poteau*.' De slogan uit 1789 – naar de guillotine ermee.

Morath was verbaasd. Toen in Boedapest de pijlkruisers hun zwarte uniformen aantrokken en door de stad paradeerden, dwong de politie hen om die kleren uit te trekken en stuurde ze hen in hun ondergoed naar huis. 'En de politie dan? En het leger?'

'Wie zal het zeggen?'

'En nu?'

'Als Daranyi premier wil blijven, moet hij een compromis met ze sluiten, anders zal er in de straten bloed vloeien. Kortom, momenteel zitten we in de onderhandelingsfase. En we zullen gedwongen zijn diensten te bewijzen, en dat niet alleen.'

'Aan wie?'

'Belangrijke mensen.'

Morath voelde dat het eraan zat te komen. Polanyi wilde ongetwijfeld dat hij dat voelde. Hij zette kop en schotel op een tafel, diepte uit zijn zak een sigarettenkoker op, gemaakt van een schildpad, haalde er een sigaret uit en stak die met een zilveren aansteker aan.

De laatste avonden van april verstreken, maar er volgde geen teken dat de lente voor de deur stond. De wind waaide hard over de trappen van het metrostation. Wind, regen en mist, doortrokken met de smaak van fabrieksrook. Morath hield zijn overjas dicht en liep vlak langs de gebouwen. Hij stapte door een donkere straat, vervolgens weer een, en sloeg daarna scherp linksaf, naar een knipperend, blauw neonlicht – de *Balalaika*. De portier, een kozak in een tuniek van schaapsleer en met een woeste snor, tuurde vanuit de beschutting van de portiek naar buiten – met in zijn hand een zwarte paraplu – in deze laatste amusementsuurtjes op een winderige avond.

De portier gromde goedenavond. Zijn Russische accent was zwaar en melodramatisch. 'Welkom in de Balalaika, meneer; de show zal zo beginnen.'

Binnen was het benauwd; sigaretten gloeiden in de duisternis. Muren van rode pluche en een verbluffend mooi garderobemeisje. Morath gaf haar een gulle fooi en hield zijn jas aan. Ook hier droegen ze hun onderscheidingen. Op de bloes van de eerste kelner, hij was een meter vijfennegentig lang en had een sjerp om en hoge schoenen aan, prijkte een bronzen medaille. Hij had die gekregen dankzij zijn verdiensten als huurling en als gardeofficier aan het paleis van koning Zog van Albanië.

Morath begaf zich naar de bar en ging aan het uiteinde ervan zitten. Vanaf die plaats kon hij een glimp opvangen van het podium. Het zigeunertrio jammerde een lied vol sentimentele kwelling. Een danseres in een doorschijnende pantalon en een topje verscheen in het licht van de blauwe jupiterlampen en liet precies zien wat haar trouweloze geliefde had opgegeven. Haar cavalier stond met gevouwen handen aan een kant van het podium – vruchteloos verlangen – terwijl een rode gloeilamp in zijn broek aan en uit ging op het ritme van de muziek.

Morath bestelde een Poolse wodka. Toen die arriveerde, bood hij de barkeeper een sigaret aan en gaf hem een vuurtje. Een korte, gedrongen man met smalle ogen en geprononceerde kraaienpootjes; misschien lachte hij vaak, maar het kon ook zijn dat hij te vaak in de verte tuurde. Onder zijn rode jasje droeg hij een overhemd dat zo vaak was gewassen dat het een onbepaalde pastelkleur had gekregen.

'Boris?' vroeg Morath.

'Zo nu en dan.'

'Nou, Boris, ik heb een vriend die...' Een zweem van ironie doorspekte de zin; de barman glimlachte begrijpend, '... die in de problemen zat en bij jou aanklopte om hulp.'

'Wanneer was dat?'

'Verleden jaar, in deze periode. Zijn vriendin moest naar de dokter.'

De barkeeper haalde zijn schouders op. Duizend klanten, duizend verhalen. 'Ik kan het me niet herinneren.'

Morath begreep het. Op een slecht geheugen gokken, was een goed idee. 'Nu gaat het om een andere vriend. Een ander soort probleem.'

'En?'

'Een paspoortprobleem.'

De barkeeper veegde met zijn doek over het met zink afgewerkte oppervlak, waarna hij even stopte en Morath aandachtig aankeek. 'Waar komt u vandaan, als ik vragen mag.'

'Boedapest.'

'Uitgewekene?'

'Niet echt. Ik ben na de oorlog gekomen. Ik zit hier in de zakenwereld.'

'Gevochten in de oorlog?'

'Ja.'

'Waar?'

'Galicië. En een tijdje in Volhynia...'

'En toen weer terug naar Galicië.' De barkeeper lachte terwijl hij de zin voor Morath afmaakte. 'O ja,' zei hij, *dat* klote oord.'

'Was jij daar ook?'

'Mm. Waarschijnlijk hebben we elkaar beschoten. Daarna, in de herfst van 1917, nam mijn regiment de benen. Hetzelfde?'

'Graag.'

De heldere vloeistof kwam precies tot aan de rand.

'Drink je mee?'

De barkeeper schonk zichzelf een wodka in en hief het glas. 'Vanwege de belabberde schietprestaties, denk ik.' Hij dronk op z'n Russisch – gracieus, maar alles in één keer.

Aan de nachtclubtafels werd geklapt. Het klonk harder naarmate de klanten stoutmoediger werden; sommigen riepen 'Hey!' op de maat. De gehurkte danser hield zijn gekruiste armen voor zijn borstkas en schopte met zijn benen beurtelings naar voren.

'Paspoorten', zei de barkeeper opeens mistroostig. 'Als je met die dingen rotzooit, kun je echt in de problemen raken. Indien ze je pakken, zetten ze je hier achter de tralies. De handel gaat natuurlijk door. Het betreft doorgaans vluchtelingen, joden en politieke bannelingen. Als je eenmaal uit Duitsland bent gevlucht, heb je nergens een legale status, tenzij je in het bezit bent van een visum. Maar voordat je dat hebt, ben je veel tijd en geld kwijt, waarbij je het je niet kunt permitteren haastig te werk te gaan. Toch doe je dat, want de Gestapo zit achter je aan, waardoor je alles dient te doen wat nodig is. Dus sluip je de grens over en ben je vanaf dat moment een "stateloze". Je glipt Tsjecho-Slowakije in, of je probeert Zwitserland. Je houdt je een week schuil als je het juiste pension kent. Daarna pakken ze je en zetten ze je over de grens met Oostenrijk. Na een week of twee in de gevangenis lopen de douaniers met je terug naar de grens. Ze doen dat 's nachts, in de bossen, waarna alles opnieuw begint. Hier is het iets beter. Als je je gedeisd houdt, kan het de *flics* niet veel schelen, tenzij je probeert ergens te gaan werken.' Langzaam en verdrietig schudde hij zijn hoofd.

'Hoe is het jou gelukt?'

'Nansen. We hebben mazzel gehad, omdat we bij de eerste migrantengolf hoorden, waardoor we een paspoort kregen van de Volkerenbond. En werkvergunningen en de banen waar de Fransen hun neus voor ophaalden. Dat was in 1920, rond die tijd. De revolutie was verleden tijd, de burgeroorlog liep ten einde, maar toen was het de beurt aan de Cheka. "We hebben gehoord dat je bevriend was met Ivanov." Het werd kortom weer tijd om de biezen te pakken. Later, toen de jongens van Mussolini aan de slag gingen, kwamen de Italianen. Ze hadden ongeveer net zoveel mazzel als wij... vroeger was je een echte professor in de theoretische fysica en nu een echte ober. *Goddank*, je bent een ober. Want vanaf 1933 kwamen de Duitsers. De meesten hadden een paspoort bij zich, maar geen werkvergunning. Ze venten, verkopen met hun kleine koffertjes stopnaalden en garen op de boulevards. Ze bewerken de toeristen, verhongeren, bedelen en zitten in de kantoren van de vluchtelingen-organisaties. Hetzelfde geldt voor de Spanjaarden die vluchten voor Franco. En nu zijn er de Oostenrijkers. Geen papieren, geen werk-vergunning, geen geld.'

'Die vriend heeft geld, Boris.'

De barkeeper had dat steeds al geweten. Na een poosje zei hij: 'U bent een rechercheur, hè?'

'Met mijn accent?'

'Nou ja, misschien wel, misschien niet. Ik ben hoe dan ook niet de man die u moet hebben. U dient naar de plaatsen te gaan waar de vluchtelingen zich ophouden, naar het Café Madine, de Gross Marie, die oorden.'

'Een vraagje. Een persoonlijke vraag.'

'Vraag maar raak.'

'Waarom ben *jij* gevlucht?'

'Omdat ze achter me aan zaten', zei hij. Hij lachte weer.

Morath wachtte op meer.

'Ik was een dichter. Maar, om eerlijk te zijn, ook een crimineel. Toen ze me op de hielen zaten, was ik er nooit echt zeker van om wel-ke van die twee redenen ze me wilden oppakken.'

Het Café Madine bevond zich in het elfde arrondissement, nabij de Place de la République, tussen de slager die *halal*-vlees verkocht aan de Arabieren en koosjer vlees aan de joden, en Szczwerna, een repara-tiewerkplaats voor muziekinstrumenten. Het was makkelijk, mis-schien te makkelijk om contacten te leggen in Café Madine. Hij arri-veerde in de namiddag, stond bij de bar, bestelde een bier en staarde naar het bruisende leven in de wijk. Een man probeerde hem een ring te verkopen. Morath keek ernaar – hij was hier om te kopen, dus laat ze maar een koper bekijken. Een kleine, rode steen omgeven door goud, Universiteit van Heidelberg, 1922.

'Hoeveel?'

'Hij is rond de driehonderd waard.'

'Ik zal erover nadenken. Eigenlijk ben ik hier omdat een vriend van mij in Parijs zijn paspoort is verloren.'

'Ga naar de *Préfecture.*'
Als dat zou kunnen. Zo keek Morath in elk geval. 'Of?'
'Of niets.'

De volgende dag was hij er weer. Tien uur 's ochtends. Het was er verlaten, stil. Een streep zonlicht, een slapende kat, de bril van de *patron* bevond zich op het puntje van de neus. Hij nam zich de tijd met het zetten van de *café au lait* voor Morath; de gekookte melk vertoonde geen vel, de verse koffie was pittig. Bovendien stuurde hij zijn zoontje naar de bakkerij voor een vers brood om een *tartine* te maken.

Zijn contactpersoon was een ruige, ouwe snuiter. Iemand die ooit houthandelaar was geweest in de Oekraïne, hoewel Morath dat op geen enkele manier kon weten. Hij tikte tegen zijn hoed en vroeg aan Morath of hij bij hem wilde gaan zitten aan een tafel. 'Jij bent die kerel met de paspoortproblemen?'

'Een vriend van mij.'

'Uiteraard.'

'Hoe loopt die markt tegenwoordig?'

'De verkoopmarkt, natuurlijk.'

'Hij heeft het echte werk nodig.'

'Het echte werk.' Misschien zou hij het in andere tijden grappig genoeg hebben gevonden om erom te lachen. Morath had het begrepen, dacht hij. *Grenzen, papieren, naties* – nepspullen, leugentjes van politici.

'In zoverre dat mogelijk is.'

'Een man die het allerbeste koopt.'

Daar was Morath het mee eens.

'Tweeduizend vijfhonderd franc. Een bedrag dat jou misschien afschrikt.'

'Nee. Kwaliteit heeft zijn prijs.'

'Heel redelijk, die meneer.' Hij sprak tegen een onzichtbare vriend. Vervolgens vertelde hij aan Morath wanneer hij waar moest zijn.

Twee dagen later, op een vrijdagmiddag in het Louvre, moest Morath zijn best doen om het juiste vertrek te vinden – hier de trap op om daar de trap af te kunnen, langs de Egyptische buit van Napoleon, langs vertrekken met raadselachtige Romeinse spullen, een hoek om en door een eindeloos lange gang vol Britse schoolkinderen. Eindelijk, *de kamer met het portret van Ingres*. Een lichtgevend naakt, gezeten aan een tafel; haar rug was gekromd en zacht.

Een man zat op een bankje bij de muur en ging staan. Hij glimlachte en spreidde zijn armen om hem te verwelkomen. Hij wist wie Morath was, waarschijnlijk had hij hem in het café geobserveerd. Het betrof een knappe, stevige heer met een puntbaardje en een tweed pak aan. Hij deed Morath op de een of andere manier denken aan een eigenaar van een goed gedijende galerie. Kennelijk had hij een collega bij zich. Deze stond aan de andere zijde van het vertrek en staarde met de handen op de rug naar de schilderijen. Morath merkte op hoe ze elkaar vluchtig een blik toewierpen. De man was zo wit als krijt, alsof zijn baard die hij een leven lang had gedragen, was afgeschoren. Een zwarte Homburg zat recht op zijn geschoren hoofd.

De man die eruitzag als een kunsthandelaar zat naast Morath op de houten bank. 'Mij is verteld dat u een document van de allerbeste kwaliteit zoekt', zei hij. Hij sprak Frans als een gestudeerde Duitser.

'Inderdaad.'

'Dat moet dan afkomstig zijn van een overledene.'

'Goed.'

'U koopt uiteraard van de familie van de overledene. Zij willen tweeduizend vijfhonderd franc. Voor ons werk, het veranderen van de identiteitsgegevens, komt er nog eens duizend franc bij. Zijn we het eens?'

'Ja.'

De kunsthandelaar sloeg een krant open; een verslag van een polowedstrijd in het Bois de Boulogne en een paspoort in een kartonnen mapje. 'De familie wil meteen verkopen. Het betreft een Roemeens paspoort dat zeventien maanden geldig is.' Het hoofd op de identificatiefoto was van een man van middelbare leeftijd. Hij zag er formeel en zelfvoldaan uit, compleet met een omzichtig verzorgde en getrimde, zwarte snor. Eronder stond de naam Andrea Panea.

'Ik betaal nu, als u dat wilt.'

'De helft. De rest als het paspoort klaar is en aan u wordt overhandigd. Uw foto komt op de plaats van die van de overledene. Een technicus verzorgt de reliëfbelettering op de foto. De persoonsbeschrijving wordt gewist. Die van u komt daarvoor in de plaats. Het enige dat niet veranderd kan worden, is de geboorteplaats... die staat namelijk in het zegel. Kortom, de houder van dit paspoort bedient zich van deze naam, heeft de Roemeense nationaliteit en is geboren in Cluj.'

'Wat is hem overkomen?'

De kunsthandelaar staarde hem een moment lang aan. *Waarom interesseert u zich daarvoor?* 'Niets spectaculairs.' Een ogenblik later voegde hij eraan toe: 'Het kon hem allemaal niets meer schelen. Het komt best vaak voor.'

'Hier is de foto', zei Morath.

De kunsthandelaar was enigszins verbaasd. Het was geen foto van Morath, maar van een twintiger met een hardvochtig, knokig gezicht dat er nog strenger uitzag door het stalen montuur van zijn bril. Het kortgeknipte kapsel van enkele centimeters maakte zijn platgekamde haar kleurloos. Een student, misschien. Op z'n best. Zijn professoren hadden hem laten overgaan, of hij de lessen nu had bijgewoond of niet. De kunsthandelaar draaide de foto om. Op de achterkant bevond zich een stempel van de fotostudio, in het Servisch-Kroatisch, en het woord 'Zagreb'.

De kunsthandelaar wenkte naar zijn vriend. Deze kwam bij hen op de bank zitten, pakte de foto en bestudeerde die een hele tijd, waarna hij iets in het Jiddisch zei. Morath, die vloeiend Duits sprak, zou in gewone omstandigheden meteen hebben opgepikt waarover het ging, maar dit was een of ander jargon en snel gesproken, op een sarcastische toon.

De kunsthandelaar knikte bijna glimlachend.

'Is de houder hiermee in staat werk te zoeken?'

'In Roemenië. Niet hier. Hij zou kunnen solliciteren, maar...'

'En als het document gecontroleerd wordt door de Roemeense autoriteiten?'

'Waarom zou zoiets gebeuren?'

Morath gaf geen antwoord.

De man met de Homburg op zijn hoofd haalde een potloodstompje uit zijn zak en stelde een vraag, opnieuw in het Jiddisch.

'Hij wil de lengte en het gewicht weten.'

Morath gaf hem de gegevens: mager, kleiner dan gemiddeld.

'Ogen?'

'Grijs. Blond haar.'

'Bijzondere kenmerken?'

'Geen.'

'Beroep?'

'Hij is student.'

De foto werd opgeborgen. De kunsthandelaar sloeg een blad van de krant om. Er kwam een envelop te voorschijn. 'Neem dit mee naar de toiletten aan het einde van de gang. Doe er zeventienhonderd vijftig franc in, stop de krant onder uw arm en verlaat het museum. Neem de uitgang naar de Rue Coligny. Ga op de bovenste trede van de trap staan en wacht enkele minuten. Morgenmiddag om twaalf uur gaat u terug naar die plaats. U zult dan iemand ontmoeten die u eerder hebt gezien. Volg die persoon en de ruil zal ergens plaatsvinden waar u de koopwaar goed zult kunnen bekijken.'

Morath deed wat hem was opgedragen. Hij stopte het bedrag in briefjes van honderd franc in de envelop en wachtte bij de ingang. Tien minuten later zwaaide een vrouw naar hem, ze liep naar hem toe. Ze glimlachte terwijl ze met een trippelgangetje de trap nam naar het museum. Ze was goed gekleed, droeg paarlen oorbellen en had witte handschoenen aan. Ze drukte een vluchtige kus op zijn wang, trok zachtjes de krant onder zijn arm vandaan en vertrok in een wachtende taxi.

De avond voor de treinreis.

Voor Nicky en Cara was het een soort traditie geworden, die *Kama Sutra*-avond – adieu, schat, dit is iets om niet meer te vergeten. Ze zaten in de slaapkamer bij kaarslicht en dronken een fles wijn. Cara had zwart ondergoed aan, Morath een ochtendjas. Soms zetten ze een plaatje op – Morath had twee muziekgenres; Ellington en Lee Wiley – of ze luisterden naar *les beeg bands* op de radio. Op een avond hadden ze een ritje naar Pigalle gemaakt. Cara wachtte daar in de taxi terwijl Morath plaatjesboeken kocht. Daarna haastten ze zich terug naar de Avenue Bourdonnais en keken naar de foto's. Sepiakleurige stellen, triootjes, met z'n vieren, dikke vrouwen met brede heupen en lieve glimlachjes; het boek was gedrukt in Sofia.

Soms plaagde Cara hem met 'verhalen over de nonnenschool'. Ze had drie jaar op zo'n school doorgebracht, op een indrukwekkend landgoed buiten Buenos Aires. 'Het was er precies zoals je je het zou voorstellen, Nicholas.' Ze had dat nogal ademloos gezegd, waarbij ze grote ogen opzette. 'Al die meisjes, allerlei types, allemaal schoonheden. Donker. Blond. Gepassioneerd, verlegen, sommigen waren zo naïef dat ze van *niets* wisten, zelfs niet wat ze dienden *aan te raken*. En 's nachts zaten ze allemaal samen opgesloten. Stel je dat eens voor!'

Dat deed hij.

Maar wat dichter bij de waarheid kwam, zo vermoedde hij, waren de herinneringen over gebeurtenissen die overdag plaatsvonden. Die over 'koude handen en stinkende voeten', en over de afgrijselijke nonnen die hen dwongen te leren, zoals het leervak Frans. Het was de enige taal die zij en Morath samen spraken. Maar Cara kon het hun niet vergeven. 'Mijn god, wat hebben ze ons de stuipen op het lijf gejaagd', had ze gezegd. Ze klapte in haar handen – zoals de onderwijzende non kennelijk deed – en zei op een zangtoon: '*Traduction, les jeunes filles!*' Vervolgens werden ze geconfronteerd met een of andere onpeilbare gruwel, een grammaticaal monster, en kregen ze slechts vijf minuten de tijd om alles te vertalen.

'Ik herinner me...,' zei Cara tegen hem, '... wie was het? Zuster Modeste. Ze schreef op het bord: "Stel dat ze daar nooit samen hadden mogen komen?"' Cara begon te lachen en herinnerde zich het moment. 'Paniek! *Se joindre*. Een moordzuchtig werkwoord. Het is veel eenvoudiger in het Spaans. Toen de zuster het antwoord op het bord had geschreven, boog mijn vriendin Elena zich half over het middenpad en fluisterde: "Nou, ik ben heel blij dat ik weet hoe ik *dat* moet zeggen!"'

Morath schonk het laatste restje wijn in. Cara had haar glas leeggedronken, zette het op de vloer en omarmde hem innig. Hij kuste haar, reikte naar haar en maakte haar bh los, waarbij zij enkele schouderbewegingen maakte en het kledingstuk op een stoel wierp. Enige tijd later liet hij zijn vinger achter het elastiek van haar slipje haken, dat hij zachtjes over haar benen naar beneden trok. Hij deed dat langzaam, zonder abrupte bewegingen, tot zij haar voeten hief en hij het slipje helemaal uit kon doen.

Daarna lagen ze een tijdje stil bij elkaar. Zij pakte zijn hand en hield die tegen haar borst, waarbij hij van haar zijn hand niet mocht bewegen, alsof dit voldoende en het niet nodig was verder te gaan. Hij vroeg zich af wat fijn zou zijn om te doen. In gedachten nam hij terloops zijn repertoire door. Dacht ze dááraan? Of aan iets anders? *Dat hij van me houdt?* Morath opende zijn ogen en zag dat ze glimlachte.

Dat alles was fijn om aan te denken, in de ochtend, de gedachten losgegooid in de kille wereld. Toen hij vertrok, werd ze niet wakker. Ze sliep met open mond, een hand gevangen onder het kussen. Op de een of andere manier kon hij door naar haar te kijken erachter komen of ze de avond daarvoor de liefde had bedreven. Hij dutte bijna op het moment dat de trein de verlaten straten achter zich liet en door het platteland gleed. *Haar tieten, haar kont, naar haar opkijken, de ogen neerslaan, neuken.* Soms fluisterde ze, praatte ze in zichzelf. Hij kon feitelijk nooit horen wat ze precies zei.

Het was een zeer langzame trein die vertrok met het krieken van de dag. Oostwaarts kruipend, alsof de machine daar niet heus wilde arriveren. De trein zou Metz en Saarbrücken passeren en verder gaan naar Würzburg, waar de passagiers konden overstappen op de trein naar Praag, met verbindingen naar Brno, Kosice en Azhorod.

Het oosten van Frankrijk. Een verloren seizoen; geen winter, maar lente was het evenmin. De lucht zag er betrokken en zwaar uit, de wind was killer dan eigenlijk hoorde. De trein kroop door doodse velden vol onkruid, het hield maar niet op.

Er was eens, lang geleden, een aangenaam, landelijk gebied met kleine boerderijen en dorpen. Maar in 1914 brak de oorlog uit, die er een grijs modderland van maakte. Het zou nooit echt meer goed komen, zeiden de mensen. Enkele jaren geleden – de sneeuw was aan het smelten – stootte een boer op iets wat kennelijk ooit een loopgraaf was geweest. Een groep Franse soldaten had zich indertijd naar het slagveld begeven en werd plotseling begraven door de explosie van een enorme artilleriegranaat. Jaren later, tijdens de dooi in de lente, zag de boer een tiental bajonetten, nog steeds in marcheerformatie, uit de aarde steken.

Morath stak een sigaret op en las verder in *Het land van de Kazaren*, van Nicholas Bartha, gepubliceerd in Hongarije, in 1901.

Het vorstelijke herenpartijtje mag niet worden gestoord in wat familiezaken zijn. In welke verhouding staat een Roetheen? Hij is maar een boer. De jachtperiode duurt twee weken. Als gevolg van dit tijdverdrijf zijn 70.000 Roethenen gedoemd om de hongerdood te sterven door het leger van de autoriteiten. Het hert en het wilde zwijn verwoesten het koren, de aardappelen en de klaver van de Roethenen (de hele oogst op zijn kleine akker van vijfentwintig aren). Hun steeds terugkerende, jaarlijkse werk tenietgedaan. De mensen zaaien en de herten van het landgoed oogsten. Het is makkelijk om te zeggen dat de boer dient te klagen. Maar waar? En bij wie? Hij ziet degenen die de macht hebben altijd samen. Het dorpshoofd, de politieagent, zijn assistent, de districtsrechter, de belastingambtenaar, de boswachter, de rentmeester en de bestuurder. Allemaal mannen die dezelfde scholing hebben gehad, die dezelfde sociale geneugten kennen, dezelfde levenstandaard hebben. Tot wie kon hij zich wenden en op rechtvaardigheid hopen?

Toen Morath te weten kwam dat hij naar Roethenië zou gaan, had hij het boek geleend uit de enorme bibliotheek van barones Frei. De baron had deze werken gekocht van Hongaarse instituten die na 1918 binnen de grenzen van andere landen vielen. 'Gered van het vuur', had hij gezegd. Morath glimlachte toen hij hem zich herinnerde. Een korte, dikke man met bakkebaarden. Een man die van zichzelf nooit wist hoeveel geld hij in werkelijkheid verdiende met zijn 'snode plannen'. Toen Morath zestien werd, had de baron hem meegenomen op een 'educatieve zwerftocht' naar het casino in Monte Carlo. Hij kocht een paar diamanten manchetknopen voor hem en huurde een doodsbleke blondine in.

Hij had naast de baron gezeten aan het *chemin de fer*-tafeltje en keek om vier uur in de ochtend toe hoe hij een cheque uitschreef, een bedrag met een onrustbarend aantal nullen. Bleekjes maar glimlachend ging de baron staan, stak een sigaar op, knipoogde naar Morath en begaf zich naar de marmeren trap. Tien minuten later schreed een *fonctionnaire* in een zwart pak langs hem, schraapte zijn keel en zei: 'Baron Frei is naar de tuin gegaan.' Morath aarzelde. Vervolgens ging hij staan en liep snel naar de casinotuin, waar hij ontdekte dat de baron op een rozenstruik urineerde. Tien jaar later zou hij sterven aan een tropische ziekte die hij had opgelopen in de Braziliaanse jungle, waar hij heen was gegaan om industriële diamanten te kopen.

Morath wierp een blik naar boven, naar het bagagerek boven zijn stoel, en verzekerde zich ervan dat de leren tas zich daar bevond. Er zat een paspoort in dat hij had ontvangen in het Louvre. Het was in de zoom van een wollen jas genaaid. *Pavlo*, zo noemde Polanyi de man van wie hij zei dat hij die nog nooit had ontmoet. *De student*. De man die in de stad Uzhorod verzeild was geraakt en niet weg kon. 'Een vriendendienst', zei Polanyi.

Halverwege de middag reed de trein langzamer om de Moezelbruggen te nemen en stopte in het station van Metz; de gebouwen zagen zwart van de fabrieksroet. De meeste medepassagiers van Morath stapten hier uit – er reisden in die periode niet veel mensen naar Duitsland. Morath maakte een wandelingetje op het perron en kocht een krant. Terwijl het schemerde, stopte de trein bij de Franse grenscontrole. Geen probleem voor Morath, aangezien hij officieel een *résident* van Frankrijk was.

Twee uur later stak de trein de grens over bij Saarbrücken. Daar ondervond hij evenmin problemen. De functionaris die op de deur van de coupé van Morath klopte, was ermee ingenomen dat hij het Hongaarse paspoort zag. 'Welkom in het Reich', zei hij. 'Ik ben ervan overtuigd dat u van uw verblijf zult genieten.'

Morath bedankte hem hoffelijk en probeerde zich te installeren voor de nacht. Het grensstation was fel verlicht. Stralend wit. Elektriciteitsdraden aan palen, functionarissen, wachtposten, machinegeweren, honden. Dit is bedoeld voor jou, straalde het geheel uit, en Morath kon het niet waarderen. Hij herinnerde zich een bepaald Hongaars gezegde. 'Men dient nooit vrijwillig een kamer of een land te betreden waarvan de deur niet aan de binnenzijde geopend kan worden.'

Op een zeker tijdstip gedurende de reis kreeg hij gezelschap van twee SS-officieren en bracht hij de avond door met het drinken van cognac, praten over het oude Europa en het nieuwe Duitsland en hoe je Hongaarse vrouwen versierde. De twee jonge officieren – politieke intellectuelen die samen aan de Universiteit van Ulm hadden gestudeerd – amuseerden zich prima. Ze praatten en lachten, poetsten uitvoerig hun bril, raakten bezopen en vielen in slaap. Morath was opgelucht toen hij in Würzburg arriveerde, waar hij overnachtte in het spoorweghotel en de volgende ochtend de trein naar Praag nam.

De Tsjechische grenspolitie was daarentegen niet zo blij hem te zien. Hongarije runde spionagenetwerken in verschillende steden. De Tsjechen waren daarvan op de hoogte.

'Hoe lang bent u van plan in Tsjecho-Slowakije te blijven?' vroeg de grensbewaker aan hem.

'Enkele dagen.'

'De reden, meneer?'

'Indien mogelijk bosgebied kopen namens een groep investeerders in Parijs.'

'Bosgebied?'

'In Roethenië, meneer.'

'Ah. Natuurlijk. U reist naar...?'

'Uzhorod.'

De bewaker knikte en tikte met het uiteinde van een potlood tegen het paspoort. 'Ik geef u een visumstempel voor één week. Wend u alstublieft tot de prefectuur in Uzhorod als u de termijn wilt verlengen.'

Hij at een afschuwelijke *blutwurst* in de restauratiewagen, las Bartha uit en kreeg het voor elkaar om in de stationsrestauratie in Brno een EST te kopen, de avondeditie die vanuit Boedapest werd binnengebracht. Het was duidelijk dat het politieke leven broeide. Twee parlementsleden waren met elkaar op de vuist gegaan. Tijdens een arbeidersbetoging in het tiende district werden bakstenen gegooid en mensen gearresteerd. *Aan de hoofdredacteur. Hoe kunnen we toelaten dat die liberale nichten ons leven bestieren, meneer?* Een redactioneel commentaar riep op tot 'kracht, vastberadenheid en doelgerichte toewijding. De wereld is aan het veranderen en Hongarije kan niet achterblijven.' Een koffiehuis van de universiteit was platgebrand. SPEECH VAN HITLER IN REGENSBURG TOEGEJUICHT DOOR TIENDUIZENDEN. Compleet met foto, op de voorpagina. *Daar komen ze*, dacht Morath.

Achter het raam strekte zich een buitenissig landelijk gebied uit. Lage heuvels, pijnboombossen. Rivieren die in de lente plotseling buiten hun oevers traden. Het schrillere geluid van de locomotief terwijl die door een open bergengte reed. Op het station in het Slowaakse Zvolen bevond de trein zich halverwege Warschau in het noorden en Boedapest in het zuiden. De volgende halte was Kosice, een grensstad van vóór 1918. Op het perron hielden vrouwen met zwarte hoofddoeken strooien manden vast. De trein klom over besneeuwde graslanden en arriveerde in een dorp met limoengroen geschilderde koepelkerken. In de heiige namiddag zag Morath aan de verre horizon de Karpaten. Een uur later stapte hij uit in Uzhorod.

De stationschef zei tegen hem dat hij ergens in de Krolevskastraat kon logeren. Het bleek een geel, bakstenen gebouw te zijn met een bord waarop 'Hotel' stond. De eigenaar had een monocle en een gebreid keppeltje op en droeg een vettig, zijden vest. 'Onze mooiste kamer', zei hij. 'De allerbeste.' Terwijl Morath op het stromatras zat, maakte hij de stiksels van de zoom van zijn wollen jas los en haalde het paspoort te voorschijn. *Andreas Panea.*

Later die middag wandelde hij naar het postkantoor. De Tsjechische postbeambten hadden blauwe uniformen aan. *Malko, poste restante, Uzhorod* had hij op een envelop geschreven, met daarin een onbetekenend briefje – een van zijn zussen was ziek geweest, maar nu aan de beterende hand. Het feitelijke bericht betrof het retouradres; hetzelfde als van 'Malko', maar met een andere naam.

Nu moest hij wachten.

Morath lag op bed en staarde uit het bewolkte raam. De beste kamer maakte als geheel een vreemde hoek: een laag plafond van houten latten, die lang geleden waren gewit, liepen in één richting, maar vervolgens in een andere. Wanneer hij rechtop stond, bevond het plafond zich op slechts enkele centimeters boven zijn hoofd. In de straten klonk het kalme geluid van paardenhoeven op straatkeien. Roethenië, ofwel Klein-Rusland, wat toegenegener klonk. Of, technisch-geografisch gesproken, het Karpatische deel van de Oekraïne. Een Slavisch 'hapje', een stukje grond dat werd ingenomen door de middeleeuwse koningen van Hongarije en sindsdien een verloren land in de noordoosthoek van de natie. Vervolgens, op een vreemde dag na de Eerste Wereldoorlog, toen het Amerikaanse idealisme hand in hand ging met de Franse diplomatie – iets wat graaf Polanyi een 'angstaanjagende convergentie' noemde – plakte men het aan Slowakije en gaf het aan de Tsjechen. Morath vermoedde dat ergens in een kamertje op een ministerie van Cultuur een Moravische bureaucraat hard aan het werk was met een lied. 'Ons lieve, oude Roethenië/land waar we zo van houden.'

Bij het avondeten serveerden de eigenaar en zijn vrouw hem ingemaakte kalfspoot, boekweitgrutten met champignons, witte kaas met sjalotten en pannenkoeken met aalbessenjam. Een fles kersenbrandewijn stond op de planken tafel. Nerveus wreef de eigenaar in zijn handen.

'Heel lekker', zei Morath. Hij veinsde dat hij met het servet zijn mond afveegde – het was ongetwijfeld ooit een servet geweest – en duwde zijn stoel naar achteren. Zijn compliment was echter oprecht en de eigenaar zag dat.

'Wilt u nog een blini, meneer? Eh, *Pannküchen? Crêpe? Blintz?*

'Dank u, toch maar niet.'

Morath betaalde voor het diner en keerde terug naar zijn kamer. Terwijl hij daar in de duisternis lag, kon hij het platteland voelen. Naast het hotel bevond zich een paardenstal, een aanbouw. Soms hinnikten de rossen en bewogen in hun boxen. De geur van mest en rottend stro walmde omhoog, de kamer van Morath in. Eind april, maar het was nog steeds koud. Hij hulde zichzelf in een versleten deken en probeerde de slaap te vatten. In een taveerne in de Krolevskastraat was iemand dronken geworden. Eerst zingen, daarna ruziën, vervolgens op de vuist gaan. Daarna de politie en een huilende, smekende vrouw terwijl haar man werd afgevoerd.

Twee dagen later arriveerde er een brief op het postkantoor. Een adres aan de rand van Uzhorod. Om er te komen moest hij een droschke nemen. Hij reed over onverharde straten met aan weerszijden houten huizen zonder bovenverdieping. Panden die elk voorzien waren van één raam en een rieten dak. Nadat hij op de deur had geklopt, deed een vrouw open. Donkere huidskleur, zwart krullend haar, karmozijnrode lippenstift en een dunne, strakke jurk. Misschien een Roemeense, of een zigeunerin, dacht hij. Ze stelde hem een vraag in een taal die hij niet kende.

Hij probeerde het in het Duits. 'Is Pavlo hier?'

Ze had hem verwacht, hij kon dat voelen. Hij was gearriveerd en zij bleek nieuwsgierig; ze keek hem aandachtig aan. Morath hoorde in het huis een deur met een klap dichtgaan, waarna een mannenstem klonk. De vrouw ging opzij staan, Pavlo liep naar de deur. Hij hoorde bij die mensen van wie hun pasfoto zeer goed overeenkwam met hun uiterlijk. 'Bent u de man van Parijs?' De vraag werd in het Duits gesteld. Niet uitstekend, maar wel dienstig Duits.

'Ja.'

'Ze hebben de tijd genomen om u hierheen te sturen.'

'Ja? Welnu, hier ben ik dan.'

Pavlo keek vluchtig door de straat. 'Misschien kunt u maar beter binnenkomen.'

De kamer stond vol meubilair; zware leunstoelen en banken, de verschillende stoffen voorzien van diverse designs. Veelal rood. Sommige stoffen waren van goede kwaliteit, andere van minder goede. Morath telde vijf verschillende spiegels aan de muren. De vrouw sprak zachtjes tegen Pavlo en keek vluchtig in de richting van Morath, waarna ze het vertrek verliet en de deur achter zich dichtdeed.

'Ze is bezig haar koffer te pakken', zei Pavlo.

'Gaat ze met ons mee?'

'Ze denkt van wel.'

Morath liet niets merken.

Pavlo interpreteerde dat als een afkeurende reactie. 'Probeert u eens een keer zonder paspoort te leven', zei hij. De toon in zijn stem was ietwat bits. Hij zweeg even, waarna hij vervolgde: 'Hebt u geld voor mij?'

Morath aarzelde. Iemand werd misschien geacht Pavlo geld te geven. Hij, Morath, in elk geval niet. 'Ik kan u wat geven tot we in Parijs zijn gearriveerd', zei hij.

Dat was niet het antwoord dat Pavlo graag wilde horen, maar vanwege de omstandigheden was hij niet in staat daarover ruzie te maken. Misschien liep hij naar de dertig, was hij een paar jaar ouder dan Morath had gedacht. Hij had een vlekkerig overhemd aan en droeg een kleurrijke stropdas en versleten, afgedragen schoenen.

Morath telde duizend franc neer. 'Dit moet voldoende zijn', zei hij.

En méér dan dat, maar Pavlo leek zich dat niet te realiseren. Hij stopte achthonderd franc in zijn zak en keek rond in de kamer. Onder een glimmende aquamarijnen vaas met een boeket satijnen tulpen bevond zich een papieren onderleggertje. Pavlo schoof tweehonderd franc zodanig onder het onderleggertje dat de randen van de biljetten net zichtbaar waren.

'Hier is het paspoort', zei Morath.

Pavlo bekeek het zorgvuldig en hield het tegen het licht. Hij tuurde naar de pasfoto en liet een vinger over de reliëfletters op de rand glijden. 'Waarom Roemeens?' vroeg hij.

'Iets anders kon ik niet krijgen.'

'O. Nou, ik spreek die taal niet. Ik ben een Kroaat.'

'Dat zal geen probleem zijn. We steken de Hongaarse grens over. Bij Michal'an. Hebt u nog een ander paspoort? Ik denk niet dat we ons zorgen hoeven te maken, maar toch...'

'Nee. Ik heb het van de hand moeten doen.'

Hij verliet de kamer. Morath kon horen dat hij met de vrouw sprak. Toen hij weer verscheen, had hij een aktetas bij zich. De vrouw liep achter hem en hield een goedkope koffer met beide handen vast. Ze had een hoed opgezet, en ze droeg een jas met een haveloze bontkraag. Pavlo fluisterde iets tegen haar en drukte een kus op haar voorhoofd. Ze keek naar Morath; uit haar ogen straalde wantrouwen, maar ook hoop. Vervolgens ging ze op een bank zitten, de koffer tussen haar benen.

'We gaan een uurtje of zo de deur uit', zei Pavlo tegen Morath. 'Daarna komen we terug.'

Morath wilde er niets over weten.

Pavlo deed de deur achter zich dicht. Eenmaal op straat grijnsde hij en richtte zijn blik hemelwaarts.

Ze moesten een hele tijd lopen voordat ze een droschke hadden gevonden. Hij instrueerde de menner om hen terug te rijden naar het hotel, waar Pavlo wachtte in de kamer terwijl Morath de hoteleigenaar ging spreken, die zich in een piepklein kantoor achter de keuken bevond en druk bezig was met een boekhoudregister. Morath telde Tsjechische kronen neer om de rekening te betalen en vroeg: 'Weet u een auto met chauffeur te vinden? Zo snel mogelijk... ik zorg ervoor dat het voldoende schuift.'

De eigenaar dacht daarover na. 'Gaat u vertrekken?' vroeg hij fijntjes. 'Ver hiervandaan?'

Grenzen bedoelde hij.

'Nogal.'

'Zoals u weet, zijn wij gezegend met veel buren.'

Morath knikte. Hongarije, Polen, het Roemeense Transsylvanië.

'We gaan naar Hongarije.'

De hoteleigenaar dacht na. 'Ik ken zowaar iemand. Een Pool. Rustige vent. Precies wat u nodig hebt, hè?'

'Zo snel mogelijk', herhaalde Morath. 'We wachten in de kamer, als u dat niet erg vindt.' Hij wist niet wie naar Pavlo op zoek was, of om welke reden, maar wel dat treinstations altijd in de gaten werden gehouden. Een stille aftocht uit Uzhorod leek hem beter.

De chauffeur verscheen in de namiddag. Hij stelde zichzelf voor als Mierczak en gaf Morath een hand, die aanvoelde als getemperd staal. Deze had het gevoel dat de man een intens gezinsleven had. 'Ik werk als monteur in de graanmolen', zei hij. 'Maar ik doe ook allerlei klusjes. U weet hoe dat gaat.' Hij leek de eeuwige jeugd te bezitten, compleet met een kalend hoofd en een joviale glimlach. Hij had een Britse jagersbuis aan, in tweekleurig weefsel met dambordeffect. Het kledingstuk was in een vroege periode op de een of andere manier in deze regio verzeild geraakt.

Morath schrok zowaar van de auto. Als je hem met een half oog bekeek, leek hij niet eens zo erg te verschillen van de Europese Fords uit de jaren dertig. Maar als je er een aandachtigere blik op wierp, merkte je dat de auto absoluut geen Ford was. En na een derde blik kwam je tot de conclusie dat hij nergens op leek. De auto had bijvoorbeeld geen kleur meer over. Wat bleef was misschien een onduidelijke ijzertint die vervaagde of donkerder werd, afhankelijk van het deel van de auto waar je naar keek.

Mierczak lachte en rukte zachtjes aan het portier aan de passagierskant, tot dat open was. 'Wat een auto', zei hij. 'U vindt het toch niet bezwaarlijk?'

'Nee, hoor', zei Morath. Hij maakte het zich gemakkelijk op de paardendeken die lang geleden de plaats had ingenomen van de bekleding. Pavlo nam achterin plaats. De auto startte moeiteloos. Ze reden weg van het hotel.

'Feitelijk is hij niet van mij', zei Mierczak. 'Nou ja, voor een deel wel. De auto is meestal bij de neef van mijn vrouw te vinden. Dit is de Mukatsjeve-taxi. Hij rijdt erin als hij niet in de winkel werkt.'

'Wat voor een merk?'

'Het merk?' vroeg Mierczak. 'Nou, gedeeltelijk een Tatra, gebouwd in Nesseldorf. Na de oorlog, toen het Tsjecho-Slowaaks werd. Type II, zo noemen ze hem. Wat een naam, hè? Maar de fabrikant was Tatra. Vervolgens brandde hij uit. De auto, bedoel ik. Nu ik erover nadenk, de fabriek is eveneens uitgebrand. Maar dat was later. Vervolgens werd de auto een Wartburg. We runden destijds een machinewerkplaats in Mukatsjeve en iemand had in de oorlog een Wartburg in een greppel achtergelaten. Hij kwam weer tot leven in de Tatra. Maar het was een *oude* Wartburg; we hadden daar toen niet echt bij stilgestaan. We konden geen onderdelen krijgen. Ze maakten ze niet of ze wilden ze niet opsturen, wat dan ook. Dus werd de auto vervolgens een Skoda.' Hij drukte het koppelingspedaal in en voerde het toerental op. 'Hoort u? Een Skoda! Net een machinegeweer.'

De auto had het straatkeiengedeelte van Uzhorod achter zich gelaten en reed nu over een verharde landweg. 'Heren,' zei Mierczak. 'Volgens de hotelhouder gaan we naar Hongarije. Ik moet u echter vragen of u een bepaalde plaats voor ogen hebt. Of misschien is het gewoon "Hongarije". Als dat het geval is, dan begrijp ik dat volkomen, geloof me.'

'Zouden we naar Michal'an kunnen gaan?'

'Dat zouden we kunnen doen. Het is er doorgaans heel knus en rustig.'

Morath wachtte af. 'Maar...?'

'In Zahony is het nóg rustiger.'

'Dan wordt het Zahony.'

Mierczak knikte. Enkele minuten later nam hij een scherpe bocht, een karrenspoor op, en schakelde terug naar de tweede versnelling; het klonk alsof hij met een ijzeren staaf tegen een badkuip sloeg. Ze hobbelden en schokten een tijdje met ongeveer dertig kilometer per uur over de weg, waarna ze langzamer moesten rijden om een boerenkar met paard te kunnen passeren.

'Hoe is het daar?'

'Zahony?'

'Ja.'

'Zoals gebruikelijk. Kleine grenspost. Een douanier, als hij wakker is. Geen noemenswaardig verkeer. Tegenwoordig reizen de meeste mensen niet.'

'Ik stel me zo voor dat we daar op de trein kunnen stappen. Naar Debrecen, veronderstel ik, waar we de sneltrein kunnen nemen.'

Pavlo schopte tegen de achterkant van de passagiersstoel. Aanvankelijk kon Morath niet geloven dat hij dat had gedaan. Bijna had hij zich omgedraaid en er iets over gezegd, maar hij besloot dat niet te doen.

'Ik ben ervan overtuigd dat er vanuit Zahony een trein vertrekt', zei Mierczak.

Ze reden naar het zuiden terwijl het daglicht kwijnde; de namiddag maakte langzaam plaats voor een langdurige, lusteloze schemering. Terwijl Morath uit het raam staarde, kreeg hij plotseling een intens thuisgevoel, een besef van waar hij zich bevond. De lucht was vergeven van de waaierwolken die een rode tint aannamen door de zonsondergang boven de uitlopers van de Karpaten. Langs de smalle weg strekten zich aan weerszijden lege velden uit, de grenzen tussen de landerijen werden gevormd door groepjes berken en populieren. Het landschap veranderde in een woest grasland, waar het wintergras een fluitend geluid maakte en meedeinde in de avondwind. Het was heel mooi, erg desolaat. *Deze verrukkelijke, met bloed doordrenkte valleien*, dacht hij.

Een piepklein dorpje. Vervolgens weer een. De duisternis was nu ingevallen. Wolken bedekten de maan en de lentemist rees op uit de rivieren. Halverwege een langgerekte, flauwe bocht kregen ze de brug over de Tisza en de grenspost van Zahony in het oog. 'Stop!' schreeuwde Pavlo. Mierczak trapte op de rem terwijl Pavlo zich over de stoel heen boog en op de knop voor de lichten drukte. 'Dat kreng van een wijf', zei hij. Zijn stem klonk verkrampt van woede. Hij ademde moeizaam, Morath kon hem horen.

In de verte zagen ze twee kakikleurige vrachtwagens. De riviermist dreef door de lichtbundels van hun koplampen. Verder zagen ze een aantal silhouetten. Mogelijk waren dat soldaten, die wat rondliepen. In de auto was het zeer stil. De stationair lopende motor maakte een ratelend geluid terwijl er een zware benzinelucht hing.

'Hoe weet je zeker dat zij daarachter zit?' vroeg Morath.

Pavlo gaf geen antwoord.

'Misschien zijn ze er gewoon, meer niet', zei Mierczak.

'Nee', zei Pavlo. Een tijdlang observeerden ze de vrachtwagens en de soldaten. 'Mijn schuld. Ik wist wat mij te doen stond, maar ik heb dat nagelaten.'

Morath dacht dat ze maar beter naar het zuiden konden rijden, naar Berezhevo, waar ze gedurende een dag of twee in een pension zouden blijven om vervolgens de trein naar Hongarije te nemen. Of het was misschien verstandiger westwaarts naar het Slowaakse deel van het land te reizen – weg van Roethenië, het land met te veel grenzen – en daar de trein te nemen.

'Denk je dat ze onze lichten hebben gezien?' vroeg Mierczak. Hij slikte. Vervolgens deed hij dat weer.

'Gewoon keren, waarna we maken dat we wegkomen', zei Pavlo.

Mierczak aarzelde. Hij had niets verkeerds gedaan, maar als hij vluchtte wel.

'Nu', zei Pavlo.

Met tegenzin zette Mierczak de versnelling in de achteruit en kreeg de auto gekeerd. Hij reed een eindje de duisternis in, waarna hij de lichten weer aandeed. Pavlo keek door het achterraam tot de grenspost achter de bocht uit het zicht verdween. 'Ze blijven waar ze zijn.'

'Hoe ver is het naar Berezhevo?' vroeg Morath. 'Misschien kunnen we nu maar beter de trein nemen.'

'Een uur, 's nachts iets langer.'

'Ik stap niet op een trein', zei Pavlo. 'Als je papieren niet in orde zijn, zit je in de val.'

Blijf dan hier.

'Is er een andere manier om over te steken?' vroeg Pavlo.

Mierczak dacht erover na. 'Er is een voetgangersbrug buiten het dorp Vezlovo. Die wordt 's nachts soms gebruikt.'

'Door wie?'

'Bepaalde families... om de invoerrechten te omzeilen. Meestal gaat het om sigaretten- of wodkahandel.'

Pavlo staarde naar hem en geloofde zijn oren niet. 'Waarom heb je ons dan om te beginnen niet naar die plaats gebracht?'

'We hebben hem niet gevraagd dat te doen', zei Morath. Pavlo transpireerde, ook al was de avondlucht koel. Morath kon hem ruiken.

'Jullie moeten door het bos gaan', zei Mierczak.

Morath zuchtte. Hij wist niet zeker wat hij wilde doen. 'We kunnen in elk geval even gaan kijken', zei hij. *Misschien stonden die vrachtwagens daar toevallig.* Hij had een sweater, een tweed jas en flanellen ondergoed aan – gekleed voor een plattelandshotel en reizen per trein. En nu zag hij zich gedwongen door de bossen te kruipen.

Ze reden gedurende een uur. Er waren geen andere auto's op de weg. Het landschap – de velden en weiden – zag er verlaten en donker uit. Eindelijk arriveerden ze bij een dorpje. Een tiental houten huizen aan de rand van de weg; olielampen verlichtten de ramen. Verder waren er enkele schuurtjes en stallen. Terwijl ze passeerden, blaften de honden naar hen.

'Het is niet ver van hier', zei Mierczak. Hij versmalde zijn ogen terwijl hij in de duisternis van de nacht probeerde te turen. De koplampen van de auto veroorzaakten een doffe, amberkleurige gloed. Daar waar het landschap overging in bos parkeerde Mierczak, stapte uit en liep over de weg.

Een minuut later kwam hij terug. Hij grijnsde weer. 'Wonderen bestaan echt', zei hij. 'Ik heb het gevonden.'

Ze stapten uit. Morath droeg de schoudertas, Pavlo de aktetas. Gedrieën begonnen ze te lopen. De stilte was overdonderend. Alleen de wind en de voetstappen op de onverharde weg waren te horen.

'Daar is het, vlakbij', zei Mierczak.

Morath staarde en zag even later een pad in het kreupelhout tussen gigantische beukenbomen.

'Nog ongeveer een kilometer. Jullie zullen de rivier horen', zei Mierczak.

Morath maakte zijn portefeuille open en begon biljetten van honderd kronen neer te tellen.

'Dat is erg vrijgevig van u', zei Mierczak.

'Zou u hier willen wachten?' vroeg Morath aan hem. 'Ongeveer veertig minuten. Voor het geval dat.'

Mierczak knikte. 'Veel geluk, heren.' Hij was duidelijk opgelucht en had zich niet gerealiseerd waar hij in verwikkeld was geraakt – het contante geld in zijn zak vormde het bewijs dat hij terecht bang was geweest. Hij zwaaide naar hen terwijl ze het bos in liepen, blij toe dat hij ze zag verdwijnen.

Mierczak had gelijk, dacht Morath. Vrijwel meteen nadat ze het bos in waren gegaan, konden ze de rivier horen. Vaag, dat wel, maar niet ver weg. Water drupte van de kale boomtakken, de grond was zacht en sponsachtig onder hun voeten. Ze liepen wat een lange tijd leek, maar uiteindelijk zagen ze voor het eerst de Tisza. De rivier – ongeveer honderd meter breed, het water stond hoog als gevolg van de lente – zag er log en grijs uit, met hier en daar fonteintjes van wit schuim op plaatsen waar het water rond een rotsblok of een boomstronk kolkte.

'En waar is de brug?' vroeg Pavlo. *Die vermeende brug.*

Morath maakte een hoofdbeweging – verderop langs het pad. Ze liepen nog eens tien minuten, waarna hij een droge wortel bij de voet van een boom zag, erop ging zitten, hij Pavlo een sigaret van het merk Balto – gekocht in Ushorod – aanbood en er zelf ook een opstak.

'Lang in Parijs gewoond?' vroeg Pavlo.

'Heel lang.'

'Dat merk ik.'

Morath rookte zijn sigaret.

'Je hebt dan de neiging om te vergeten hoe het leven er hier aan toe gaat.'

'Maak je niet druk', zei Morath. 'We zullen snel in Hongarije zijn. Daar vinden we een herberg en kunnen we wat eten.'

Pavlo lachte. 'Je denkt toch niet dat die Pool op ons gaat wachten, of wel?'

Morath keek op zijn horloge. 'Hij is er.'

Pavlo keek Morath bedroefd aan. 'Niet lang meer. Hij kan nu elk moment naar huis gaan, naar zijn vrouw. En onderweg stopt hij voor een babbel met de politie.'

'Kalmeer', zei Morath.

'Hier gaat het maar om één ding, meer niet. En dat is geld.'

Morath haalde zijn schouders op.

Pavlo ging staan. 'Ik ben zo terug', zei hij.

'Wat ga je doen?'

'Een paar minuutjes maar', zei hij over zijn schouder.

Jezus Christus! Morath hoorde hem over hetzelfde pad teruggaan als ze gekomen waren, waarna het stil werd. Misschien was hij vertrokken, echt verdwenen. Of hij ging Mierczak controleren, maar dat sloeg nergens op. *Goed, iemand apprecieerde hem hoe dan ook.* Toen Morath opgroeide, ging zijn moeder elke dag naar de mis. Ze zei vaak tegen hem dat alle mensen een goed hart hadden, maar dat sommigen gewoon de weg waren kwijtgeraakt.

Morath staarde naar de boomkruinen. De maan kwam te voorschijn en verdween weer; een bleke vlek tussen de wolken. Het was lang geleden dat hij voor het laatst in een bos had vertoefd. Dit was een oud woud, waarschijnlijk maakte het deel uit van een kolossaal landgoed.

In Hongarije had prins Esterhazy driehonderdduizend acres, en in de zeventien dorpen woonden in totaal elfduizend mensen. Niet bepaald ongewoon in dit deel van de wereld. De edelman die dit landgoed in zijn bezit had, dacht ongetwijfeld dat het aan zijn kleinkinderen was voorbehouden om het langzaam groeiende hardhout, grotendeels eiken en beuken, te kappen.

Morath dacht opeens aan het feit dat hij niet had gelogen tegen de Tsjechische douaneambtenaren. Hij had gezegd dat hij op zoek zou gaan naar bosgebied. Zo, hier was hij dan en keek ernaar. In de verte klonken twee schoten. En even later het derde schot.

Toen Pavlo terug was, zei hij slechts: 'Nou, het wordt tijd dat we verder gaan.' Wat gedaan moest worden, was gebeurd, waarom erover praten? Het tweetal liep zwijgend verder. Enkele minuten later zagen ze de brug. Een smal, gammel, oud ding. Het water kolkte rond de houten palen die de brug overeind hielden, waarbij het wateroppervlak zich misschien wel drie meter onder het loopgedeelte bevond. Morath zag de brug bewegen terwijl hij ernaar keek. De andere kant van de constructie stak fel af tegen de lucht – een gebroken gedeelte van de reling wees naar de Hongaarse kant van de rivier. Bovendien kon hij in het maanlicht de verkoolde resten van het hout zien op de plaats waar dat deel van de brug in brand was gestoken – met gebruik van dynamiet, of wat dan ook – en in het water gevallen.

Morath was inmiddels zo misselijk door wat Pavlo had gedaan, dat het hem nauwelijks kon schelen. Hij had het gezien in de oorlog. Wel tien keer, misschien wel vaker. En steevast kwamen dezelfde woorden boven, hoewel nooit hardop uitgesproken. *Zinloos* was het belangrijkste woord, de rest deed er niet echt toe. *Zinloos, zinloos.* Alsof in deze wereld misschien álles kon gebeuren zolang iemand, waar dan ook, er de zin maar van inzag. In die tijd vond hij het een nogal morbide grap. De legercolonnes reden door de in brand gestoken dorpen in Galicië en een cavalerieofficier zei *zinloos* in zichzelf.

'Zij hebben een methode om aan de overkant te komen', zei Pavlo.

'Wat?'

'De mensen die 's nachts over de grens pendelen. Ze hebben een manier om over te steken.'

Waarschijnlijk had hij gelijk. Een boot, een andere brug, wat dan ook. Toen ze zich een weg baanden naar de rivieroever en op enkele meters daarvan waren genaderd, hoorden ze de stem. Een bevel. In het Russisch, misschien Oekraïens. Morath sprak die taal niet, maar de intentie was niettemin duidelijk en hij begon al overeind te komen. Pavlo greep hem bij de schouder en dwong hem te bukken tussen het hoge riet langs de rivieroever. 'Niet doen', fluisterde Pavlo.

Opnieuw die stem – spottend-beleefd, vleiend. *We doen geen vlieg kwaad.*

Pavlo tikte met zijn wijsvinger tegen zijn lippen.

Morath wees achter zich naar de relatieve veiligheid die het bos te bieden had. Pavlo dacht daarover na en knikte. Toen ze terug begonnen te kruipen, schoot iemand op hen. Een gele vonk in het woud, een knal die wegstierf over het water. Daarna een uitroep in het Russisch, gevolgd door – heel attent – een Hongaarse versie. *Verdomde klootzakken, ga staan* was het algemene idee erachter, waarna een grinniklachje volgde.

Pavlo pakte een steen en gooide die in hun richting. Het antwoord kwam in de vorm van minstens twee geweerschoten, een stilte en daarna het geluid van iemand die door het kreupelhout strompelde, een valpartij, een vloek en een rauwe brul die moest doorgaan voor een lach.

Morath had niet kunnen zien waar het ding vandaan kwam – uit de aktetas? Een zware, staalkleurige revolver verscheen in de hand van Pavlo, die de trekker overhaalde en een schot loste in de richting van het kabaal. Dat *was niet* grappig. Dat was gewetenloos gemeen. Iemand schreeuwde naar hen, en Morath en Pavlo gingen plat liggen toen een fusillade van schoten over het riet floot. Morath maakte een handgebaar dat ze stil moesten blijven liggen. Pavlo knikte. Uit de duisternis klonk een uitdaging – *kom te voorschijn en vecht, lafaards.* Hierop volgde een schreeuwerige dialoog tussen twee en later drie stemmen. Ze waren allemaal bezopen, vals en verschrikkelijk kwaad.

Maar daar bleef het bij. Het schot van Pavlo symboliseerde een veelzeggende verklaring en had voor een wijziging in het sociale contract gezorgd; sorry, vannacht wordt er niet gratis gemoord. Heel lang, wel dertig minuten, werd er geschreeuwd en geschoten, verge-

zeld door, zo vermoedde Morath, uitroepen die bedoeld waren als on-
draaglijke beledigingen. Maar Pavlo en Morath kregen het voor elkaar ze te gedogen. En toen de bende vertrok, wisten ze dat ze de ver-
plichte vijftien minuten in acht dienden te nemen voor het finale
schot nadat ze iemand hadden teruggestuurd om het victorieuze
feestje te verzieken.

4.40 uur. Het licht was parelgrijs. Het ideale moment om te zien en
zelf niet gezien te worden. Morath – hij was nat en had het koud –
kon de vogels aan de Hongaarse kant van de rivier horen fluiten. Hij
en Pavlo hadden gedurende een uur stroomopwaarts gelopen in hun
zoektocht naar een boot of een andere brug. Ze waren doornat geworden door de dikke mist, en toen ze vergeefs hadden gezocht, keer-
den ze terug naar de brug.

'Ze hebben het verborgen, ongeacht wat ze gebruiken', zei Pavlo.

Daar was Morath het mee eens. En dit was niet de geschikte ochtend voor twee vreemdelingen om een afgelegen dorp binnen te wandelen. De Tsjechische politie zou geïnteresseerd zijn in de moord op
een Poolse taxichauffeur. En de Oekraïense bende was zéér nieuwsgierig naar degene die hen de vorige avond had beschoten. 'Kun je
zwemmen?' vroeg Morath.

Heel langzaam schudde Pavlo zijn hoofd.

Morath was een uitstekende zwemmer en het zou voor hem niet
de eerste keer in een snelstromende rivier zijn. Hij had dat vaker gedaan, in zijn tienerjaren, samen met zijn moedige vrienden. Hij was
in de lentestroom gesprongen terwijl hij zich vasthield aan een boom-
stam en vervolgens stroomafwaarts dreef tot hij zich al zwemmend
een weg naar de andere oever kon banen. Maar in deze tijd van het
jaar had je maar een kwartier de tijd. Ook daar was hij getuige van geweest gedurende de oorlog, in de rivieren Bzura en Dnjestr. Eerst een
kwellende grimas, daarna een onnozele glimlach, gevolgd door de
dood.

Morath zou het erop wagen. Het probleem was wat hij met Pavlo
moest doen. Het maakte niet uit wat hij voelde – hij diende hem aan
de overkant te krijgen. *Vreemd echter hoeveel folklore er aan dit onderwerp vastzat.* Talloze vossen, hanen, kikkers, tijgers, priesters en rab-

bi's. Een rivier oversteken – hoe kwam het toch dat steevast de uitgekookten niet konden zwemmen?

En er waren geen boomstammen te zien. Misschien konden ze een stuk van de afgebrande reling afbreken, maar dat zouden ze pas weten zodra ze aan de andere kant van de brug waren gearriveerd. Morath besloot zijn schoudertas achter te laten. Hij vond het erg dat hij het boek van Bartha zou verliezen, maar hij ontdekte wel een manier om een ander exemplaar in handen te krijgen. Voor de rest – scheermesje, sokken en overhemd – was het vaarwel geblazen. De Oekraïners mochten alles hebben. Nu Pavlo. Hij maakte zijn riem los en haalde die door het handvast van diens aktetas. 'Stop je paspoort tussen je tanden', zei Morath.

'En het geld?'

'Geld droogt.'

Plat op zijn buik baande Morath zich al wurmend een weg over de brug. Hij kon het water drie meter onder hem voorbij horen razen. Hij voelde het ook: de vochtige, kille lucht die uit de snelle stroom omhoog walmde. Hij keek niet om; Pavlo zou de moed vinden om dit te doen of er de brui aan geven. Terwijl Morath over de verweerde planken kroop, realiseerde hij zich dat er een veel groter gedeelte van de brug was verbrand dan op de oever zichtbaar was geweest. Het rook er naar een oude brand, en zijn lamswollen sweater uit een winkel in de Rue de la Paix – 'Niet die groene, Nicky, maar *deze* groene' – was al besmeurd met modder en nu ook met houtskool.

Hij pauzeerde terwijl hij het andere einde van de brug nog lang niet had bereikt. De steunpalen waren verbrand, in elk geval een deel ervan; zwartgeblakerde stokken hielden de brug overeind. Morath besefte dat hij wat eerder de rivier in moest dan hij had gepland. De brug trilde en zwiepte zodra hij zich bewoog, dus gaf hij een teken aan Pavlo dat hij moest blijven waar hij was, waarna hij alleen verder ging.

Hij bereikte een dubieuze plaats en klampte zich vast terwijl hij voelde dat hij ondanks de koude lucht begon te transpireren. Zou het beter zijn hier naar beneden te springen? Nee, het was een heel eind naar de andere oever. Hij wachtte tot de brug ophield met waggelen, waarna hij zijn vingers aan weerszijden van de brug om de rand van de volgende plank kromde en naar voren gleed. Vervolgens wachtte hij, reikte, trok en gleed naar voren. Zijn gezicht rustte op het hout; hij zag twee kleine, witte zilverreigers over het water vliegen; ze klapwiekten terwijl ze boven hem passeerden.

Tegen de tijd dat hij het uiteinde van de brug had bereikt – of zover hij kon gaan; voorbij een bepaald punt was het hout dermate verkoold dat zelfs een kat geen houvast zou vinden – moest hij even stoppen om op adem te komen. Hij gebaarde naar Pavlo dat deze hem diende te volgen. Terwijl hij wachtte, hoorde hij stemmen. Hij draaide zijn hoofd en zag twee vrouwen in zwarte rokken; ze hadden een hoofddoek om. Ze stonden aan de rand van de rivier en staarden naar hem.

Toen Pavlo arriveerde, keken ze samen aandachtig naar de andere oever, pakweg veertig meter van hen vandaan. Nu het lichter werd, zagen ze dat het water bruin was als gevolg van aarde die was meegesleurd door de bergstromen. Lijkwit lag Pavlo naast hem.

'Doe je stropdas af', zei Morath.

Pavlo aarzelde. Even later maakte hij met tegenzin de knoop los.

'Ik ga het water in. Jij volgt. Hou een uiteinde van de das vast. Terwijl ik naar de overkant zwem, trek ik jou achter me aan. Doe je uiterste best. Trappel met je voeten, peddel met je vrije arm. Het lukt ons wel.'

Pavlo knikte.

Morath keek naar het donkere, kolkende water dat zich tien meter onder hem bevond. Het betrof gelukkig een lage oever, hoewel die ver weg leek.

'Wacht even', zei Pavlo.

'Wat is er?'

Maar er viel niets te zeggen. Hij wilde simpelweg het water niet in.

'We redden het heus wel', zei Morath. Hij probeerde de volgende steunpaal te bereiken. Hij kon zich eraan vastklampen terwijl hij Pavlo poogde over te halen na hem in het water te springen. Hij sleepte zichzelf verder, voelde hoe de planken onder hem trilden en vervolgens verschoven. Hij vloekte, hoorde een steunpaal knappen, werd op zijn zij gedraaid en viel naar beneden. Hij worstelde in de lucht, waarna hij met zo'n klap landde dat het hem duizelde. Het kwam niet door de ijzige ontnuchtering van het water – hij was daarop aan het wachten – maar door de rots, die zich glad en donker ongeveer een halve meter onder het wateroppervlak bevond. Morath merkte dat hij op handen en voeten ging. Hij had nog geen pijn, maar hij voelde die aankomen. Om hem heen kolkte de schuimende rivier. *Een verborgen, opgehoogde weg.* Het oudste trucje van de wereld.

Pavlo kroop naar hem toe, stropdas in zijn hand, paspoort tussen zijn tanden geklemd, stalen bril scheef op zijn neus – en lachte.

Ze liepen naar Zahony. Eerst volgden ze de rivier, waarna ze door het bos een karrenspoor volgden dat veranderde in een weg. Ze hadden er de hele ochtend voor nodig, maar dat kon hen niets schelen. Pavlo was blij dat hij niet was verdronken, en zijn geld bleek niet eens zo nat te zijn. Hij plukte de biljetten van elkaar – Oostenrijkse, Tsjechische en Franse – en blies zachtjes op de verschillende koningen en heiligen, waarna hij het geld in zijn aktetas stopte.

Morath had zijn pols en knie bezeerd, maar niet zo erg als hij had gevreesd, en hij had een blauwe plek bij zijn linkeroog, waarschijnlijk door een plank; hij had niet gevoeld hoe het gebeurde. Na enige tijd kwam de zon op en liet het water glinsteren. Ze passeerden een houthakker, een landloper en twee jongens die op kleine steur in de Tisza visten. Morath sprak ze aan in het Hongaars. 'Willen ze bijten?' Het gaat wel, ja, niet slecht. Ze leken niet erg verbaasd dat twee mannen in met modder besmeurde kleren uit het bos kwamen gelopen. Dat is nu eenmaal zo als je in een grensgebied woont, dacht Morath.

Ze vonden een restaurant in Zahony, aten met saucijs gevulde kool en kregen een schotel met gebakken eieren geserveerd, waarna ze die middag op de trein stapten. Pavlo viel in slaap en Morath staarde uit het raam naar de Hongaarse vlakte.

Welnu, hij had woord gehouden. Hij had Polanyi beloofd dat hij die hoe-hij-ook-heette naar Parijs zou brengen. *Pavlo.* Ongetwijfeld een alias – een *nom de guerre*, een codenaam, een impersonatie. Wat dan ook. Hij beweerde dat hij een Kroaat was en Morath dacht dat dát wel eens waar zou kunnen zijn. Misschien een Kroatische Ustachi, wat in sommige buurten *terrorist* en in andere nabuurschappen *patriot* betekende.

Kroatië was eeuwenlang een provincie van Hongarije geweest en een toegangspoort naar de zee, vandaar dat Miklos Horthy admiraal Horthy had kunnen worden. Het land had nadat het in 1918 deel was gaan uitmaken van het kunstmatige koninkrijk Joegoslavië voor nogal wat opschudding in de politieke geschiedenis gezorgd. Ante Pavelic, de stichter van de Ustachi, had faam verworven door zich te keren tegen een Kroatisch lid van het Huis van Afgevaardigden en hem door het hart te schieten. Zes maanden later kwam Pavelic uit zijn schuilplaats, liep met een jachtgeweer de lobby van de Tweede Kamer in en schoot nog eens twee mensen dood.

Onder de bescherming van Mussolini verhuisde Pavelic naar een villa in Turijn, waar hij de politieke filosofie van zijn organisatie bleef sturen, met als gevolg meer dan veertig treinwrakken binnen tien jaar, talloze opgeblazen gebouwen, het gooien van handgranaten in soldatencafés en de moord op vijfduizend Kroatische en Servische functionarissen. Het geld kwam van Mussolini, de huurmoordenaars werden geleverd door de IMRO, de Internationale Macedonische Revolutionaire Organisatie, met hoofdkwartieren in Bulgarije. Het waren IMRO-speurders geweest die in 1934 koning Alexander van Joegoslavië in Marseille hadden vermoord. Ze waren getraind in Hongaarse kampen die, in dienst van een alliantie met Italië, ook voor militaire instructeurs en valse papieren zorgden. Vaak werden er documenten uitgevaardigd in naam van Edouard Benes, de gehate president van Tsjecho-Slowakije. Er zat wat het laatste betrof een zekere humor in, vond Morath.

'Balkan, Balkan', zei men in het Frans tegen een pooier die een hoer een mep gaf, of tegen drie kinderen die een vierde kind in elkaar sloegen – alles wat maar barbaars of bruut was. Op de zitplaats tegenover Morath dutte Pavlo in, de armen beschermend om zijn aktetas.

De paspoortformaliteiten aan de Oostenrijkse grens duurden gelukkig niet al te lang. Voor *Andreas Panea*, de Roemeen, maskeerde dat in het bijzonder de onbeschaafdheid van Centraal-Europa – je moest praktisch een Oostenrijker zijn om te weten dat je was beledigd. Voor ieder ander duurde het een dag of twee om je dat te realiseren, en tegen die tijd had je het land al verlaten.

Een lange treinreis, dacht Morath. Hij verlangde naar het leven dat hij in Parijs had opgebouwd. Hongaarse vlakten, Oostenrijkse valleien, Duitse bossen en uiteindelijk Franse akkers en weiden, waarna eindelijk de zon opkwam in het hart van Morath. Tegen de avond reed de trein puffend door de Ile de France, en door veelal tarwevelden, waarna de conducteur – de hele echte Franse conducteur; breed en gedrongen, compleet met een zwarte snor – met een ietwat zangerige toon in zijn stem de laatste halte aankondigde. Pavlo werd oplettend. Hij tuurde uit het raam terwijl de trein vertraagde bij het naderen van de dorpen buiten de stad.

'Al eens in Parijs geweest?' vroeg Morath.

'Nee.'

Op 4 mei 1938 reed de nachttrein van Boedapest even na middernacht de Gare du Nord binnen. Het was over het algemeen gesproken een rustige avond in Europa; bewolkt en warm voor de tijd van het jaar, en met het krieken van de dag werd regen verwacht. Nicholas Morath, hij reisde met een Hongaars diplomatiek paspoort, stapte langzaam uit de eersteklaswagon en liep naar de taxistandplaats buiten het station. Toen hij het perron verliet, draaide hij zich om, alsof hij op het punt stond iets te zeggen tegen een metgezel, maar terwijl hij achterom keek, ontdekte hij dat de persoon met wie hij had gereisd – wie het ook was – in de menigte was verdwenen.

DE HOER VAN
VON SCHLEBEN

In de bar Balalaika hing om half vier 's middags de doffe, vermoeide sfeer van een nachtclub op een lentenamiddag. Op het podium bevonden zich twee vrouwen en een man. Dansers in strakke, zwarte kleding. Ze werden lastiggevallen door een kleine Rus met een knijpbrilletje; hij hield de handen in zijn zij en was overmand door deze uitzichtloze wereld. Hij deed zijn ogen dicht en perste zijn lippen op elkaar, een man die sinds zijn geboorte in alles gelijk had gekregen. 'Springen als een zigeuner is springen als een zigeuner', verklaarde hij. Stilte. Iedereen staarde. Hij liet hun zien wat hij bedoelde en schreeuwde: 'Hah!' Daarbij gooide hij zijn armen in de lucht. Hij boog zich fel in hun richting. 'Je-*houdt*-van-het-leven!'

Boris Balki steunde op zijn ellebogen, het stompje van een bot potlood achter zijn oor, pal voor hem een half ingevulde kruiswoordpuzzel in een Franse krant die uitgespreid op de bar lag. Hij keek op naar Morath en vroeg: *'Ça va?'*

Morath zat op een kruk. 'Gaat wel.'

'Wat wilt u drinken?'

'Bier.'

'Kan een Pelforth ermee door?'

Morath beaamde het. 'Drink je er een met mij mee?'

Balki haalde de flessen onder de bar vandaan, maakte er een open en schonk het bier in het schuingehouden glas.

Morath dronk ervan. Balki schonk zijn eigen glas vol, keek aandachtig naar de kruiswoordpuzzel, sloeg een blad om en wierp een blik op de krantenkoppen. 'Ik weet niet waarom ik deze troep blijf kopen.'

Het betrof een van de meer speelse Parijse bladen die wekelijks uitkwamen – sexy roddels, gewaagde cartoons, foto's van doodsbleke danseresjes en pagina's vol nieuws over de races in Auteuil en Longchamps. Tot zijn schaamte en afgrijzen was zijn naam er een keer in verschenen. In het jaar voordat hij Cara had ontmoet, was hij omgegaan met een tweederangs filmster en hadden ze hem 'de Hongaarse playboy Nicky Morath' genoemd. Er kwam geen duel of een rechtszaak van, maar hij had wel beide overwogen.

Balki lachte. 'Waar halen ze dit materiaal vandaan? "Er zitten momenteel zevenentwintig Hitlers opgesloten in Berlijnse psychiatrische inrichtingen". '

'En er komt er nog een bij.'

Balki sloeg het blad om, nam een slokje bier en las enkele momenten. 'Vertel eens... u bent een Hongaar, toch?'

'Ja.'

'Hoe zit dat met die nieuwe wet? Jullie popelen om net als Duitsland te worden, of niet?'

In de laatste week van mei had het Hongaarse parlement een wet aangenomen betreffende de beperking van de werkgelegenheid voor joden in particuliere ondernemingen, en wel tot twintig procent van het totale arbeidspotentieel.'

'Schande', zei Balki.

Morath knikte. 'De regering moest iets doen, iets symbolisch, anders zouden de Hongaarse nazi's een *coup d'état* hebben gepleegd.'

Balki las verder. 'Wie is graaf Bethlen?'

'Conservatief. Tegen radicaal rechts.' Morath maakte geen gewag van Bethlens algemeen bekende definitie van een antisemiet als iemand 'die de joden meer dan noodzakelijk verafschuwt'.

'Zijn partij kantte zich tegen de wet. Samen met de liberale conservatieven en de sociaal-democraten. Het "Schaduwfront" noemen ze het hier.'

'De wet is symbolisch', zei Morath. 'Niet meer dan dat. Horthy is met een nieuwe premier op de proppen gekomen. Imredy. Dit om de wetgeving erdoor te krijgen met als doel de idioten rustig te houden, anders...'

Op het podium klonk een grammofoonplaat met zigeunervioolmuziek. Een van de danseressen, een geestdriftig blondje, hief haar hoofd – een hautaine stand – hield een hand in de hoogte en knipte met haar vingers.

'Ja', riep de kleine Rus uit. 'Dat is prima, Rivka, dat is *Tzigane!*' Hij liet zijn stem omfloerst en aangrijpend klinken. 'Welke man waagt het mij te nemen.' Morath keek naar de danseres en kon zien hoe intens ze het probeerde.

'En de joden dan?' vroeg Balki. Zijn stem klonk boven de muziek uit.

'Ze zijn er niet over te spreken. Maar ze zien wat er zich in Europa afspeelt, en ze kunnen kaartlezen. Op de een of andere manier moet het land zien te overleven.'

Vol afschuw sloeg Balki het blad weer om naar de kruiswoordpuzzel en pakte het potlood achter zijn oor. 'Politiek', zei hij. Vervolgens: 'Wilde bes?'

Morath dacht erover na. *Frais de bois*, misschien?'

Balki telde de vakjes. 'Te lang', zei hij.

Morath haalde zijn schouders op.

'En u? Wat vindt u ervan?' vroeg Balki. Hij had het weer over de nieuwe wet.

'Natuurlijk ben ik ertegen. Maar we weten allemaal dat als de pijlkruisers ooit de macht zullen overnemen, Hongarije pas *echt* op Duitsland gaat lijken. Dan is de Witte Terreur er weer, zoals in 1919. Ze zullen de liberalen, traditioneel rechts *en* de joden ophangen. Geloof me, het zal zoals Wenen worden, maar dan erger.' Hij zweeg even. 'Ben jij joods, Boris?'

'Ik vraag het me soms af', zei Balki.

Dat was niet het antwoord dat Morath had verwacht.

'Ik ben opgegroeid in een weeshuis, in Odessa. Ze vonden me terwijl de naam "Boris" op een deken was geprikt. "Balki" betekent greppel... die naam hebben ze me gegeven. Natuurlijk, in Odessa komt bijna iedereen *ergens* vandaan. Misschien ben ik een jood, of een Griek, of een Tartaar. De Oekraïners denken dat het in de Oekraïne ligt, maar de mensen van Odessa weten wel beter.'

Morath glimlachte. De stad was beroemd om haar excentrieke karakter. Hij herinnerde zich dat hij had gelezen dat in 1920 onderdelen van diverse Europese legers probeerden te interveniëren in de burgeroorlog en dat de grens tussen de Franse en Griekse sectoren was gemarkeerd door een rij keukenstoelen.

'Ik ben voornamelijk in benden opgegroeid', zei Balki. 'Ik was een Zakovitsa. Op mijn elfde lid van de Zakovits-bende. We controleerden de kippenmarkten in de Moldavanka. Het betrof een bende met veelal joodse leden. We hadden allemaal messen en we deden wat ons te doen stond. Voor het eerst in mijn leven had ik echter genoeg te eten.'

'En toen?'

'Ach ja, uiteindelijk kwam de Cheka opdagen. Toen vormden *zij* de enige bende in de stad. Ik probeerde het rechte pad, maar je weet hoe dat gaat. Zakovits redde mijn leven. Hij haalde me op een nacht uit bed, nam me mee naar de haven en zette me op een vrachtschip dat de Zwarte Zee bevoer.' Hij zuchtte. 'Ik mis het soms, hoe erg het er ook aan toe ging.'

Ze dronken van hun bier. Balki hield zich bezig met de kruiswoordpuzzel en Morath keek naar de dansrepetitie.

'Het is een harde wereld', zei Morath. 'Neem bijvoorbeeld die kwestie van een vriend van mij.'

Balki keek op. 'Die vrienden van u zitten altijd in de problemen.'

'Tja, dat is zo. Maar je moet ze proberen te helpen, in zoverre dat binnen je mogelijkheden ligt.'

Balki wachtte af.

'Die ene vriend van mij moet zakendoen met de Duitsers.'

'Vergeet 't.'

'Als je het hele verhaal zou kennen, zou je er sympathiek tegenover staan, geloof me.' Hij zweeg even, maar Balki zei niets. 'Jij hebt je vaderland achtergelaten, Boris. Jij weet hoe dat voelt. Wij proberen het onze niet kwijt te raken. Kortom, het is zoals je net zei... we doen wat ons te doen staat. Ik zal geen *conard* zijn en je geld aanbieden, maar het schuift wel degelijk wat, voor iemand. Ik kan niet geloven dat je hen niet op weg wilt helpen. Probeer in elk geval te weten te komen wat hun aanbod is.'

Balki was nu wat gunstiger gestemd. Iedereen die hij kende had geld nodig. In Boulogne, waar de Russische émigrés woonden, werden de vrouwen blind door borduurwerk dat ze op contractbasis voor de modehuizen deden. Hulpeloos gebaarde hij met zijn handen. *Je m'en fous* – Ik word hoe dan ook genaaid.

'Het aloude verhaal', zei Morath. 'Duitse officier in Parijs heeft vriendin nodig.'

Balki toonde zich beledigd. 'Heeft iemand u verteld dat ik een pooier zou zijn?'

Morath schudde zijn hoofd.

'Vertel op', zei Balki. 'Wie bent u?' Hij bedoelde echter: *Wat ben je voor iemand?*

'Nicholas Morath. Ik zit in de reclamebusiness in Parijs. Ik sta in het telefoonboek.'

Balki dronk zijn bier op. 'O, oké.' Hij bond in, veeleer omdat het te maken had met een of ander lot waaronder hij dacht gebukt te gaan dan door Morath. 'En de rest van het verhaal?'

'Zo ongeveer wat ik net zei.'

'Monsieur Morath... Nicholas als u het niet erg vindt... als u een kameel wilt neuken, dan is het voldoende om wat smeergeld aan de dierenverzorger te geven. Wat u ook wilt doen, ongeacht aan welk gat u denkt, of sommige gaten die niet in u opkomen, het is allemaal in Pigalle te vinden, in Clichy. Voor geld is alles mogelijk.'

'Ja, dat weet ik. Maar denk aan wat Blomberg en Fritsch is overkomen.' Twee generaals die door Hitler de laan uit waren gestuurd. De ene was beschuldigd van een homoseksuele affaire, de andere trouwde met een vrouw van wie het gerucht ging dat ze een hoer was geweest. 'Die officier mag niet worden gezien met een minnares, Boris. Ik ken die man niet, maar mijn vriend zei tegen mij dat hij een jaloerse vrouw heeft. Ze komen beiden uit oude, streng katholieke families in Beieren. Dit kan zijn einde betekenen. Niettemin is hij hier, in Parijs; het is alom aanwezig, overal om hem heen, in elk café, op elke straat. Hij is dus wanhopig in zijn poging iets te regelen, een *liaison*. Maar het moet discreet gebeuren. Voor die vrouw, de vrouw die het absoluut aan niemand vertelt en begrijpt wat er op het spel staat zonder dat ze al te wijs wordt gemaakt, en die hem op de koop toe blij maakt, is er een maandelijkse schikking van vijfduizend franc. En als iedereen tevreden blijft, zal dat bedrag groeien.'

Dat was veel geld. Een schoolmeester verdiende tweeduizend vijfhonderd franc per maand. Morath zag de gezichtsuitdrukking van Balki veranderen. Hij was niet langer Boris de barkeeper, maar Boris de Zakovitsa.

'Ik schuif het geld niet.'

'Zo is het.'

'Dan doe ik het misschien', zei Balki. 'Geef me de tijd om erover na te denken.'

Juan-les-Pins, 11 juni.
Haar borsten, bleek in het maanlicht.

Laat op de avond rezen Cara en haar vriendin Francesca hand in hand lachend en naakt uit de zee, het water liet hen glimmen. Morath zat blootsvoets op het zand. Zijn broekspijpen waren tot halverwege zijn kuiten opgerold. Naast hem zat Simon en-nog-iets, een Britse advocaat. 'Mijn god', zei deze, terwijl hij vol ontzag was over Gods werk dat over het strand naar hen toe kwam gerend.

Ze arriveerden hier elk jaar in deze periode, voordat de grote mensenmassa's kwamen opdagen. Zij noemden het 'Juan', en ze woonden bij de zee in een groot, abrikooskleurig huis met groene luiken, daar in het kleine dorp waar je een Saint-Pierre kon kopen van de vissers wanneer de boten rond de middag terugkeerden.

Cara's kliek. Montrouchet van het Théâtre des Catacombes, vergezeld door Luilak. Een mooie vrouw, vernuftig aantrekkelijk. Montrouchet noemde haar bij haar echte naam, maar voor Morath was ze Luilak en zo zou het altijd blijven. Ze logeerden in het Pension Trudi, in het dennenbos boven het dorp. Francesca was afkomstig uit Buenos Aires, uit de Italiaanse gemeenschap in Argentinië, waar ook Cara vandaan kwam, en woonde in Londen. Verder was er Mona, ook bekend als Moni, een Canadese beeldhouwster. En de vrouw met wie ze samenwoonde – Marlene – maakte juwelen. Shublin, een Poolse jood die vuur schilderde, Frieda, die korte novellen schreef, en Bernhard, die gedichten over Spanje maakte. Verder waren er anderen, een wisselende kliek, vrienden van vrienden of mysterieuze vreemden die houten optrekjes huurden in de dennenbossen, goedkope kamers namen in het Hotel du Mer of onder de sterren sliepen.

Morath hield van de Cara van Juan-les-Pins, waar de warme lucht haar buitensporig geil maakte. 'We zullen het vanavond heel laat maken,' zei ze dan, 'dus moeten we vanmiddag rusten.' Een wasbeurt in het zwavelkleurige, lauwe water dat in de met roestvlekken voorziene badkuip sijpelde, waarna ze zweterig en geïnspireerd de liefde bedreven op het ruwe laken. Half duttend lagen ze onder het open raam en ademden de geur van dennenhars in. Een geur die de middagwind meevoerde. In de schemering begonnen de cicaden, die doorgingen tot het krieken van de dag. Soms gingen ze met de taxi naar het restaurant aan de *moyenne*-kustweg boven Villefranche, waar ze je kommen vol knoflookachtige *tapenade* brachten, en pannenkoeken van kikkererwtenmeel, waarna ze je – terwijl ze zagen dat je vredig en kalm was geworden, en niet in staat nog een hap door je keel te krijgen – het diner serveerden.

Vanwege het feit dat Morath te trots en te Magyaar was om strandsandalen te dragen, rende hij 's middags blootsvoets naar de zee en verbrandde zijn voeten op de hete kiezels, waarna hij in het water stapte en naar de vlakke horizon staarde. Hij stond daar dan een hele tijd versteend te kijken, zo gelukkig als hij ooit was geweest, terwijl Cara, Francesca en haar vrienden languit op hun handdoeken gingen liggen, glinsterden van de kokosolie en met elkaar praatten.

'Half negen in Juan-les-Pins, half tien in Praag.' Dat hoorde je in de Bar Basque, waar de mensen in de late namiddag heen gingen om witte rum te drinken. De schaduw was daar eveneens aanwezig – donkerder op sommige dagen, minder intens op andere – en als je niet de moeite nam om jezelf de maat te nemen, deden de kranten het wel voor je. Nadat hij naar de dorpswinkel was gegaan voor een *Nice Matin* en de *Figaro*, en hij zich bij de andere verslaafden voegde, begaven ze zich daarna samen naar het café. De zon was fel om negen uur 's ochtends, in de schaduw van de parasol van het café was het koel en besloten. 'Volgens Herr Hitler zijn de Tsjechen net wielrenners... ze buigen vanuit het middel door, maar met het onderlijf blijven ze niet-aflatend trap- en schopbewegingen maken', las hij. In juni was Tsjecho-Slowakije de nieuwe, modieuze plaats om een oorlog te beginnen. De *Volksdeutschen* in de oude Oostenrijkse provincies Bohemen en Moravië – Sudetenland – eisten unificatie met het Reich. En de *incidenten*, het brandstichten, de aanslagen en de betogingen waren snel aan de orde van de dag.

Morath sloeg een blad om.

Spanje was er inmiddels bijna geweest, je moest verder bladeren naar pagina drie. De falangisten zouden winnen, het was slechts een kwestie van tijd. Voor de kust waren Britse vrachtschepen die republikeinse havens ravitailleerden tot zinken gebracht door Italiaanse gevechtsvliegtuigen die opstegen vanaf bases in Mallorca. De redactie van de *Figaro* was met een Britse cartoon gekomen. Kolonel Blimp zegt: 'Wel verduiveld, sir, het wordt tijd dat we tegen Franco zeggen dat als hij nog eens honderd Britse schepen tot zinken brengt, wij ons helemaal uit het Middellandse-Zeegebied terugtrekken.'

Morath keek uit over de zee. Ver weg zag hij een wit zeil. Er vonden felle gevechten plaats op zeventig kilometer ten noorden van Valencia, op minder dan een dag rijden van het café waar hij zijn koffie dronk.

Shublin was naar Spanje gegaan om te vechten, maar de NKVD schopte hem het land uit. 'In wat voor een tijd leven we', zei hij op een avond in de Bar Basque. 'De slappelingen regeren.' Hij was een dertiger met blond, krullend haar, een gebroken neus, gele nicotinevingers en hij had olieverf onder zijn nagels. 'En koning Adolf zal op de troon van Europa gaan zitten.'

'De Fransen zullen hem vermorzelen.' Bernhard was Duitser. Hij had meegelopen in een communistische demonstratie in Parijs en nu kon hij niet meer naar huis gaan.

'Evenwel...', zei Simon de advocaat. De anderen keken naar hem en verwachtten dat hij een rede ging houden. Een trieste glimlach, dat was alles.

De tafel bevond zich aan de rand van de dansvloer, die royaal bestrooid was met naar binnen gewaaide dennennaalden en zand. De wind waaide hard vanuit zee, rook naar de pier tijdens eb en liet de tafelkleden flapperen. Het orkestje was aan het einde gekomen van *Le Tango du Chat* en begon met *Begin the Beguine*.

Bernhard wendde zich tot Moni. 'Heb jij die beguine wel eens gedanst?'

'Zeker.'

'Meen je dat?' vroeg Marlene.

'Ja.'

'Wanneer dan?'

'Toen jij er niet was om te kijken.'

'O ja? En wanneer was *dat* dan?'

'Dans met me, Nicky', zei Luilak. Ze nam hem in de arm. Ze dansten iets dat aan de foxtrot deed denken, en het orkest – op de grote trom stond in schrijfletters 'Los Hermanos' geschreven – speelde trager om zich aan hen aan te passen. Ze leunde tegen hem aan, loom en zacht. 'Blijf je altijd laat op als je hier bent?'

'Soms.'

'Ik wel. Montrouchet drinkt 's avonds veel en valt dan als een blok in slaap.'

Ze dansten een poosje.

'Jij mag blij zijn dat je Cara hebt.'

'Mm.'

'Ze moet heel opwindend voor je zijn. Ik bedoel, zo is ze nu eenmaal. Ik voel dat gewoon.'

'O ja?'

'Soms denk ik aan jullie, als jullie twee in jouw kamer zijn.' Ze lachte. 'Ik ben een verschrikkelijk mens, hè?'

'Valt best mee.'

'Ach, het kan me niets schelen als ik dat ben. Je mag haar zelfs vertellen wat ik heb gezegd.'

Later, in bed, zat Cara met haar rug tegen de muur. De zweetdruppeltjes glinsterden tussen haar borsten en in haar maagstreek. Ze nam een trekje van de Chesterfield van Morath en blies een lange rookpluim uit. 'Ben je gelukkig, Nicky?'

'Merk je dat niet?'

'Eerlijk?'

'Ja, eerlijk.'

Buiten was de branding te horen. Eerst een ruisend geluid, daarna stilte, vervolgens een klap.

De maan – voorzien van een vage goudkleur, en afnemend – bevond zich laag in de onderste hoek van het raam, maar niet voor lang. Behoedzaam, heel voorzichtig om Ćara niet wakker te maken, reikte hij naar zijn horloge op een stoel bij het bed. Het was tien voor vier in de ochtend. *Ga slapen.* 'Ga schaapjes tellen.' Nou, daar waren dan heel wat schaapjes voor nodig.

Cara was zeer verliefd op hem, maar dat was dan erg jammer. Hij was gedoemd om met een zekere bezwaardheid van de ziel door het leven te gaan. Het was geen wanhoop, maar een afmattend gewicht dat ertegen drukte. Het had hem een vrouw gekost, lang geleden, een verloving die bij voorbaat nooit echt tot een huwelijk had geleid, en het had sindsdien meer dan een keer een einde gemaakt aan een verhouding. Als je de liefde bedreef met een vrouw, dan hoorde je daar maar beter gelukkig van te worden, anders...

Misschien had het met de oorlog te maken. Toen hij terugkeerde, was hij niet meer de persoon van weleer; hij wist nu wat de mensen elkaar konden aandoen. Het zou beter zijn geweest als hij dat niet had geweten; als je het niet wist, leidde je een heel ander leven. *All Quiet on the Western Front*, van Remarque. Hij had het boek drie of vier keer gelezen. En bepaalde passages telkens opnieuw.

Als we nu terugkeren, zullen we moe, gebroken, afgebrand, ontheemd en zonder hoop zijn. We zullen niet meer in staat zijn onze weg te vinden... Laat de maanden en de jaren verstrijken, ze zullen mij niets geven, ze kunnen me niets opleveren. Ik ben zo eenzaam en zo zonder hoop dat ik de confrontatie daarmee zonder angst kan aangaan.

Een Duits boek. Morath had een tamelijk helder inzicht in wat Hitler in de harten van de Duitse veteranen aan het ontginnen was. Maar het ging niet alleen om Duitsland. Ze waren allemaal – de Britten, de Fransen, de Russen, de Duitsers, de Hongaren en de rest – in de molen gesmeten. Terwijl sommigen daadwerkelijk stierven, gingen anderen vanbinnen dood. Wie overleefde het? vroeg hij zich af.

Maar hoe *kon* je zoiets overleven? Hij wist het niet. Waar het om ging, was dat je elke morgen opstond om te kijken wat er misschien zou gebeuren, het goede of het kwade, het tweegevecht tussen rood en zwart. Maar desondanks, zei een vriend van hem altijd, was het waarschijnlijk een goed idee dat je geen zelfmoord kon plegen door tot tien te tellen en dan *nu* te zeggen.

Heel voorzichtig kroop hij uit bed, deed een katoenen broek aan, sloop naar beneden, opende de deur en ging in de deuropening staan. De zilverkleurige branding zwol op, de golf rolde vervolgens uit en verdween. Iemand op het strand lachte, iemand die het niets kon schelen was aan de drank. Als hij zijn ogen versmalde, kon hij heel vaag de gloed van een kwijnend vuur en enkele silhouetten in de duisternis zien. Een fluisterschreeuw, daarna weer een lach.

Parijs, 15 juni.

Otto Adler maakte het zich gemakkelijk in een stoel in de Jardin du Luxembourg, tegenover het ronde meertje waar de kinderen heen gingen om met hun zeilboten te spelen. Hij hield zijn handen gevouwen achter zijn hoofd en keek aandachtig naar de witte wolken die als bloemkolen scherp afstaken tegen de perfect blauwe lucht. Misschien zou er in de namiddag een onweersbui opsteken, dacht hij. Het was er warm genoeg voor, abnormaal zelfs voor dit seizoen. Hij zou er zich op verheugd hebben, ware het niet dat het hem enkele centimes zou gaan kosten als hij ging schuilen in het café in de Rue de Médicis. Hij kon het zich financieel niet permitteren om die paar centimes uit te geven.

Dit zou de eerste keer zijn dat hij een hele zomer in Frankrijk was. Hij was er arm en dromerig geworden. En hevig verlangend naar donkere, lieflijke hoekjes, en naar steegjes en kerken. En hij zat vol snode plannen en had meningen te over. En hij werd verliefd op de helft van alle vrouwen die hij zag. En hij was gedeprimeerd, ge-amuseerd en ongeduldig om te gaan lunchen. Kortom, hij was een Parijzenaar geworden.

Zoals alle politieke tijdschriften leed *Die Aussicht* een kwijnend bestaan. In het januarinummer, dat in maart was uitgekomen, stond een hoofdartikel van professor Bordeleone van de Universiteit van Turijn – *Enkele aantekeningen betreffende de traditie van de fascistische esthetiek*. Het artikel had niet bepaald de verheffende diepte die de lezers hadden verwacht, maar was van een epische allure. Het besloeg het imperialistische Rome, daarna vooruit de geschiedenis in marcherend, tot na de negentiende-eeuwse architectuur, tot aan D'Annunzio. Een beminnelijk, twinkelend soort man, die Bordeleone, nu professor-emeritus aan de Universiteit van Turijn nadat hij een avond lang was ondervraagd en onder handen genomen op het lokale politiebureau. Maar godzijdank was Signora Bordeleone in elk geval rijk en zouden ze het overleven.

Adler had grote ambities als het om het winternummer ging. Hij had een brief ontvangen van dr. Pfeffer, een oude vriend uit Koenigsberg, nu een émigré in Zwitserland. Dr. Pfeffer had een lezing bijgewoond in Basel, en in het koffie-uurtje dat daarop volgde, had de spreker gewag gemaakt van Thomas Mann, die zelf sinds 1936 een uitgewekene was en nu de publicatie overwoog van een kort essay. Voor iemand als Mann zouden dat tachtig pagina's kunnen zijn, maar dat kon Adler niets schelen. Zijn drukker in Saclay was – althans tot op heden – een idealist als het ging om kredietzaken en het te laat betalen van rekeningen, maar, nou ja zeg, *Thomas Mann*. 'Ik vroeg me hardop af,' schreef Pfeffer in zijn brief, 'met alle respect, of een tipje van de sluier aangaande de *topic* opgelicht kon worden, maar die kerel kuchte slechts en wendde zijn ogen af. Zou jij Zeus vragen wat hij voor zijn ontbijt zou nemen?' Natuurlijk was het onderwerp absoluut niet van belang. Om die naam in *Die Aussicht* te krijgen, zou hij zelfs de wasserijrekening van die man publiceren.

Hij gespte zijn aktetas open en tuurde naar de inhoud. Een exemplaar van de verzamelde toneelstukken van Schnitzler, een goedkoop schrijfblok – het kwaliteitspapier bleef in zijn bureau in St.-Germain-en-Laye – de *Figaro* van gisteren die hij had opgeraapt – hoewel hij het als een *redding* beschouwde – in de trein die hem naar Parijs had gebracht, en een in bruin papier gewikkelde kaassandwich. *'Ah, mais oui, monsieur, le fromage de campagne!'* De dame, de eigenares van de plaatselijke *crémerie*, had snel in de gaten dat hij geen geld had, maar ze was een Franse in hart en nieren en had dus een bescheiden zwak voor verwaarloosde intellectuelen en verkocht hem met een zonderlinge mengeling van trots en onbarmhartigheid wat zij *boerenkaas* noemde. Naamloos, geel, gewoon uitziend en goedkoop. Maar geprezen zij haar, hoe dan ook, die ons in leven houdt, dacht Adler.

Hij haalde het schrijfblok uit de tas en rommelde net zolang tot hij een pen vond, waarna hij begon te schrijven. *'Mein Herr Doktor Mann.'* Kon die beleefdheidstitel beter? Zou hij het moeten proberen? Hij liet dat idee varen en ging over tot de strategie. *'Mein Herr Doktor* Mann. Daar ik vrouw en vier kinderen moet voeden en gaten in mijn ondergoed heb, ben ik ervan overtuigd dat u een belangrijk essay in mijn kleine tijdschrift wilt publiceren.' Welnu, hoe moest hij dit onder woorden brengen zonder het daadwerkelijk te zeggen? 'Misschien niet wijd en zijd bekend, maar toch gelezen in belangrijke kringen?' Poeh. 'Het belangrijkste en diepzinnigste politieke tijdschrift voor émigrés?' Kreupel. 'Het zet Hitler te kijk!' Zo, dacht hij, nu kom ik ergens. Stel dat hij gedurende een manische seconde daadwerkelijk naar buiten kwam met zoiets? dacht hij.

Zijn blik dwaalde af van het papier naar de donkergroene kastanjeboom aan de andere kant van de vijver. Vanmorgen waren er natuurlijk geen kinderen, op een junidag leden ze in het klaslokaal.

Een wandelaar in het park kwam naar hem toe. Een jonge man. Hij was duidelijk niet aan het werk. Misschien was hij, heel triest, werkloos. Adler keek weer naar zijn schrijfblok tot de man naast zijn stoel stond. *'Pardon, monsieur'*, zei hij. 'Kunt u me vertellen hoe laat het is?'

Adler diepte uit zijn jas een zilveren zakhorloge aan een ketting op. De kleine wijzer wees exact naar de vier.

'Het is precies...', zei hij.

Monsieur Coupin was een oude man die van een spoorwegpensioen leefde en naar het park ging om de krant te lezen en naar de meisjes te kijken. Hij vertelde zijn verhaal aan de *flics* die buiten de Jardin du Luxembourg stonden, daarna aan de rechercheurs van de Préfecture en vervolgens aan een verslaggever van de *Paris Soir*, daarna aan twee mannen van het ministerie van Binnenlandse Zaken en uiteindelijk aan een andere reporter die hem ontmoette in zijn stamcafé, een *pastis* voor hem bestelde, en vervolgens weer een, en meer van de gebeurtenis leek af te weten dan de anderen. Deze man stelde hem een aantal vragen waarop hij geen antwoord wist.

Hij vertelde ze allemaal min of meer hetzelfde verhaal. Over de man die aan de andere kant van de vijver zat. En over de man – in het blauwe pak en met de bril met het stalen montuur op – die naar hem toe liep. En over de schietpartij. Eén schot en een *coup de grâce*.

Hij had niet gezien hoe het eerste schot werd afgevuurd. Wel had hij het gehoord. 'Een scherpe knal, net een voetzoeker.' Dat trok zijn aandacht. 'De man die naar zijn horloge keek, liet het vallen en sprong overeind, alsof hij was beledigd. Hij wankelde een moment, waarna hij omviel en de stoel meenam. Zijn voet bewoog één keer, waarna hij stil bleef liggen. De man in het blauwe pak leunde over hem heen, richtte zijn pistool en vuurde opnieuw. Daarna liep hij weg.'

Monsieur Coupin gaf geen schreeuw, noch zette hij de achtervolging in, of wat dan ook. Hij bleef waar hij was en verroerde zich niet. 'Omdat...,' verklaarde hij, '... ik niet kon geloven wat ik had gezien.' Verder twijfelde hij aan zichzelf toen de moordenaar zomaar wegliep. 'Hij holde niet. Hij had geen haast. Het leek, het was alsof hij helemaal niets had gedaan.'

Er waren andere getuigen. Een van hen beschreef een man in een overjas. Iemand anders zei dat er twee mannen aanwezig waren. De derde rapporteerde een verhitte discussie tussen de moordenaar en het slachtoffer. Maar vrijwel allemaal bevonden ze zich verder van de schietpartij vandaan dan monsieur Coupin. Een uitzondering vormde een stel, een man en een vrouw die gearmd over een kiezelpad kuierden. De rechercheurs hielden het park verscheidene dagen in de gaten, maar het stel kwam niet meer opdagen. En ondanks het verzoek in het artikel dat in de kranten verscheen, namen ze geen contact op met de Préfecture.

'Opmerkelijk', zei graaf Polanyi. Hij bedoelde de zachte wafel in een conische vorm, waardoor het bolletje vanilleijs op de bovenkant bleef rusten. 'Je kunt het eten terwijl je loopt.'

Morath had zijn oom ontmoet in de dierentuin, waar een *glacier* bij het restaurant de wafels en het ijs verkocht. Het was buiten erg warm; Polanyi had een zijden pak aan en een strohoed op. Ze slenterden langs een lama en passeerden vervolgens een kameel. Door de namiddagzon hing er een doordringende geur in de dierentuin.

'Lees je daar de kranten, Nicholas?'

Morath zei dat hij dat deed.

'De Parijse kranten?'

'Soms de *Figaro*, als ze die hebben.'

Polanyi hield zijn pas in en nam omzichtig een hapje van de ijsco; hij hield zijn zakdoek onder de wafel om te voorkomen dat het ijs op zijn schoenen drupte. 'Veel politiek tijdens je afwezigheid', zei hij. 'Voornamelijk in Tsjecho-Slowakije.'

'Ik heb er wat over gelezen.'

'Het voelde aan als in 1914, toen de politici werden verrast door de gebeurtenissen. Dit is er gebeurd... Hitler verplaatste tien divisies naar de Tsjechische grens. 's Nachts. Maar ze betrapten hem terwijl hij dat deed. De Tsjechen voerden een mobilisatie door. Dit in tegenstelling tot de Oostenrijkers, die gewoon niets deden en afwachtten tot het gebeurde. De Franse en Britse diplomaten in Berlijn werden woest. *Dit betekent oorlog!* Uiteindelijk haalde hij bakzeil.'

'Voorlopig.'

'Dat is waar. Hij zal het niet opgeven, hij haat de Tsjechen. Hij noemt ze een "armzalig pygmeeënras zonder cultuur". Hij zal kortom een manier vinden. En hij zal ons erbij betrekken, als hij die mogelijkheid heeft. En de Polen. Zoals hij het gaat verkopen, vormen wij simpelweg drie naties die territoriale kwesties regelen met een vierde land.'

'Alles gaat gewoon zijn gangetje.'

'Inderdaad.'

'Nou, waar ik me ophield, had niemand twijfels over de toekomst. Er komt oorlog, we gaan allemaal dood, we hebben alleen nog vanavond...'

Polanyi fronste. 'Zoiets klinkt mij wel erg lankmoedig in de oren.' Hij hield even zijn pas in en nam wat van zijn ijsco. 'Trouwens, is het je gelukt om een gezelschapsdame voor mijn vriend te vinden?'

'Nog niet.'

'Nu je daar toch mee bezig bent... het lijkt mij dat de tortelduifjes ook een liefdesnest nodig hebben. Heel privé, natuurlijk. Heel discreet.'

Morath dacht erover na.

'Het moet onder iemands naam gebeuren', zei Polanyi.

'De mijne?'

'Nee. Kun je het je vriend Szubl niet vragen?'

'Szubl en Mitten.'

Polanyi lachte. 'Ja.' De twee mannen hadden een kamer en de moeilijkheden van een migrantenleven gedeeld, al zolang iedereen zich kon herinneren.

'Ik zal het hun vragen', zei Morath.

Ze liepen nog een tijdje verder, door de ménagerie en de tuinen. Ze konden de treinen horen fluiten in de Gare d'Austerlitz. Polanyi at zijn ijsje op. 'Ik heb me zitten afvragen wat er van de man is geworden die ik naar Parijs heb gebracht', zei Morath.

Polanyi haalde zijn schouders op. 'Ikzelf maak er altijd een punt van om niet op de hoogte te zijn van zulke dingen.'

Morath schreef een briefje naar Szubl en Mitten en nodigde hen uit voor de lunch. Hij koos voor een Lyonees restaurant, waar je een *grand déjeuner* kreeg dat je wekenlang op de rails hield. De twee mannen waren vermaard om hun armoede. Enkele jaren geleden ging het gerucht dat slechts één van hen 's avonds op pad kon, aangezien ze samen één koolzwart pak deelden.

Morath arriveerde er vroeg. Wolfi Szubl wachtte hem op. Een zware man van in de vijftig, met een lang, naargeestig gezicht, roodomrande ogen en een kromme rug als gevolg van het jarenlang meezeulen van vertegenwoordigerskoffers met dameslingerie naar alle steden in *Mitteleuropa*. Szubl vormde een mengeling van nationaliteiten – hij zei nooit welke dat precies waren. Herbert Mitten was een jood uit Transsylvanië en geboren in Cluj toen die stad nog Hongaars was. Hun papieren, en hun leven, waren als dode bladeren uit een oud imperium. Bladeren die jarenlang doelloos door de straten van een tiental steden waren gewaaid. Tot in 1930 iemand met een goed hart medelijden met hen kreeg en hun een woonvergunning voor Parijs toekende.

Morath bestelde aperitiefjes, waarna hij met Szubl babbelde tot Mitten terugkwam van het toilet; zijn gezicht zag er blozend en glimmend uit. Goeie genade, dacht Morath, hij had zich daar toch niet *geschoren*, of wel? 'Ah, Morath', zei hij. Hij gaf hem een slappe hand en zijn stralende glimlach was theatraal. Als beroepsacteur had Mitten in films van vijf landen meegedaan, waarbij hij acht talen sprak.

Hij speelde altijd hetzelfde personage, dat nog het beste gedefinieerd kon worden door zijn meest recente verschijning als meneer Pickwick in een Hongaarse versie van *The Pickwick Papers*. Mitten had het figuur van een negentiende-eeuws cartoonpersonage; een peervormig lijf, met een haardos dat als een clownspruik van zijn hoofd af stond.

Ze bestelden. En wel overvloedig. Het betrof een familierestaurant – stevige porseleinen kommen en zware borden met worstjes, waarvan sommige in olie, plakjes in boter gebakken, gewone aardappelen, vette geroosterde kip, salade met *haricots blancs* en salade met gelardeerd spek. Mont d'or-kaas. En aardbeien toe. Morath kon het tafelkleed nauwelijks zien. Hij gaf flink wat geld uit aan de wijn – de Bourgondische uit '26 – waar de blozende *patron* zo van in zijn sas was dat het hem tot glimlachjes en buigingen bewoog.

Daarna maakten ze een wandeling door de smalle, schemerige straatjes die vanaf het begin van het vijfde arrondissement helemaal tot aan de rivier liepen. 'Een appartement voor een geheim liefdesavontuurtje.'

Szubl dacht daarover na. 'Een minnaar die niet zijn eigen appartement huurt.'

'Heel romantisch', zei Mitten.

'Maar hoe dan ook heel geheim', zei Szubl.

Mitten vroeg: 'Wat zijn het? Prominenten?'

'Zeer op hun hoede', antwoordde Morath. 'En rijk.'

'Ah.'

Ze wachtten af. Morath zei: 'Tweeduizend franc per maand voor het liefdesnest. Vijfhonderd voor jullie. Een van jullie tekent het huurcontract. Als ze een dienstmeid nodig hebben, dan huren jullie haar in. De conciërge kent alleen jullie, de vrienden van de geliefden.'

Szubl lachte. 'Vijfhonderd... moeten we dit geloven?'

'Voor vijfhonderd weet jij wel beter.'

Mitten zei: 'Nicholas, als mensen zoals wij spioneren, dan kunnen we het wel schudden.'

'Het heeft niets te maken met spioneren.'

'Ze zetten ons tegen de muur.'

Morath schudde zijn hoofd.

'Dus, als God het wil, het is maar een bankroof.'

'Een liefdesaffaire', zei Morath.

'Zeshonderd', zei Mitten.

'Goed. Zeshonderd. Ik geef jullie geld om meubilair te kopen.'

'Meubilair!'

'Wat is dat voor een liefdesaffaire?'

Tot verbazing van Morath waren ze er goed in. Heel goed. Op de een of andere manier lukte het hun binnen een week om een selectie van liefdesnestjes op te snorren. Om te beginnen namen ze hem mee naar de Minnaressenbuurt, de omgeving van Avenue Foch, waar betoverende verkoopstertjes een luxeleven leidden op vrouwensofa's achter ramen met gordijnen in roze en goud. In het appartement – de meest recente *affaire* was kennelijk abrupt beëindigd – lieten ze hem een geopend blik kaviaar en een mosgroene citroen zien die in de kleine koelkast waren achtergelaten.

Vervolgens toonden ze hem een groot vertrek, het hoorde bij de voormalige bediendenverblijven, in het zoldergedeelte van een *hôtel particulier* in het vierde arrondissement, waar zich nooit iemand vertoonde. 'Zes trappen', zei Mitten.

'Maar zeer afgezonderd.'

En voor een liefdesaffaire niet de slechtste keuze, dacht Morath. Verlaten straten in een rustige buurt die voor het laatst populair was geweest in 1788. Vervolgens namen ze een taxi naar Saint-Germain-des-Prés, naar een schildersatelier in de Rue Guénégaud, compleet met een fraai, maar zeer bescheiden uitzicht, uit een van de ramen, op de blauwe Seine. 'Hij schildert, zij is mannequin', zei Szubl.

En dan, op een middag, Fragonard!

Morath was onder de indruk. 'Perfect.'

'Als het om iemand uit Parijs gaat, dan ben ik daar nog niet zo zeker van. Maar als de minnaars misschien van *buitenlandse afkomst* zijn, nou ja, zoals je ziet, het is onvervalste MGM.'

'*Très chic*', zei Szubl.

'En de verhuurder zit in de gevangenis.'

De laatste keuzemogelijkheid was klaarblijkelijk een weggevertje. Misschien een vriendendienst; een andere Szubl, een andersoortige

Mitten, behoeftig en overspoeld door een Gallische mensenzee. Twee kamers, al kon je daar nauwelijks van spreken, aan het begin van het negende arrondissement, nabij het metrostation Chaussée-d'Antin en halverwege de zijstraat – de Rue Mogador – achter het warenhuis Galeries Lafayette. Het was er druk in de straten; winkelen in de Galeries, of mensen die daar werkzaam waren. Met kerst werden de kinderen hierheen gebracht om naar de mechanische Père Noël in de etalage te kijken.

Het appartement bevond zich op de derde verdieping van een negentiende-eeuwse huurflat, de buitenkant van het gebouw was bedekt met roet en vuiligheid. Binnen waren de muren bruin. Er stond een kachel met twee branders. Een toilet in de hal, slappe vitrage die vergeeld was van ouderdom, een tafel met een groen zeildoek, een bank en een smal bed met, boven het kussen, een aan de muur gespijkerde bladzijde van een geïllustreerde Hongaarse kalender – *oogsten in Esztergom*.

'Zo, hier is het dan, Morath!'

'Alleen al van het *kijken* naar het bed krijg je een stijve, niet dan?'

'*Ma biche, ma douce*, die legerdeken! Die opgerolde jas als kussen! Dit is ons moment! Kleed je uit... als je durft!'

'Wie is die vriend van jullie?'

'Laszlo.'

'Aardige Hongaarse naam.'

'Aardige Hongaarse man.'

'Bedank hem. Ik geef jullie wat geld om hem mee uit eten te nemen.'

'Goed, het wordt de eerste, hè? Dat roze boudoir.'

'Of het atelier. Ik moet erover nadenken.'

Ze verlieten het appartement en liepen de trap af. Morath begaf zich naar de buitendeur, maar Mitten pakte hem bij zijn elleboog. 'Kom mee, we gaan de andere kant op.'

Morath volgde door een open deur aan de andere kant van de hal en over een smalle binnenplaats die eeuwig in de schaduw lag. Vervolgens namen ze weer een deur en begaven ze zich door een gang, waar verscheidene mannen en vrouwen praatten en sigaretten rookten.

'Waar zijn we verdomme?'

'De Galeries. Maar niet het gedeelte waar het publiek komt. Het is bedoeld voor de bedienden, ze kunnen er een sigaret roken. Soms wordt het gebruikt voor de levering van goederen.'

Ze arriveerden bij een andere deur. Szubl opende die. Ze bevonden zich nu op de begane grond van het warenhuis, tussen massa's keurig geklede mensen met pakjes.

'Iets nodig?' vroeg Szubl.

'Misschien een stropdas?'

'*Salops!*' Morath glimlachte.

'Laszlo wil tweeduizend vijfhonderd.'

Balki belde hem een week later op.

'Misschien heb je zin om een vriendin van mij te ontmoeten.'

Morath zei dat hij dat wel wilde.

'Morgen dus. Het grote café in de Rue de Rivoli, nabij het metrostation Palais Royal. Rond vier uur. Ze draagt een bloemcorsage. Je zult haar herkennen.'

'Vier uur.'

'Ze heet Silvana.'

Morath zei: 'Bedankt, Boris.'

'Ja, hoor', zei Balki. Zijn stem klonk scherp. 'Graag gedaan.'

Het café was uitzonderlijk neutraal gebied: toeristen, dichters, dieven, je kon daar iedereen aantreffen. Op een zwoele dag in juli droeg Silvana een donker pakje met een piepklein bloemcorsage dat aan de revers was vastgeprikt. Rechte rug, knieën bij elkaar, gebogen benen, een staalhard gezicht.

Morath had heel goede manieren. Niet één keer in zijn leven was hij blijven zitten wanneer een vrouw naar een tafel liep. En hij had een zeer goed hart; de mensen hadden de neiging zich dat bij hem meteen te realiseren. Desondanks vlotte het niet zo tussen die twee. Hij was blij haar te zien, zei hij, en hij praatte zomaar wat door, waarbij zijn stem zacht, kalm en veel mededeelzamer klonk dan de woorden die hij op dat moment toevallig uitsprak. *Ik weet hoe hard het leven kan zijn. We doen allemaal ons best. Je hoeft nergens bang voor te zijn.*

Ze was niet onaantrekkelijk – dat was wat hem inviel toen hij haar voor het eerst zag. Rond de vijfendertig, met koperkleurig haar dat slap langs haar gezicht hing, een wipneus, volle lippen en een olijfkleurige, ietwat vettige huid. Niet bekoorlijk, niet echt nee, maar een knorrig type, dat soort blik. In het oog springende borsten, zeer pront in een strakke sweater; smalle taille, niet al te brede heupen. Ze was afkomstig uit het Middellandse-Zeegebied, vermoedde hij. Marseillaise? Griekse, misschien? Of Italiaanse? Maar wel kil, dacht hij. Zou von Schleben echt de liefde met haar bedrijven? Hijzelf zou dat niet doen, maar je kon onmogelijk weten waar andere mensen in bed van hielden.

'Nu dan', zei hij. 'Een aperitief? Een Cinzano... zou dat in de roos zijn? Met *glaçons*... we drinken zoals de Amerikanen dat doen.'

Ze schudde een dikke Gauloise Bleue uit haar pakje sigaretten en tikte met het uiteinde van de sigaret tegen haar duimnagel. Hij streek een lucifer voor haar aan; ze hield haar handpalm achter zijn handrug, waarna hij de vlam uitblies. 'Bedankt', zei ze. Ze inhaleerde gretig, kuchte vervolgens.

De drankjes arriveerden. Geen ijs. Hij keek over de schouder van Silvana en merkte toevallig op dat een kleine, nette man aan een hoektafel naar haar keek. Hij had dun, platgekamd haar en droeg een vlinderdas, waardoor hij – Morath kon niet direct op de naam komen – op de Amerikaanse komediant Buster Keaton leek. Heel even ving hij de blik van Morath, waarna hij weer verder las in zijn tijdschrift.

'Mijn vriend is een Duitser', zei Morath. 'Een heer. Een edelman.'

Ze knikte. 'Ja, Balki heeft me dat verteld.'

'Hij zou graag willen dat u morgenavond in de Pré Catalan met hem dineert. Om half negen. Uiteraard laat hij u met zijn auto ophalen.'

'Goed. Ik logeer in een hotel in de Rue Georgette, in Montparnasse.' Ze zweeg even. 'Alleen hij en ik?'

'Nee, een groot gezelschap, geloof ik.'

'Waar zei u?'

'Pré Catalan. In het Bois de Boulogne. Het is er zeer *fin de siècle*. Champagne, dansen tot de ochtendschemering.'

Silvana was geamuseerd. 'O', zei ze.

Morath vertelde over Szubl en Mitten, over het appartement en het geld. Het leek of Silvana er niet echt met haar gedachten bij was; ze keek hoe de rook aan het uiteinde van haar sigaret omhoog kringelde. Ze dronken nog een Cinzano. Silvana vertelde dat ze Roemeense was, uit Sinaia. Ze was in de winter van 1936 naar Parijs gegaan met 'een man die met kaartspelen de kost verdiende'. Hij raakte op de een of andere manier in de problemen en verdween. 'Volgens mij is hij dood', zei ze, waarna ze glimlachte. 'Maar met hem weet je het natuurlijk nooit.' Een vriendin regelde voor haar een job in een winkel, een *confiserie*, maar dat duurde niet lang. Vervolgens werd ze op goed geluk ingehuurd als garderobemeisje bij de Balalaika. Ze schudde quasi-zielig haar hoofd. *'Quelle catastrophe.'* Ze lachte en blies de rook van haar Gauloise uit. 'Ik kon er helemaal niets van, en arme Boris kreeg de schuld.'

Het was in de namiddag, en kil en schemerig onder de bogengang die de Rue de Rivoli overkapte. Het was druk in het café, en erg luidruchtig. Een straatmuzikant dook op en begon op de concertina te spelen. 'Ik denk dat ik maar naar huis ga', zei Silvana. Ze gingen staan en gaven elkaar een hand, waarna ze het kettingslot van een fiets haalde die tegen de lantaarnpaal in de hoek stond. Ze stapte op, zwaaide naar Morath en fietste weg in het verkeer.

Morath bestelde een Schotse whisky.

Een oude vrouw liep langs hem. Ze verkocht kranten. Morath kocht een *Paris Soir* om te kijken welke films er draaiden; hij zou de avond alleen doorbrengen. Zwarte, vette koppen. REGERING VERKLAART TOEZEGGING OM TSJECHO-SLOWAKIJE TE VERDEDIGEN 'ONBETWISTBAAR EN HEILIG'.

De man die op Buster Keaton leek, verliet het café. Terwijl hij vertrok, keek hij vluchtig naar Morath. Even dacht deze dat de man naar hem had geknikt. Maar als dat al was gebeurd, dan zeer subtiel. Het was echter waarschijnlijk dat hij zich dat gewoon had verbeeld.

Juillet, Juillet. De zon scheen meedogenloos op de stad en de geur van de slagerijen hing als rook in de verstilde lucht.

Morath trok zich terug in de Agence Courtmain. Het was niet voor het eerst dat hij daar zijn toevlucht had gezocht. Op de vlucht voor de zomer. En voor oom Janos en zijn politieke spelletjes. Of voor Cara, die sinds kort verteerd werd door vakantiemanies. De heilige *mois d'Août* zat eraan te komen. Je vertrok dan ofwel naar het platteland of je verschool je in je appartement en pakte de telefoon niet op. De zorgen van Cara hadden te maken met de vraag of ze naar barones Frei in Normandië dienden te gaan of naar Francesca en haar vriend in Sussex. Dat was niet hetzelfde, en je moest toch winkelen.

De Agence Courtmain was voorzien van grote, zwarte ventilators, die de hitte lieten rondcirkelen. Soms lukte het een briesje om vanaf de rivier de Avenue Matignon te bereiken en zich door het open raam te wurmen. Morath zat met Courtmain en zijn hoofdredactrice in haar kantoor en staarde naar een blik cacaopoeder.

'Ze hebben plantages in Afrika, aan de zuidgrens van de Goudkust', zei de hoofdredactrice. Ze heette Mary Day – Franse moeder, Ierse vader. Ze was van dezelfde leeftijd als Morath en nooit getrouwd geweest. Volgens een roddel was ze vroom, een ex-non. Een ander gerucht ging over de bespiegeling dat ze een extra inkomen had dankzij het schrijven van erotische romans onder een pseudoniem.

Morath vroeg aan haar wie de eigenaar was.

'Een grote familie uit de provincie, de omgeving van Bordeaux. We regelen onze zaken met de bedrijfsleider.'

'Een Parijzenaar?'

'Een koloniaal', zei Courtmain. *'Pied-noir*, met stekelsnor en bakkebaarden.'

Het blik was voorzien van een rood etiket, met bovenaan in het zwart de naam 'CASTIGNAC' gedrukt. Daaronder stond *Cacao fin*. Morath wrikte het metalen deksel open, raakte met een vinger het poeder aan en likte vervolgens. Bitter, maar niet onaangenaam smakend. Hij deed het opnieuw.

'Naar verluidt heel zuiver, puur', zei Mary Day. 'Het wordt verkocht aan *chocolatiers*, hier en in Turijn en Wenen.'

'Wat willen ze dat wij doen?'

'Ervoor zorgen dat ze meer cacaopoeder verkopen', zei Courtmain.

'Nou, in de nieuwe stijl', zei Mary Day. 'Posters voor bakkerijen en kruideniers. En hij heeft ons verteld dat ze in Spanje willen verkopen, nu de oorlog daar afloopt.'

'Vinden Spanjaarden cacao lekker?'

Ze boog zich naar voren om 'natuurlijk' te zeggen, maar realiseerde zich vervolgens dat ze het antwoord schuldig moest blijven.

'Ze kunnen er niet genoeg van krijgen', zei Courtmain. *Zo is het in elk geval in dit reclamebureau.*

Morath hield het blik in het licht van het raam. Buiten was de lucht wit, de duiven koerden op de richel. 'Het etiket ziet er niet slecht uit.' Langs de randen was een decoratief snoer in de vorm van verstrengelde klimop gedrukt. Dat was alles.

Courtmain lachte. 'Perfect', zei hij. 'Over tien jaar verkopen we dat logo aan hen terug.'

Mary Day haalde diverse vellen kunstdrukpapier uit een map en prikte ze aan de muur. 'We gaan ze Cassandre geven', zei ze. A.M. Cassandre had de illustraties gedaan voor het populaire 'Dubo/Dubon/Dubonnet-logo', in drie fasen.

'De interne Cassandre', zei Courtmain.

De illustratie was weelderig en suggereerde de tropen. Achtergrond in renaissanceoker en chroomgeel, met figuren – veelal tijgers en palmen – in diverse tinten Venetiaans rood.

'Mooi', zei Morath. Hij was onder de indruk.

Courtmain was het daarmee eens. 'Toch jammer van die naam', zei hij. Met duim en wijsvinger maakte hij in de lucht een denkbeeldig etiket. *'Palmier',* stelde hij voor, wat 'palmboom' betekende. *'Cacao fin!'*

'Tigre?' zei Morath.

Mary Day kreeg een zeer kwajongensachtige glimlach op het gezicht. *'Tigresse',* zei ze.

Courtmain knikte. Hij pakte een kunstenaarskrijtje uit een kopje dat op het bureau stond en ging aan een kant van de tekeningen staan. 'Dat is de naam', zei hij. 'Met deze boom.' De boom boog zachtjes door en was aan de bovenkant voorzien van drie langgerekte, afzonderlijke bladeren. 'En deze tijger.' Je keek er pal tegenaan. Het dier zat op de achterpoten en vertoonde een groot, wit vlak op de borstkas.

Morath zag het helemaal zitten. 'Denk je dat ze het nemen?'

'In geen duizend jaar.'

Hij was bij Cara op het moment dat de telefoon rinkelde. Om half vier 's ochtends. Hij rolde het bed uit en kreeg het voor elkaar om de hoorn al tastend van de haak te nemen. 'Ja?'

'Met Wolfi.' Szubl fluisterde bijna.

'Wat is er?'

'Je kunt maar beter naar het appartement gaan. Grote problemen.'

'Ik kom eraan', zei Morath. Hij hing op.

Wat moest hij aandoen?

'Nicky?'

Hij had al een overhemd aangetrokken en probeerde zijn stropdas te knopen. 'Ik moet weg.'

'Nu?'

'Ja.'

'Wat is er aan de hand?'

'Een vriend van mij zit in de problemen.'

Er volgde een stilte. 'O.'

Hij maakte de knopen van zijn broek vast, trok een jas aan en stapte in zijn schoenen terwijl hij met zijn handen zijn haar gladstreek.

'Wat voor een vriend?' Nu klonk er iets bepaalds door in haar stem.

'Een Hongaar, Cara. Je kent hem niet.'

Vervolgens was hij de deur uit gelopen.

De straten waren verlaten. Snel liep hij naar het metrostation bij de Pont d'Alma. De treinen waren drie uur geleden gestopt met rijden, maar er stond een taxi bij de ingang geparkeerd. 'Rue Mogador', zei Morath tegen de chauffeur. 'Om de hoek van de Galeries.'

De buitendeur was opengelaten. Morath stond bij de eerste trede van de trap en tuurde omhoog in de duisternis. Dertig seconden verstreken, maar er gebeurde niets. Toen hij echter de trap ging nemen, hoorde hij ergens boven hem de klik van een deur die dichtging. *Poging om geluidloos te werk te gaan.* Opnieuw wachtte hij, waarna hij verder liep over de trap.

Op de eerste overloop hield hij opnieuw zijn pas in. 'Szubl?' zei hij zachtjes, hoewel het geen gefluister was. Het klonk net hard genoeg om het op de volgende verdieping te horen.

Geen antwoord.

Hij hield zijn adem in. Hij dacht een licht snurken te horen, een knarsgeluid, en weer een. Heel gewoon in een gebouw om vier uur 's nachts. Hij nam de volgende trap. Heel langzaam. Op elke trede stond hij even stil. Halverwege raakte hij aan de muur iets kleverigs aan. Wat was *dat?* Te donker om het te kunnen zien. Hij vloekte en veegde zijn vingers aan zijn broek af.

Op de tweede verdieping liep hij naar het einde van de gang en bleef voor een deur staan. De geur was niet penetrant – nog niet – maar Morath had gevochten in de oorlog en wist precies wat voor een stank dat was. *De vrouw.* De moed zonk hem in de schoenen. Hij had geweten dat dit zou gebeuren. Om de een of andere reden, heel mysterieus, had hij zich dat gerealiseerd. En hij zou afrekenen met ongeacht wie dit had gedaan. Von Schleben, iemand anders, het maakte niet uit. Zijn bloed kolkte; hij waarschuwde zichzelf om kalm te blijven.

Misschien was het Szubl. Nee, waarom zou het iemand wat kunnen schelen.

Hij plaatste zijn wijsvinger tegen de deur en duwde. De deur zwaaide open. Hij kon de bank zien. En het bed. En een ladekast die hij zich niet kon herinneren. Hij rook verf, en een andere geur, nu doordringender. Een brandgeur; de bitterzoete stank van een wapen dat in een kleine kamer was afgevuurd.

Toen hij naar binnen stapte, kon hij de met zeildoek bedekte tafel zien, met aan een kant, in een stoel, een man met gespreide benen en met het hoofd naar achteren hangend. Hij hing bijna helemaal achterover, de armen bungelden los langs hem.

Morath stak een lucifer aan. De laarzen en broek hoorden bij een Duits officiersuniform. De man had een wit overhemd met bretels aan. Zijn jas hing netjes over de stoelleuning en werd nu vastgeklemd door zijn hoofd. Een grijs gezicht, flink opgezwollen, met één oog open, het andere dicht. De gezichtsuitdrukking – hij had zoiets al eens eerder gezien – bestond uit een mengeling van verdriet en bekrompen ergernis. Het gat in zijn slaap was klein; het bloed – op zijn gezicht en arm – was al opgedroogd en bruin geworden. Morath ging op een knie zitten. Het handvuurwapen, een Walther, was op de vloer naast zijn hand gevallen. Op de tafel lag de portefeuille. Een briefje? Nee, hij zag er geen.

Hij begon zich de vingers te branden aan de lucifer. Morath maakte enkele schudbewegingen en stak een andere aan. Hij opende de portefeuille; een foto van een vrouw en volwassen kinderen, verscheidene Wehrmacht-identiteitspapieren. Dit was dan *Oberst* – kolonel – Albert Stieffen, gedetacheerd bij de Duitse generale staf aan de Stahlheimkazerne, die naar Parijs was gegaan en zichzelf had neergeschoten in de keuken van het liefdesnest van von Schleben.

Een zachte klop op de deur. Morath wierp een blik op het pistool, maar besloot vervolgens om het te laten liggen. 'Ja?'

Szubl liep het vertrek in. Hij transpireerde, zijn gezicht zag rood. Hij zei: 'Jezus.'

'Waar was je?'

'Op de Gare St.-Lazare. Ik heb daar getelefoneerd. Daarna stond ik aan de overkant van de straat. Ik heb je naar binnen zien gaan.'

'Wat is er gebeurd?'

Szubl stak zijn armen naar opzij uit. *Wie zal het zeggen.* 'Een man belde me om ongeveer half drie vanochtend op. Hij zei tegen mij dat ik hierheen moest gaan om dingen te regelen.'

'Dingen regelen?'

'Ja. Een Duitser die Duits sprak.'

'Dat betekent dat het hier is gebeurd, dus is het ons probleem.'

'Zoiets.'

Ze zwegen een poosje. Szubl schudde traag, moeizaam zijn hoofd. Morath ademde uit, het klonk verbolgen, streek met zijn vingers door zijn haar, vloekte in het Hongaars – meestal ging dat over het noodlot, over schijtende varkens en het bloed van heiligen – en stak een sigaret op. 'Goed', zei hij, veeleer tegen zichzelf dan tegen Szubl. 'En nu verdwijnt het probleem.'

Szubl keek hem mistroostig aan. 'Zoiets is erg duur.'

Morath lachte en wuifde de kwestie van de hand. 'Maak je daar maar geen zorgen over', zei hij.

'Meen je dat? Nou, dan heb je mazzel. Ik ken een vriend.'

'Flic? Begrafenisondernemer?'

'Beter nog. Receptionist in het Grand Hotel.'

'Wie is dat?'

'Een van ons. Lang geleden uit Debrecen overgekomen. In 1917 zat hij in een Frans krijgsgevangenenkamp, maar hij kreeg het op de een of andere manier voor elkaar om in het plaatselijk ziekenhuis terecht te komen. Om een lang verhaal kort te maken... hij trouwde met een verpleegster. Vervolgens vestigde hij zich na de oorlog in Parijs en werkte in de hotels. Ongeveer een jaar geleden vertelde hij me echter een verhaal. Naar het schijnt logeerde er een beroemde dirigent van een symfonieorkest in de luxe suite. Op een nacht, het was misschien twee uur in de ochtend, rinkelde de telefoon op de balie. Het was de maestro, en hij was helemaal van streek. Mijn vriend rende de trap op... die vent had een matroos in zijn kamer. En die matroos was overleden.'

'Gênant.'

'Nou en of. Hoe dan ook, het werd geregeld.'

Morath dacht na. 'Ga terug naar het St.-Lazare', zei hij. 'Bel die vriend van jou op.'

Szubl draaide zich om en wilde gaan.

'Het spijt me dat ik je hiermee moet lastigvallen, Wolfi. Het is de schuld van Polanyi en zijn...'

Szubl haalde zijn schouders op en schikte zijn hoed. 'Verwijt je oom geen gekonkel, Nicholas. Het is hetzelfde als een vos verwijten dat hij een kip afmaakt.'

Morath glimlachte wrang. Szubl had geen ongelijk. *Hoewel,* dacht hij, *doorgaans krijgt een vos geen 'verwijten' naar zijn hoofd geslingerd.* De trap kraakte terwijl Szubl naar beneden ging. Morath keek uit het raam en zag hem vertrekken. De ochtendschemering was grijs en vochtig en Szubl sjokte met gebogen hoofd en opgetrokken schouders verder.

De receptionist was lang en knap. *Veel elan.* Compleet met cavaleriesnor. Hij arriveerde om half zes en had een rood uniform met goudkleurige knopen aan.

'Voel je je nu beter?' vroeg hij aan het lijk.

'Tweeduizend franc', zei Morath. 'Oké?'

'Tegen de tijd dat alles geregeld is, zou dat wel meer mogen zijn. Maar ik vertrouw op Wolfi.' Een moment lang staarde hij naar de dode officier. 'Onze vriend is dronken', zei hij tegen Morath. 'We leggen zijn armen over onze schouders en slepen hem mee naar beneden. Ik had je willen vragen om te zingen, maar iets in me maakt me duidelijk dat je dat niet doet. Hoe dan ook, er staat een taxi voor de deur; de chauffeur weet eveneens van wanten. We leggen onze vriend op de achterbank, ik stap in bij de chauffeur en dat is dan dat. De jas, het wapen en de portefeuille moet je zelf zien kwijt re raken. Als ik jou was, zou ik de papieren verbranden.'

Uiteindelijk moesten Morath en de receptionist Stieffen de trap af dragen – het pantomimespel gold alleen vanaf de buitendeur naar de taxi, maar zover kwamen ze amper.

Een blauwe auto – later dacht hij dat het een Peugeot moest zijn geweest – stopte aan de stoeprand. Het achterste zijraampje ging naar beneden. De kleine man met de vlinderdas staarde hem aan. 'Dank u', zei hij. Het raampje werd omhoog gedraaid terwijl de auto optrok, gevolgd door de taxi. Morath keek ze na en keerde toen terug naar het appartement waar Szubl – hij had zich tot op zijn ondergoed uitgekleed – de vloer schrobde en een aria van Mozart floot.

Morath dacht dat Polanyi zichzelf overtrof in het uitzoeken van een ontmoetingsplaats. Een anonieme, kleine bar in de wijk die bekendstond als de *grande truanderie*, het dievenpaleis, diep verscholen in het labyrint van straatjes rond Montorgueil. Het deed Morath denken aan wat Emile Courtmain hem op een keer had verteld. 'De essentie van een lunch is de keuze van het restaurant. Al het andere... eten, drinken, praten... doet er verder weinig toe.'

Polanyi zat daar zeer verdrietig en door de goden beledigd te kijken. 'Ik ga me niet verontschuldigen', zei hij.

'Weet u wie dat was, die kolonel Stieffen?'

'Geen idee. En ik weet evenmin waarom het is gebeurd. Het heeft te maken met eer, Nicholas... als ik zou moeten wedden, dan zou dat mijn keuze zijn. Hij legt zijn portefeuille op de tafel, wat betekent dat hij degene was wie hij was. En hij doet het in een geheim appartement, wat wil zeggen dat hij daar heeft gefaald.'

'Gefaald met wat?'

Polanyi schudde zijn hoofd.

Ze zaten aan een van de drie tafels die het vertrek rijk was. De dikke vrouw achter de tapkast riep: 'Hé, jongens, laat me weten als jullie er weer aan toe zijn.'

'Dat doen we', zei Polanyi.

'Wie is de man met de vlinderdas?'

'Hij wordt dr. Lapp genoemd.'

'Dr. Lapp?'

'Gewoon een naam. Ongetwijfeld niet de enige. Een officier van de Abwehr.'

'O, tja, dat verklaart dan alles. Ik ben een Duitse spion geworden. Horen we wel hier te blijven om te lunchen?'

Polanyi nam een slokje wijn. Hij was, zo scheen het Morath toe, een man die naar zijn werk ging. 'Ze gaan hem uit de weg ruimen, Nicholas. Dat ik jou dit vertel, is gevaarlijk voor mij. En het is gevaarlijk voor jou om dit te weten. Deze kolonel Stieffen heeft echter een deur geopend en nu moet ik jou... tegen beter weten in, *geloof* me... binnenlaten.'

'Wie wordt uit de weg geruimd?'

'Hitler.'

Hier had hij geen antwoord op.

'Als ze falen, breekt er oorlog uit, en dan zal het er écht hard aan toe gaan. Het feit is dat als jij mij niet had gebeld, ik naar jou had getelefoneerd. Ik denk dat het hoog tijd wordt om serieus na te denken over hoe we je moeder en je zus uit Hongarije moeten zien te krijgen.'

De oorlog leidde een eigen leven, als een immens gerucht dat zich een weg baande door de kranten, de cafés, de marktplaatsen. Maar om de een of andere reden klonk het in de stem van Polanyi als een feit. En voor de eerste keer geloofde Morath het echt.

Polanyi leunde naar voren, zijn stem klonk zacht. 'Hitler zal gaan *afrekenen*, zoals hij het noemt, met de Tsjechen. De Wehrmacht zal er binnenvallen, waarschijnlijk in de herfst... de traditionele periode, als de oogst binnen is en de mannen van het platteland soldaten worden. Rusland is gehouden aan de verdediging van Tsjecho-Slowakije als Frankrijk dat ook doet. De Russen zullen door Polen marcheren, met of zonder toestemming van dat land, en ze zullen bij ons binnenvallen. Je weet wat dat betekent... Mongoolse cavalerie, de Cheka, noem maar op. Frankrijk en Engeland zullen Duitsland via België binnenvallen... niet anders dan in 1914. Gezien de structuur van de Europese verdragen, de allianties, zal precies dát gebeuren. Duitsland zal de steden bombarderen, elke nacht vijftigduizend slachtoffers. Tenzij ze mosterdgas gebruiken, dan zullen het er meer zijn. Engeland zal de havens blokkeren, de mensen in Centraal-Europa komen om van de honger. Het brandstichten, de hongerdood sterven, het zal pas ophouden als het Rode Leger de Duitse grens oversteekt en het Reich verwoest. Zullen ze daar halt houden? "God woont in Frankrijk", zeggen de Duitsers zo graag. Misschien wil Stalin komen kijken en Hem ontmoeten.'

Morath was op zoek naar tegenstrijdigheden, maar kon er geen vinden.

'Dit baart me zorgen. Dit hoort jou zorgen te baren. Maar het heeft voor het OKW, het Oberkommando Wehrmacht, ofwel de generale legerstaf, heel weinig betekenis. Die mensen... de kaartlezers, de logistieke leiding, de mensen van inlichtingen... zijn altijd door de operationele commandanten beschuldigd dat ze meer denken dan goed voor ze is, maar ditmaal hebben ze het bij het juiste eind. Als Hitler Tsjecho-Slowakije aanvalt, wat voor Duitsland sinds de *Anschluss* niet moeilijk is, omsingelen ze de Tsjechen van drie kanten. Engeland, Frankrijk en Rusland zullen bij de oorlog worden betrokken. Duitsland zal worden vernietigd. Maar voor het OKW is het feit dat het *leger* het loodje legt veel belangrijker. Alles waar ze voor hebben gewerkt, sinds de inkt van de verdragen uit 1918 opdroogde, zal in duigen vallen. Alles. Dat kunnen ze niet laten gebeuren. En ze weten, aangezien de SS Hitler beschermt, dat alleen het leger de macht heeft hem aan de kant te zetten.'

Morath dacht even na. 'In zekere zin is dit het beste dat kan gebeuren', zei hij.

'Ja, als het plaatsvindt.'

'Wat kan er misgaan?'

'Rusland vecht alleen als Frankrijk dat doet. Frankrijk en Engeland zullen alleen de strijd aangaan als Duitsland binnenvalt en de Tsjechen weerstand bieden. Hitler kan alleen worden afgezet voor een oorlog die hij niet kan winnen.'

'Zullen de Tsjechen vechten?'

'Ze hebben vijfendertig divisies, dat zijn ongeveer driehonderdvijftigduizend manschappen, en een defensielinie bestaande uit forten langs de grens met Sudetenland. Men zegt dat die prima in orde is... zo goed als de Maginotlinie. Natuurlijk hebben de Bohemen en Moravië de gebergten als grens, de Shumava. Voor de Duitse tanks zullen de passen moeilijk te nemen zijn, in het bijzonder als die worden verdedigd. Bepaalde mensen van het OKW nemen dus contact op met de Britten en Fransen, waarbij ze er bij hen op aandringen te volharden. Geef Hitler niet zomaar wat hij wil, laat hem ervoor vechten. Daarna, als hij de strijd aanbindt, zal het OKW met hem afrekenen.'

'Contact opnemen, zei u?'

Polanyi glimlachte. 'Je weet hoe dat in zijn werk gaat, Nicholas. Het betreft geen eenzame held die door de woestijn kruipt in een poging de wereld te redden. Het gaat om verscheidene mensen, diverse benaderingen, verschillende methoden. Connecties. Relaties. En als de mensen van het OKW een rustige plaats nodig hebben om te praten, uit de buurt van Berlijn, weg van de Gestapo, dan hebben ze een appartement in de Rue Mogador... waar die kwajongen van Schleben zijn Roemeense vriendin ontmoet. Wie weet wordt het ook een plaats om een buitenlandse collega te spreken die voor een dag uit Londen overkomt.'

'Een door hun Hongaarse vrienden verschafte setting.'

'Ja, waarom niet?'

'Dat geldt op een vergelijkbare manier voor de man die wij naar Parijs hebben gebracht.'

'Ook voor von Schleben. Hij heeft veel belangen en houdt zich met veel projecten bezig.'

'Zoals...'

Polanyi haalde zijn schouders op. 'Hij heeft geen uitleg gegeven, Nicholas. En ik heb niet aangedrongen.'

'En kolonel Stieffen?' Nu waren ze terug waar ze waren begonnen. Morath had misschien de trompetten laten schallen, hij wist het niet zeker.

'Vraag dat maar aan dr. Lapp als je denkt dat je dat moet weten', zei Polanyi.

Morath keek zijn oom verbluft aan.

'Als je hem toevallig tegenkomt, bedoel ik.'

Op de zaterdagochtenden gingen Cara en Nicky paardrijden in het Bois de Boulogne op de Chemin des Vieux Chênes, of rond het Lac Inférieur. Ze reden op grote, kastanjebruine castraten; door de midzomerwarmte stond het zweet wit en schuimend boven de spronggewrichten. Paardrijden konden ze heel goed, daar ze beiden afkomstig waren uit een land waar rijden deel uitmaakte van het dagelijkse leven, zoals trouwen en de godsdienstbeleving. Soms vond Morath de ruiterpaden een beetje saai – hij had tussen de posities van de mitrailleursnesten door gegaloppeerd en te paard over prikkeldraad gesprongen – maar het gevoel dat het hem gaf, zorgde voor een vredig gemoed, en een andere manier om dat te bereiken kon hij niet vinden.

Ze knikten naar de andere stellen. Iedereen zag er knap uit in rijkleding en met de hand vervaardigde laarzen. Het tweetal liet de paarden draven, een stevige draf, in de schaduw van de eikenbomen.

'Ik heb een brief gekregen van Francesca', vertelde Cara hem. 'Ze vindt het huis in Sussex leuk, maar klein.'

'Als je iets indrukwekkends verkiest, kunnen we naar het huis van de barones gaan.'

'Dat zou jij graag willen, hè, Nicky?'

'Tja', zei Morath. Het maakte hem echt niet uit, maar hij veinsde het tegendeel om Cara te plezieren. 'Misschien is Normandië beter. 's Avonds is het er koel. Bovendien zwem ik graag in zee.'

'Goed, ik zal vanmiddag een brief schrijven. We zien Francesca als ze in de herfst komt. Vanwege de kleren.'

Boris Balki belde hem op en vroeg of hij naar de nachtclub wilde komen. De Balalaika was in augustus vanwege de vakantie gesloten; de tafels waren afgedekt met oude beddenlakens. Aangezien er geen bier was, opende Balki een fles wijn. 'Ze zullen die niet missen', zei hij, waarna hij vervolgde: 'Zo, jij zult binnenkort ook wel vertrekken.'

'Een paar dagen. De grote migratie.'

'Waar ga je heen?'

'Normandië. Net buiten Deauville.'

'Daar moet het leuk zijn.'

'Kan er best mee door.'

'Ik hou van deze rustperiode', zei Balki. 'We moeten schilderen, de boel opknappen, maar ik hoef dan tenminste geen grapjes te maken.' Hij reikte in zijn zak en vouwde het vel goedkoop schrijfpapier met kleine, cyrillische letters open. 'Van een vriend van mij uit Boedapest. De Matyasstraat.'

'Daar is niet veel meer dan de gevangenis.'

Het antwoord van Balki bestond uit een barse glimlach.

'O.'

'Een oude vriend uit Odessa. Ik dacht, misschien, als iemand iemand kende die...'

'Matyas is het allerergste... in elk geval in Boedapest.'

'Dat zegt hij, in zoverre hij de mogelijkheid krijgt om dat door de censuurambtenaar te laten passeren.'

'Zit hij daar voor lange tijd?'

'Veertig maanden.'

'Toe maar. Wat heeft hij gedaan?'

'Obligaties.'

'Hongaarse?'

'Russische. Spoorwegobligaties. Het 1916-soort.'

'*Koopt* iemand die?'

Balki knikte, waarna hij onwillekeurig begon te lachen. 'Arme Rashkow. Hij is klein en zei altijd: "Kijk mij eens. Als ik iemand zou proberen tegen te houden, zouden ze me in een la stoppen." Dus verkoopt hij spullen. Soms juwelen, dan weer schilderijen, zelfs manuscripten. Tolstoj! Zijn niet-afgemaakte roman! Maar de laatste tijd zat hij in de spoorwegobligaties.'

Ze lachten beiden.

'Snap je nu waarom ik hem zo graag mag?' vroeg Balki.

'Ze zijn toch niet echt iets *waard*, hè?'

'Tja, zou Rashkow zeggen, *nu* nog niet. Denk echter aan de toekomst. "Ik verkoop hoop", zei hij altijd. "Hoop voor de toekomst. Bedenk hoe belangrijk dat is... hoop voor de toekomst."'

'Boris, ik weet niet zeker of ik kan helpen', zei Morath.

'Nou ja, hoe dan ook, je zult het proberen.' Het *per slot van rekening heb ik voor jou een poging gedaan* bleef onuitgesproken, maar niet
moeilijk te bespeuren.

'Uiteraard.'

'Voordat je gaat?'

'Zelfs als me dat niet lukt, dan nog zal het niet blijven liggen tot
september. In Deauville zijn telefoons.'

'Semyon Rashkow.' Balki hield de brief omhoog tegen het licht en
versmalde zijn ogen. Morath kwam tot de conclusie dat hij een bril
nodig had. 'Nummer 3352-18.'

'Gewoon uit nieuwsgierigheid... wie heeft die niet-afgemaakte roman van Tolstoj geschreven?'

Balki grijnde. 'Het was geen doodzonde, Morath. Echt niet.'

De laatste plaats waar hij wilde zijn, was het kantoor van kolonel
Sombor op de bovenste verdieping van het Hongaarse gezantschapsgebouw. Met rechte rug zat Sombor aan zijn bureau en las een dossier, waarbij hij het uiteinde van een potlood gebruikte om zijn ogen
te leiden langs een met een typemachine uitgetikte regel. Morath
staarde uit het open raam. Beneden in de tuin was een portier – een
oude man in een grijs uniform en met een kleppet op – de kiezels aan
het bijharken. Het geluid klonk scherp op de stille binnenplaats.

Hij moest helpen. Hij had het gevoel dat hij dat diende te doen.
Balki was geen minzame barkeeper. Balki was net als hij, Morath, in
het verkeerde land, in het verkeerde jaar en gedwongen een verkeerd
leven te leiden. Een man die het haatte om dankbaar te zijn voor een
job die hij verafschuwde.

Morath probeerde het eerst bij zijn oom. Hij kreeg echter te horen
dat deze niet in Parijs was, waarna hij Sombor in zijn kantoor te pakken kreeg. 'Natuurlijk, kom morgenochtend maar langs.' Sombor
was de man die kon helpen, dus ging Morath naar hem toe in de wetenschap dat elke gezette stap een vergissing was. Sombor had een titel, iets onbenulligs, maar iedereen wist dat hij voor de geheime politie werkte. De legatie was een officiële spion rijk. Majoor Fekaj, de
militaire attaché, en daarnaast Sombor.

'Ik zie u zo weinig', klaagde hij tegen Morath, waarbij hij het dossier sloot. Morath had er moeite mee om hem aan te kijken. Sombor hoorde bij het soort mensen wier haardos op een hoed leek – een opgepoetste, glossy, zwarte hoed. En met zijn geprononceerde, schuine wenkbrauwen deed hij denken aan een tenor die was gegrimeerd om de duivel in een komische opera te spelen.

'Mijn oom houdt me bezig.'

Sombor erkende de positie van Polanyi met een minzame knik. Morath zou in elk geval graag willen dat die minzaam was.

'Ja, dat wil ik geloven', zei Sombor. 'Bovendien, deze prachtige stad, laten we wel wezen. En de geboden kansen.'

'Ook dat.'

Sombor liet zijn tong over zijn lippen glijden. Hij leunde naar voren en zei zachter: 'We zijn uiteraard dankbaar.'

Voor een man die in 1937 was gedwongen een portret van Julius Gombos van zijn muur te halen, was dit niet noodzakelijkerwijs hetgeen Morath wilde horen. Aan Gombos was in brede kring toegeschreven dat hij de filosofieën van Hitler had bedacht. 'Fijn dat u dat zegt.' *Dankbaar voor wat?*

'Niet het soort zaken dat je kunt toestaan', zei Sombor.

Morath knikte. Wat had Polanyi in godsnaam aan deze man verteld? En waarom? Om zijn eigen bestwil? In het belang van Morath? Of was er nog een andere reden? Wat hij in elk geval wel wist, was dat deze conversatie niet openhartig zou worden. Toch niet als het aan hem lag.

'Iemand die mij, ons, een dienst heeft bewezen...,' Morath glimlachte, zo ook Sombor, '... wil daar graag een wederdienst voor terug.'

'Gunsten...'

'Nou ja, wat moet je anders?'

'Precies.'

Een wedstrijd in zwijgzaamheid. Sombor maakte daar een einde aan. 'Welnu, over wat voor een dienst hebben we het?'

'Een oude vriend. Hij zit opgesloten in Matyas.'

'Wegens?'

'Verkoop van waardeloze obligaties.'

'*Beszivargok?*' Infiltrant. Dit wilde zeggen een jood, althans voor Sombor en anderen. Morath dacht daarover na. Rashkow? 'Ik denk het niet', zei hij. 'Niet met die naam.'

'En die is?'

'Rashkow.'

Sombor pakte een schrijfblok met wit papier, draaide het dopje van zijn vulpen en schreef de naam pijnlijk nauwgezet op.

De *Maand op het Platteland* won aan vaart. De voorbereidingen op de Avenue Bourdonnais bereikten een koortsachtig hoogtepunt. De barones had eveneens een brief geschreven, waarna een telefoontje volgde, en opnieuw een. De Morris van Cara was gewassen, in de was gezet, voorzien van water, olie en benzine, en de stoelen waren geboend met zadelzeep, het dashboard opgepoetst tot het zacht glom. De picknickmand was besteld van Pantagruel, daarna Delbard en vervolgens Fauchon. Hield Morath van plakjes rundertong in aspic? Nee? Waarom niet? Het aangeschafte opvouwbare tafeltje werd teruggebracht naar de winkel en vervangen door een groene paardendeken, vervolgens een van fijne wol, een bruine met een grijze streep. Een die ook dienst kon doen op het strand. Cara kwam thuis met zó'n klein badpak, daarna zó klein, en vervolgens zó klein; bij de laatste kwam de naad los toen Morath het snel uitdeed. En ze zou verdomd blij moeten zijn dat het geen tandindrukken vertoonde – breng *dat* terug naar Mademoiselle Ninette in de Rue Saint-Honoré.

Zaterdagochtend. Morath had een lange boodschappenlijst bij zich die hij zorgvuldig had bewaard als voorwendsel om Cara's bagagesessie te ontlopen. Hij wipte aan bij Courtmain, bij de bank, de *tabac* en bij de boekwinkel, waar hij *The Valley of the Assassins* van Freya Stark en *A Farewell to Arms* van Hemingway kocht; beide werken waren in het Frans vertaald. Hij had inmiddels een roman van Gyula Krudy. Krudy was in wezen de Hongaarse Proust – 'De herfst en Boedapest hebben dezelfde moeder' – en Morath had hem altijd graag gelezen. Bovendien waren de huizen van de barones tot aan het plafond volgestouwd met boeken, en Morath wist dat hij in de ban zou raken van een of ander zoekgeraakt, exotisch meesterwerk en dat hij nooit een blik zou werpen op wat hij ook had meegenomen.

Toen hij weer in de Avenue Bourdonnais arriveerde, ontdekte hij dat er een heftige storm had gewoed tussen het ondergoed, de schoenen en verkreukt roze papier. Op de keukentafel stond een vaas met een tiental gele rozen. 'Deze zijn niet van jou, hè, Nicky?'

'Nee.'

'Dat dacht ik al.'

'Is er geen kaartje bijgevoegd?'

'Ja, maar het is in het Hongaars. Ik kan het niet lezen.'

Morath kon dat wel. Een enkel woord in zwarte inkt op een bloemistenkaartje. *Excuses.*

Om half vier 's middags ging de telefoon van Cara. Een mannenstem. Iemand vroeg heel beleefd aan hem of het niet al te veel moeite zou zijn naar de krantenkiosk bij het metrostation Pont d'Alma te lopen.

'Ik ga de krant halen', zei hij tegen Cara.

'Wat? *Nu?* In hemelsnaam, Nicky, ik...'

'Ik ben zo terug.'

Dr. Lapp bevond zich in een zwarte Mercedes. Hij had een blauw pak aan, met een groene vlinderdas. Hij keek zo triest als Buster Keaton. Er viel echt niets te bepraten, zei hij.

Dit was een privilege, geen offer.

Toch voelde Morath zich afschuwelijk. Als hij misschien in staat was geweest iets te zeggen, of uit te leggen, zou het wellicht niet zo erg zijn geweest.

'Messieurs et Mesdames.'

De conducteur opende de deur van de coupé en het ritmische gebonk van de wielen op de rails klonk opeens luider. Morath legde het boek van Freya Stark op zijn knie.

De conducteur hield de lijst van de eersteklasreizigers in zijn hand. ' *'Sieurs et 'dames*, de restauratiewagen zal over dertig minuten de deuren openen; u mag reserveren voor de eerste of tweede dinerronde.'

Hij maakte een ronde in de coupé; zakenman, middelbare vrouw, moeder en kleine jongen – mogelijk Engelsen – en Morath. 'De tweede graag', zei Morath.

'En wie mag het zijn?'

'Monsieur Morath.'

'Prima, meneer.'

'Kunt u me vertellen hoe laat we mogen verwachten in Praag te arriveren?'

'Volgens de dienstregeling om half vijf, *monsieur*, maar ja, tegenwoordig...'

2 augustus 1938, Mariënbad, Tsjecho-Slowakije.

Twintig over zes 's avonds. Morath liep over de marmeren trap naar beneden en begaf zich naar de lobby. Grand hôtels in kuuroorden waren allemaal van hetzelfde type en het Europa was niet anders: eindeloos lange gangen, kroonluchters, overal mahoniehout. Gerafelde tapijten, gerafeld respect – de eerste opnieuw geweven, het laatste een vage, maar bespeurbare aanwezigheid in de lucht, zoals de geur uit de keuken.

Twee vrouwen in leren leunstoelen glimlachten hem toe. Een weduwe met haar ongetrouwde dochter, vermoedde hij. Ze waren naar Mariënbad vertrokken om op jacht te gaan naar een echtgenoot. Morath had maar een dag en een nacht in het Europa doorgebracht en ze hadden twee keer met hem geflirt. Ze waren mooi, hadden een goed figuur. *Ze hebben er zin in*, dacht hij, *en zijn voor alles in*. Niet ongewoon in dit deel van de wereld. De Tsjechen vonden dat het leven hun wel wat plezier verschuldigd was; ze omarmden graag de protestantse deugden maar óók elkaar. Als een huwelijksaanzoek niet te verwachten was, dan zou rollebollen – van moeder of dochter – in een krakend hotelbed niet het ergste in deze wereld zijn.

Morath liep de deur uit, een chique laan in, met gaslampen. In de verte bevonden zich bergen; donkere schaduwen in het afnemende daglicht. Hij wandelde een hele tijd en wierp om de paar minuten een blik op zijn horloge. Door Cara's voorgangster was hij een keer meegesleurd naar Evian-les-Bains en had de behandeling daadwerkelijk geprobeerd – ingepakt in modder door lachende meisjes, waarna een strenge vrouw met een haarnetje hem een schoonmaakbeurt gaf. Victoriaanse geneeskunde. Victoriaanse erotiek? Victoriaans *iets*.

Hij bereikte de rand van de stad, waar zich een zwart, dichtbegroeid pijnboombos bevond dat zich glooiend over een heuvel boven de straat verhief. Beneden twinkelden de gaslampen. Er waren verscheidene orkesten aan het werk, en hij kon de violen horen als de wind uit de juiste hoek kwam. Heel romantisch. Tussen de bomen door ving hij een glimp op van een trein – net speelgoed – die zich puffend een weg de berg op baande naar het station dat Marianske Lazne werd genoemd. Mariënbad in de Oostenrijks-Hongaarse dagen. Het was moeilijk om het je anders voor te stellen. De wind draaide, het geluid van de verre violen zweefde naar hem toe, samen met een vage geur van de artillerie – artilleriegranaten.

19.10 uur. Kaarsen op de tafels van de tearoom in de Octavastraat. Morath bestudeerde de menukaart in een koperen lijst op een standaard bij de deur. Binnen keek een Tsjechische legerofficier even naar hem, waarna hij uit zijn stoel kwam en een gebakje onaangeroerd op zijn bord liet liggen. Om overeind te komen gebruikte de officier een wandelstok. Een goede, zag Morath, compleet met een koperen uiteinde en een ivoren handvat. De man was ongeveer even oud als Morath, met een soldatengezicht en een keurig getrimde baard in blond, grijs en rood.

Ze gaven elkaar een hand in de straat. 'Kolonel Novotny', zei de officier met een hoofdbeweging die het midden hield tussen een knik en een buiging.

'Morath.'

Ze wisselden aardigheidjes uit. We gedragen ons als twee provinciale officieren die elkaar ontmoeten in de sluimerdagen van het oude imperium, dacht Morath.

Novotny had een militair voertuig; de goedkoopste Opel, zoiets als een Parijse taxi, en olijfgroen van kleur. 'We gaan omhoog in de richting van Kreslice', zei hij. 'Ongeveer veertig kilometer hiervandaan.'

Morath maakte het portier aan de passagierskant open. Op de stoel lag een automatisch pistool in een holster met een leren riem. 'O, leg dat maar op de vloer', zei Novotny. 'We bevinden ons hier in Sudetenland... het is verstandiger iets in de auto te hebben liggen.'

Ze reden over bergwegen die donkerder werden naargelang ze klommen; talloze nachtvlinders dansten in het licht van de koplampen. Novotny keek met versmalde ogen door de voorruit. Het kronkelende zandweggetje verdween in de nacht. Twee keer moesten ze takken onder de wielen steken, en toen ze bruggen – gemaakt voor ossenwagens – over bergstroompjes overstaken, stapte Morath uit en liep met een zaklamp voor de auto. Ze passeerden slechts één huis, de keet van een houthakker. Op de top rende iets weg; ze konden het gekraak in het kreupelhout horen.

'Ik heb eens een keer mijn hond meegenomen', zei Novotny. 'Ze ging helemaal door het lint. Ze rende en draaide op de stoel; ze klauwde met haar poten tegen de ramen.'

'Wat heb je er voor een?'

'Een pointerteef.'

'Die heb ik gehad... ze popelden om "aan het werk" te gaan.'

'Zo is ze precies. Ze blafte en huilde omdat ik haar niet uit de auto wilde laten. Ik heb hier beren gezien. En herten. Wilde zwijnen. De boeren zeggen dat hier lynxen leven... ze doden hun vee.'

Novotny liet de auto heel langzaam rijden en draaide voorzichtig een haarspeldbocht in. Morath kon een bergrivier horen, diep onder hen. 'Het is echt zonde', zei Novotny. 'Als we hier gaan vechten, nou ja, je weet wat er dan met het wild gebeurt.'

'Ja. In 1915 was ik in de Karpaten.'

'Hier willen we ze natuurlijk hebben.'

'In de bergen?'

'Ja. In mei hebben we geobserveerd hoe de mobilisatie in gang werd gezet. Zeer educatief. Tanks, vrachtwagens, auto's, motoren. Enorme tankauto's met benzine. Wat ze van plan zijn, is geen geheim... lees het boek van Guderian maar, en dat van Rommel. Alles is gemotoriseerd, dát is de scherpe kant van de bijl. Na de eerste aanvalsgolf is het uiteraard al paarden en artillerievoorwagens wat de klok slaat, samen met de rest van het militaire apparaat. Kortom, het is niet meer dan logisch dat we ze de bergen of valleien in jagen.'

'Enfileren.'

'Ja. Met mortieren die zich in elkaars verlengde bevinden. En machinegeweren op de heuvelflanken.'

'Wanneer gaat het beginnen?'

'In de herfst. We houden ze twee maanden tegen, daarna begint het te sneeuwen.' De weg zat vol karrensporen. Toen het steiler werd, schakelde Novotny terug naar een jammerende eerste versnelling. 'Wat heb je gedurende je laatste inzet gedaan?'

'Huzaren. Zestiende Legerkorps. Tweede Leger.'

'Magyaar.'

'Ja, inderdaad.'

'Ik zat in het Zevende. Eerst onder bevel van Pflanzer, daarna Baltin.'

'In Moldavië.'

'Om te beginnen. Uiteindelijk... ik ben artillerieofficier... stuurden ze me naar het Russische deel van Polen. Lemberg. En Przemsyl.'

'De forten.'

'Achtentwintig maanden', zei Novotny. 'Ik verloor ze, en kreeg ze weer terug.'

Morath had nog nooit samen met de Tsjechen gevochten. In het Oostenrijkse leger werden tien talen gesproken: Tsjechisch, Slowaaks, Kroatisch, Servisch, Sloveens, Roetheens, Pools, Italiaans, Hongaars en Duits. Normaliter was het leger ingedeeld in regimenten die gebaseerd waren op de verschillende nationaliteiten. Maar de geschiedenis van de soldaten die de forten verdedigden, was welbekend. Twee keer waren ze omsingeld en afgesneden, maar de honderdvijftigduizend manschappen in de blokhuizen en bunkers hadden maandenlang standgehouden, terwijl het Russische dodental groeide door het tegenvuur.

Het was al ver na negen uur toen ze bij de kazerne van Kreslice arriveerden – een reeks langgerekte, lage gebouwen in imperialistische stijl, en opgetrokken uit honingkleurige zandsteen waar de architecten van Franz Jozef zo van hielden. 'We krijgen waarschijnlijk wel wat te eten', zei Novotny. Het klonk hoopvol. Maar in de officiersmess was voor Morath een feestmaal geregeld. Gebraden gans, rodekool met azijn, bier van een kleine brouwerij uit Pilsen, en een luitenant-generaal aan het hoofd van de tafel.

'Op de vriendschap tussen onze landen!'

'Op de vriendschap!'

Veel officieren hadden een baard, zo gewoon bij artilleristen, en velen hadden gediend aan het oostfront in 1914. Morath zag de medailles. De generaal – kort, gezet, prikkelbaar – was het meest onderscheiden van allemaal en tamelijk dronken, vond Morath. Het gezicht van de man zag rood en zijn stem klonk luid. 'Het wordt steeds moeilijker om die verdomde kranten te lezen', zei hij. 'Vorige winter konden ze niet genoeg van ons krijgen, in het bijzonder de Fransen. Tsjecho-Slowakije... nieuwe hoop! Liberale democratie... een voorbeeld voor Europa! Masaryk en Benes... staatsmannen die de geschiedenisboeken in gaan! Toen gebeurde er opeens iets. In juli, geloof ik, had Halifax in het Hogerhuis het over de "onpraktische toewijding omwille van een hoger doel". "O, shit", zeiden we. "Kijk nu eens wat er is gebeurd."'

'En het gaat maar door', zei Novotny. 'Dat liedje.'

De generaal nam een flinke slok bier en veegde zijn mond af met een linnen servet. 'Dat is voor hem natuurlijk een aanmoediging. De Reichsführer. Het leger is het enige waar hij van gehouden heeft, maar hij is het beu om ze slechts te zien marcheren. Nu wil hij zien hoe ze vechten. Maar hij gaat naar de verkeerde buurt.'

'Omdat jullie terugvechten.'

'We geven hem een goeie Tsjechische schop tegen zijn Oostenrijkse kont, dat gaan we doen. De *Wehrmacht*... we hebben films van hun manoeuvres... is opgebouwd met de bedoeling over de Europese vlakten te walsen. Het zijn de Polen en de Russen die zich zorgen dienen te maken. Hier vechten we in de bergen. Zoals de Zwitsers en Spanjaarden. Hij kan ons verslaan, zijn leger is groter dan het onze. Daar is niets aan te doen, maar hij zal alles uit de kast moeten halen. Zodra hij dat doet, laat hij de Siegfriedlinie onbeschermd achter, zodat de Fransen met een bataljon café-obers naar binnen kunnen marcheren.'

'Als ze dat durven.' Er klonk gelach aan de tafel.

De ogen van de generaal glommen. Net als de pointerteef van Novotny kon ook hij niet wachten om bij het wild te komen. 'Ja, als ze dat aandurven... er is *iets* misgegaan met hen.' Hij zweeg even, waarna hij zich naar Morath boog. 'En Hongarije dan? Een en al vlakten, zoals in Polen. Jullie hebben niet eens een rivier.'

'God mag het weten', zei Morath. 'We hebben nauwelijks een leger. Op dit moment vertrouwen we erop dat we slimmer zijn dan zij.'

'Slimmer', zei de generaal. Hij dacht daarover na, maar naar het leek niet lang. 'Slimmer dan wie ook?'

'Hitler heeft de echte slimmeriken vermoord of het land uit gejaagd. Op dit moment is dit dus alles wat we hebben.'

'Dat God over jullie mag waken', zei de generaal.

Ze gaven hem een eigen kamer – boven de stallen, terwijl de paarden onder hem rusteloos waren – een hard bed en een fles pruimenbrandewijn. In elk geval stuurden ze niet ook nog de 'dochter van de stalknecht', dacht hij. Hij dronk wat van de brandewijn, maar kon hoe dan ook niet slapen. Het was de donder die hem wakker hield. De donder van een onweer waaruit het nooit regende en dat zich nooit verplaatste. Zo nu en dan keek hij uit het raam, maar de hemel was bezaaid met sterren. Opeens realiseerde hij zich dat de Tsjechen 's nachts aan het werk waren. De trillingen in de vloer maakten hem dat duidelijk. Geen donder, maar dynamiet; de echo's weerkaatsten in de hoge valleien. Het waren de genietroepen die hem wakker hielden. Ze bliezen de hellingen van hun bergen op en bouwden fortificaties.

Half drie. Drie uur. In plaats van te gaan slapen, rookte hij. Sinds hij in de kazerne was gearriveerd, had hij een bepaalde vertrouwde onderstroom in zijn binnenste gevoeld. *We leven samen. Samen gaan we dood. En niemand kan het wat schelen.* Hij had dat heel lang niet meer ervaren. Dat betekende niet dat hij erop gesteld was, maar erover nadenken hield hem wakker.

Net na de ochtendschemering waren ze weer terug op de bergwegen, ditmaal in een pantserwagen, en vergezeld door de generaal en een bleke, zachtaardige burger in een donker pak – heel sinister – en met een getinte bril op. Verder had de man zeer weinig te zeggen. *Een spion*, dacht Morath. In elk geval een spion zoals je die in de films zag.

De weg was onlangs aangelegd en met bulldozers en explosieven uit het bos gerukt. De kuilen en lage gedeelten waren vlak gemaakt met afgezaagde boomstammen. Ze braken je rug, maar je bleef tenminste niet vastzitten met je auto. Om het nog erger te maken, reed de pantserwagen alsof die was voorzien van stalen bladvering. 'Je kunt maar beter je lippen op elkaar houden', zei Novotny. 'Het is niet beledigend bedoeld.'

Morath zag het fort pas toen ze er bijna bovenop zaten: cementen wanden, met hier en daar langgerekte schietgaten, en gebouwd in de berghelling. Afzonderlijke blokhuizen verborgen in de natuurlijke glooiing van het terrein. De generaal was duidelijk trots op zijn werk en zei: 'Op het ene moment zie je het, dan opeens weer niet.'

Morath was onder de indruk en liet dat merken.

De spion glimlachte en was ingenomen met de reactie.

Binnen rook het scherp naar verse cement en vochtige aarde. Terwijl ze eindeloos lange trappen naar beneden namen, zei Novotny: 'Die langs de Maginotlinie hebben liften. Personenliften. Hier echter maakt alleen de ammunitie een ritje.' Morath kon zien dat er uit de rotsen een schacht was gehouwen, compleet met een stalen platform aan kabels die elektrisch of handmatig met een slinger bediend konden worden.

De spion sprak afschuwelijk slecht Duits. 'Er zijn zoveel forten door hun eigen munitiedepots opgeblazen. Dat hoeft niet te gebeuren.'

Novotny werd vergezeld door een groep officieren die het fort bemande. Terwijl ze zich door een lange gang begaven, stak de generaal een hand uit met de bedoeling dat Morath van de groep gescheiden bleef. 'Wat vind je van mijn genieofficier?'

'Wie is dat?'

'Een fortificatiedeskundige. Kunstenaar is een beter woord. Uit de Savoie. Al sinds de Renaissance hebben ze die constructies gemaakt... overlevering van Leonardo, en zo.'

'Een Italiaan?'

De generaal spreidde zijn armen. 'Op het paspoort staat dat hij Fransman is, maar in cultureel opzicht is hij een Italiaan, hoewel hij zou zeggen dat hij iemand van de Savoie is, en een jood van geboorte.' De Savoie, een bergachtige streek tussen Frankrijk en Italië, had het voor elkaar gekregen tot 1860 onafhankelijk te blijven. 'Ze hebben altijd toegestaan dat joden als officier dienden', zei de generaal. 'Deze was een majoor. En nu werkt hij voor mij.'

Achter in een cementen vertrek, onder een plafond van een meter tachtig hoog, bood een schietgat uitzicht op een lagergelegen vallei in het bos. De Tsjechische officieren stonden terzijde, met de handen op hun rug, terwijl de generaal, de spion en Morath de opening naderden.

'Zoek een rivier', zei de spion.

Dat had tijd nodig. Een bleke zomerlucht, vervolgens een beboste bergkam, daaronder een groene berghelling en een smalle vallei die naar boven glooide, de helling op, tot waar het fort was gebouwd. Uiteindelijk kreeg Morath een blauw lint in het oog. Het kronkelde tussen de pijnbomen door.

'Gevonden?'

'Ja.'

'Hier. Pak aan.'

Hij overhandigde Morath een vuistgrote bal watten. Twee soldaten reden een 105 mm-bergkanon naar de opening en deden een granaat in het staartstuk. Morath trok plukjes katoenwatten van de pluisbal en stopte ze in zijn oren, waarna hij die met zijn handen bedekte. Iedereen in het vertrek deed hetzelfde. Ten slotte vormde de generaal geluidloos met zijn lippen een woord. 'Klaar?' Morath knikte. De vloer trilde op het moment dat een oranje steekvlam uit de loop van het kanon flitste. Ondanks de watten was de klap oorverdovend.

Beneden in het testgebied verschenen een flits en een walm van vuilgrijze rook. In de rivier, dacht Morath, hoewel hij het niet daadwerkelijk had zien gebeuren. Andere kanonnen begonnen te vuren, sommige vanaf de verdieping onder hen, andere vanuit de blokhuizen. Rookpluimen dreven langs de berghelling. De generaal overhandigde hem een verrekijker. Nu kon hij fonteinen van aarde zien. Aarde die tien, twaalf meter de lucht in werd geblazen. Bomen waren ontworteld of in tweeën gescheurd. Er liep bovendien een weggetje bergafwaarts naar de rivier. Terwijl hij keek, zag hij een zwerm oranje lichtspoorkogels uit het zicht verdwijnen en een chaos van opspuitend zand op de weg veroorzaken.

De spion wees naar zijn oren. Morath haalde de watten eruit. Het vertrek trilde nog steeds na. 'Gezien?' vroeg de spion.

'Ja.'

'De actieradiussen van alle vuurlinies doorsnijden elkaar, en de forten dekken elkaar, waardoor een bestorming hun duur zal komen te staan.' Hij diepte uit de binnenzak van zijn jas enkele vellen papier op en een potlood met een scherpe punt. 'Ga uw gang', zei hij. 'Doe uw best.'

De generaal zei: 'Ik kan je natuurlijk geen blauwdrukken geven. Maar wat ons betreft, mag je een schets maken.'

De spion glimlachte. 'Mijn vader heeft altijd les willen geven in het maken van spionagetekeningen. "Verschrikkelijk", zou hij zeggen.'

Ze lieten hem achter, zodat hij zijn gang kon gaan; alleen Novotny bleef. 'Zo, nu heb je onze deskundige ontmoet.'

'Hij lijkt een beetje zonderling, misschien.'

'Ja, hij is heel zonderling. Maar wel een genie. Een architect, een wiskundige, een wapenexpert. Hij is ook geologisch en mijnbouwkundig onderlegd.' Novotny schudde zijn hoofd. 'Waarschijnlijk is dat niet alles, maar daar zijn we nog niet achter gekomen.'

Morath maakte tekeningen. Hij was daar niet erg goed in en legde zich toe op het aantonen hoe de afzonderlijke vuurnesten stevig in de berghelling waren verankerd. Het zou moeilijk zijn die te bombarderen, realiseerde hij zich. Zelfs een Stuka zou direct naar ze toe moeten vliegen, terwijl machinegeweren het vliegtuig in het vizier zouden hebben op het moment dat het boven de bergtop verscheen.

'Teken de kamer', zei Novotny. 'En vergeet de lift voor de granaten niet.'

Zijn dag was nauwelijks begonnen. Ze reden met hem naar andere forten. Bij een fortificatie die uitzicht bood op een geasfalteerde weg die zuidwaarts van Dresden liep, nam de spion een stok en tekende halve cirkels op de grond om te laten zien hoe de actieradiussen van de vuurmonden elkaar overlapten. Morath kroop in bunkers voor twee personen, keek met behulp van het vizier van machinegeweren die lagergelegen, gemaaide korenvelden bestreken naar tankvallen waar de pantservoertuigen niet uit konden komen en naar tankvallen in de vorm van betonnen staken, ofwel 'drakentanden', gewikkeld in een weelderige chaos van verstrengeld prikkeldraad. Hij tuurde door

Zwitserse telescoopvizieren, bevestigd aan Steyr-geweren. En hij vuurde met een ZGB 33, het in Brno vervaardigde, Tsjechische machinegeweer – gebruikt als model voor de Britse bren, van *Brno/Enfield* – en pleegde een succesvolle aanslag op acht veren kussens die bedoeld waren als oefenmateriaal voor als er een aanval vanaf een tarweveld werd uitgevoerd. 'Goed geschoten', zei Novotny.

Morath herlaadde. Het gebogen magazijn drukte hij met een luide, metalige klap op zijn plaats.

'Als je het over je reisje naar de bergen hebt, vergeet dan niet te vermelden dat Europa beter af zal zijn als Hitler niet de beschikking heeft over de Tsjechische machinewerkplaatsen.'

Daar was Morath het mee eens. 'Natuurlijk', zei hij. 'Als het zover komt, dan kan ik me voorstellen dat de arbeiders hier geneigd zijn fouten te maken.'

Maar zijn samenzweerderige glimlach werd niet beantwoord. Novotny zei: 'Dit blijft tussen ons... als het zover zou komen dat we verraden worden door hen die beweren onze vrienden te zijn, geven we misschien niet zo snel ons leven in dienst van hen. Dat soort business is klote, Morath. Er zijn altijd verhoren en vergeldingsmaatregelen... je kunt alleen een verzetsbeweging op poten zetten als de mensen niets meer om hun leven geven.'

Novotny reed hem die avond terug naar het Europa. Het was een mooie zomeravondschemering. Zwermen zwaluwen buitelden en stegen hoog op in de lucht boven de hotels. In de lobby glimlachten moeder en dochter hem toe, vriendelijker dan ooit. *Wie zou ervan op de hoogte kunnen zijn?* Op een leren bank zat een man met bakkebaarden en in bergbeklimmerskledij de *Volkischer Beobachter* te lezen. TSJECHISCHE POLITIE STEEKT SUDETISCHE BOERDERIJEN IN BRAND, schreeuwde de kop. TIENTALLEN GEWONDEN. Vee in beslag genomen. Honden doodgeschoten. Drie jonge vrouwen vermist.

Dr. Lapp droeg een platte, stijve strohoed die hij in een zwierige stand op zijn hoofd had. Hij wachtte hem op in de kamer, waarbij hij zichzelf koelte toewaaide met een menukaart van de roomservice.

'Ik heb u niet horen kloppen', zei Morath.

'Ik heb daadwerkelijk geklopt', zei dr. Lapp enigszins geamuseerd. 'Natuurlijk wil ik me graag verontschuldigen als u dat op prijs stelt.'

'Doet u geen moeite.'

Dr. Lapp staarde uit het raam. De straatlampen waren aan. Stelletjes genoten slenterend van de berglucht. 'Weet u, ik kan deze mensen, de Tsjechen, niet verdragen.'

Morath hing zijn jas op, waarna hij zijn stropdas los begon te maken. Hij wilde niet dat er in Europa een oorlog zou uitbreken; hoe erg het ook was, een bad zou hij hoe dan ook nemen.

'Ze hebben geen cultuur', zei dr. Lapp.

'Zij denken anders van wel.'

'Wat? Smetana? Misschien stelt u Dvorák op prijs. Goeie genade.'

Morath trok zijn das los, hing die over een kleerhanger, ging op de bedrand zitten en stak een Chesterfield op.

'Ik dien te vermelden dat ik graaf Polanyi nog niet zo lang geleden heb ontmoet. U krijgt de groeten van hem. Hij zei dat u op zeker moment een vakantie in Groot-Brittannië hebt overwogen. Is dat zo?'

'Ja.'

Dr. Lapp knikte. 'Bent u nog steeds in de gelegenheid om te gaan?'

Morath dacht aan Cara. 'Misschien', zei hij. 'Misschien niet.'

'Ik begrijp het. Als u in de gelegenheid bent, zou u het moeten doen.'

'Ik zal het proberen', zei Morath.

'De Britten stellen zich zwakker op. In de Londense *Times* van vanochtend staat dat de Tsjechische regering de Sudeten-Duitsers "zelfbeschikkingsrecht" dient te verlenen, "ook als dat voor hen afscheiding van Tsjecho-Slowakije zou betekenen". Ik neem aan dat dat bericht afkomstig is uit de koker van Chamberlain. We weten dat hij enkele weken geleden Amerikaanse correspondenten heeft ontmoet tijdens een lunch met lady Astor, en dat hij tegen hen heeft gezegd dat Groot-Brittannië van mening is dat Sudetenland aan Duitsland zou moeten worden overgedragen. In het belang van de wereldvrede, zoals u begrijpt. Zijn echte probleem heeft te maken met het feit dat hij de Fransen en Russen niet vertrouwt, en in politiek opzicht vreest hij de mogelijkheid dat Groot-Brittannië misschien alleen moet vechten.'

'Vertrouwt hij de Fransen niet?'

Dr. Lapp lachte droogjes, zeer kort en verfijnd.

Het was bijna donker geworden. Ze bleven een hele tijd zwijgend zitten. Uiteindelijk ging dr. Lapp staan. 'Er is iets dat ik u wil laten zien', zei hij. 'Ik stuur het u morgen toe, als u het niet erg vindt.'

Hij deed de deur zachtjes achter zich dicht. Morath had de kamer verlaten toen het al donker was. Hij liep de badkamer in en draaide de kraan open. Pal daaronder bevond zich een lichtgroene vlek door mineraalafzetting. *Goed voor de gezondheid.* Als je erin geloofde, dacht hij. Het water liep langzaam uit de kraan, en Morath wachtte geduldig en luisterde naar de verre donder.

De volgende ochtend in alle vroegte vroeg hij een telefoongesprek aan met Parijs. Een uur later belde de hoteltelefoniste hem op in zijn kamer. 'Erg veel telefoonverkeer, meneer', verontschuldigde ze zich. 'Zeer ongewoon in augustus.'

Vanuit Parijs klonk een zeer elegante stem: 'Goedemorgen, met Cartier spreekt u.'

Polanyi sprak altijd graag over het grote gebrek van de dichters die nooit de macht van het geld in affaires tussen man en vrouw bezongen. 'Om die reden zijn we aan de genade van de cynici overgeleverd... barkeepers, romanschrijvers of oversekste ooms.' Amusant toen hij dat zei, maar niet zo leuk in het echte leven. Morath kon het niet op prijs stellen dat hij dit telefoontje pleegde, maar hij wist niets anders te bedenken. Bloemen – een andere mogelijkheid, maar bloemen waren niet voldoende.

Hij realiseerde zich dat hij de verkoopster vrijwel alles vertelde. 'Ik begrijp het', zei ze. Ze dacht even na, waarna ze eraan toevoegde: 'We hebben net de laatste hand gelegd aan een nieuw design; een armband, die wellicht precies de juiste keuze zal zijn voor madame. Ietwat exotisch... smaragden bezet in zilver en zwarte onyx... maar heel persoonlijk. Het valt helemaal buiten het gewone. Denkt u dat ze die graag zou willen?'

'Ja.'

'Ze zou de eerste zijn die de armband in Parijs om heeft... voor ons betreft het een geheel nieuwe stijl. Zou ze *dat* fijn vinden?'

Hij was ervan overtuigd dat dat het geval zou zijn. De verkoopster verklaarde dat de maat zonder moeite aangepast kon worden. Het was dus mogelijk dat de bode van Cartier opdracht zou krijgen naar de woning te gaan. 'Tot slot, monsieur...' Er klonk nu een heel andere toon in haar stem. Op dat moment sprak ze uit haar hart. '... Het kaartje.'

'Gewoon "Veel liefs, Nicky".'

Later was hij in staat telefonisch contact op te nemen met een functionaris van Crédit Lyonnais. Een bankcheque zou die middag naar Cartier worden verstuurd.

Novotny kwam om elf uur opdagen. Het grootste deel van de dag waren ze aan het werk, waarbij ze veel tijd in de auto doorbrachten en oostwaarts naar de noordgrenzen van Moravië en Bohemen reden. Nog meer fortificaties, nog meer prikkeldraad, nog meer artilleriegeschut dat op Duitsland was gericht. 'Wat gaat hier allemaal mee gebeuren als Sudetenland zelfbeschikkingsrecht krijgt?' vroeg Morath.

Novotny lachte. 'Dan is het van Hitler', zei hij. 'Samen met de goeie wegen zonder kuilen, helemaal tot in Praag. Ongeveer honderd kilometer, pakweg twee uur rijden.'

Tegen de avond waren ze terug in het westen en begaven ze zich naar de Kreslice-kazerne voor een regimentsdiner – een afscheidsetentje – waarbij de generaal aanwezig was. 'Misschien wordt er een speech gehouden', zei Novotny.

Hij zweeg even en staarde in de duisternis in een poging de weg te vinden. De auto rammelde over een bergtop, waarna Novotny op de rem trapte tijdens de steile afdaling aan de andere kant. 'Decin', zei hij – een cluster van lichtjes in de bomen. Daar volgt de laatste demonstratie, dacht Morath; de Tsjechische strijdkrachten konden naar oost en west reizen zonder terug te keren naar de wegen in de valleien. Ze hadden de oude dorpspaden, meestal gebruikt door koeien en geiten, verbeterd. In het licht van de koplampen kon hij de met kleine stenen gevulde en aangedrukte gaten zien.

'En daarna, na de speech van de generaal...', zei Novotny.

'Ja?' *O nee, dat zou hij weigeren.*

'Misschien zou je het willen overwegen...?'

Morath werd verblind. Een explosie van geel licht, gevolgd door duisternis, compleet met het verblindende nabeeld van een felle ster. Hij drukte zijn handen tegen zijn ogen, maar het beeld wilde niet verdwijnen. Iets had vlak voor zijn gezicht de lucht in brand gezet, waarna het met een fluitend geluid tussen de bomen verdween. Novotny brulde het uit: kennelijk in het Tsjechisch. Morath kon het niet verstaan. Hij duwde het portier open, waarna hij naar Novotny reikte, die verstijfd leek. Terwijl hij een mouw vastgreep, hoorde hij twee korte, tinkelende geluiden, metaal op metaal, en een andere lichtspoorkogel; deze bevond zich aan de andere kant van de voorruit. Morath kon het machinegeweer horen; gedisciplineerde salvo's van vijf kogels. Toen hij benzine rook, trok hij uit alle macht en sleepte hij Novotny over de stoel en via het portier aan de passagierskant de auto uit.

Hij lag plat op de grond en wreef over zijn ogen terwijl de ster begon te vervagen.

'Kun je zien?' Novotny sprak weer in het Duits.

'Niet veel.'

Bij de voorkant van de auto klonk een luide knal. Een kogel had het motorblok geraakt, gevolgd door de scherpe geur van stoom uit de radiateur. 'Jezus.' Morath begon van de weg af te kruipen en trok Novotny achter zich aan. Met veel moeite wurmde hij zich in een chaos van klimplanten en takken. Een doorn schraapte over zijn voorhoofd. Hij was nu in staat grijze vormen te zien die veranderden in bomen, in bos. Hij ademde diep in, was opgelucht. Morath wist dat een verbrand netvlies blindheid voor het leven betekende.

'En jij?' vroeg hij.

'Beter.' Met zijn wijsvinger bevoelde Novotny zijn haargrens. 'Dat ding heeft me daadwerkelijk verbrand', zei hij.

Degene die het machinegeweer bediende, wilde de auto niet met rust laten. Hij schoot stervormige gaten in het raam. Met een salvo in de breedte maakte hij de banden stuk. In de verte kon Morath geweervuur horen, en boven de stad flakkerde een oranje licht in een wolk.

'Is dit de invasie?' vroeg Morath

Novotny snoof geringschattend en zei: 'Het zijn de onderdrukte Sudeten-Duitsers. Ze roepen om gerechtigheid en gelijkheid.'

Morath ging op zijn knieën zitten. 'In Decin zullen we beter af zijn.'

'Ik kan niet mee', zei Novotny. 'Niet zonder mijn stok.'

Morath kroop naar de auto, opende het achterportier, ging plat op de zitplaats liggen en pakte de wandelstok en het pistool dat in de holster zat. Novotny was blij dat hij ze beide had teruggekregen. Onvast op zijn benen kwam hij overeind, hield de kolf van het pistool vast, maakte met zijn tanden de knip van de holster los en gooide de riem over zijn schouder op het moment dat het pistool uit het foedraal schoof. 'Laat ze nu maar komen', zei hij lachend om zichzelf en dit belachelijke gedoe.

Ze liepen door de bossen. Novotny had een mankende tred. Hoewel hij moeizaam ademde, was hij toch in staat Morath bij te houden. Uiteindelijk bleken ze geluk te hebben dat hij een uniform aanhad. Een zestienjarige burgerwacht met een machinepistool schoot hen bijna neer toen ze Decin bereikten.

Terwijl ze zich naar het politiebureau begaven, bleven ze in de stegen, waarvan de muren gaten vertoonden en verbrokkeld waren door handvuurwapens. 'Ik wist dat het hier niet snor zat', zei Morath. 'Betogingen en opstandjes, je ziet het in de bioscoopjournaals. Maar niet dit.'

Van Novotny kreeg hij een wrange glimlach. 'Dat zijn commando-eenheden, getraind door de SS. Die zie je niet in de bioscoopjournaals.'

De steeg kwam uit in een zijstraat. Morath en Novotny zaten gehurkt aan het einde van een gepleisterde muur. Links van hen, aan de overkant van een brede avenue, stond de school in brand; uitbarstingen van rode vonken die de nachtelijke hemel in werden geblazen. Het vuur zette twee lijken in het licht; hun hoofden lagen tussen de straat en de trottoirrand gedrukt. Een van hen had een blote voet.

'Ga je gang', zei Morath. Dit had iets nobels. De eerste die de weg oversteekt — een heilig axioma als je onder vuur lag. De vijandelijke schutters zagen de eerste en schoten de tweede neer.

'Evengoed bedankt', zei Novotny. 'We gaan samen.'

Desondanks nam Morath de kant die naar het geweervuur was gericht. Met uitdagend, pronkend vertoon van moed holde hij tot halverwege de straat en greep Novotny om zijn middel vast, waarna ze zich uit de voeten maakten om dekking te zoeken – een race op drie benen. En ze lachten als gekken terwijl de kogels hen om de oren floten.

Ze hadden twintig minuten nodig om het politiebureau te bereiken. Aldaar hing een verscheurde Tsjechische vlag slapjes boven de getraliede ramen. 'Arm kloteding', zei de politiecommissaris van Decin. 'Die shittige lui blijven hem *aan flarden schieten.*'

Het politiebureau vormde het decor van een vreemd tafereel. Er bevonden zich agenten, sommigen hadden geen dienst op het moment dat de aanval was ingezet. Een van hen schoot met een geweer uit een raam terwijl een vergeten servet tussen zijn riem was gestoken. Verder waren er enkele soldaten en burgers van de stad. In de hoek lag plat op een bureau een lange, magere man met een hoge boord en een rokkostuum aan. Hij hield een drukverband tegen een bloederige hoofdwond. Een van zijn brillenglazen was in twee helften gebroken.

'Onze leraar Latijn', verklaarde de politiecommissaris. 'Ze hebben hem in elkaar geslagen. Ze verschaften zich toegang tot de school, begonnen Tsjechische schoolboeken op straat te gooien, staken ze vervolgens in brand en gingen *zingen*, weet u, en daarna fikte de school. Vervolgens marcheerden ze door de buurt terwijl ze riepen: 'Geef onze kinderen onderwijs in het Duits.' Een cameraman van het bioscoopjournaal filmde ondertussen vanaf het dak van een auto.

'Wij deden... niets. We hebben hier orders gekregen; laat je niet door hen provoceren. Dus stonden we daar en glimlachten, en we lieten ons niet uit de tent lokken. We haalden de verpleegster, zodat zij de leraar Latijn kon oplappen, en alles was gewoon pais en vree.

Uiteraard hadden *zij* opdracht ons te provoceren, of anders... dus kwamen ze en losten een schot op een politieman. Hij schoot terug, iedereen rende weg, en nu zitten we hiermee opgezadeld.'

'Hebt u via de radio contact opgenomen met het leger?' vroeg Novotny.

De politieman knikte. 'Ze komen eraan. In pantserwagens. Maar ze moeten vier of vijf van die rellen bezweren, dus het kan misschien wel even duren.'

Morath zei: 'U hebt wapens voor ons.' Het was geen vraag.

Voordat de politiecommissaris kon antwoorden, sprak Novotny hem in het Tsjechisch snel toe. Later, terwijl ze zich naar de veilige periferie van de stad begaven, verklaarde hij: 'Het spijt me, maar ze zouden me vermoorden als ik zou toelaten dat jou iets overkwam.'

Maar de veilige periferie van de stad bleek verre van veilig. Aan het begin van een kronkelende straat vonden ze paard en wagen van de melkman, die met het gezicht op de straatkeien lag. De achterkant van zijn jas was over zijn hoofd gegooid. Het paard – het had oogkleppen voor – stond geduldig te wachten met een wagen volgeladen met melkkannen. Het draaide zijn hoofd en staarde naar hen terwijl ze passeerden.

De politiecommissaris had hen naar een stenen wanproduct van drie verdiepingen gebracht. Het was misschien wel het gewichtigste huis in Decin, gelegen aan een brede boulevard en in de schaduw van lindebomen. Twee gehelmde – Franse stijl – politiemannen met geweren bewaakten het gebouw. Ze volgden een van hen naar een luxueus ingerichte salon op de bovenste etage. De muren hingen vol olieverfschilderijen; dikke mensen in zeer dure kleding. Terwijl Morath en Novotny gingen zitten, kwam een plaatselijke functionaris puffend de trappen op, in zijn handen twee grootboeken; vlak achter hem bevonden zich een bediende en een secretaris met nog eens twee registers. Nog steeds hijgend hield hij prompt zijn pas in en maakte een beleefde buiging, waarna hij zich omdraaide en zich haastig uit de voeten maakte.

'Meneer de burgemeester', zei de politieman. 'De Duitsers proberen voortdurend het gemeentehuis plat te branden, dus brengt hij de belastingregisters hierheen.'

'Voortdurend?'

De politieman knikte ontmoedigd. 'De derde keer sinds maart.'

Door het salonraam keek Morath uit over Decin. Volgens de politieman bezetten Duitse eenheden verscheidene gebouwen – garages en kleine werkplaatsen aan de noordzijde van de stad – en het treinstation. Morath zag hen een of twee keer terwijl ze van positie veranderden; vormeloze gestalten met kleppetten op en jassen aan. In gebogen houding renden ze dicht langs de muren. Een keer zag hij heel duidelijk iemand met een machinegeweer én zijn helper; hij ving een glimp van hen op in de gloed van een straatlamp. De een droeg een Maxim-mitrailleur, de ander de driepoot en de kogelriemen. Vervolgens repten ze zich weg in de duisternis en verdwenen tussen de verlaten kantoorgebouwen aan de andere kant van de boulevard.

Middernacht. Het knettergeluid van handvuurwapens nam toe. Opeens gingen de stadslichten uit, en enkele minuten later kwam er een oproep via de radio, waarna Novotny en de leidinggevende politieman terugkeerden naar het bureau. De andere politieman ging naar boven, zette zijn helm af en nam plaats op de sofa. Morath zag dat hij jong was, niet ouder dan begin twintig. De agent zei: 'De pantserwagens zullen zo hier zijn.'

Morath staarde naar de straat. Het zicht was slecht. De zwoele, nevelige avond werd nog eens extra donker door de rook uit de brandende gebouwen. Het schieten, ver weg, nam af. Het vuren stopte vervolgens en maakte plaats voor een doordringende stilte. Morath keek op zijn horloge. Het was twintig over twee. In de Avenue Bourdonnais sliep Cara waarschijnlijk al, tenzij ze ergens was gaan stappen. De armband zou die middag zijn gearriveerd. Vreemd hoe ver weg het daar leek. *Niet zo ver.* Hij herinnerde zich de bars aan het mediterrane strand, het breken van de branding, de mensen die zeiden: 'Half negen in Juan-les-Pins, half tien in Praag.'

Een laag gebrom, ver weg. Terwijl Morath luisterde, veranderde dat in het bonkende geluid van zware voertuigen. De politieman sprong overeind. Hij was zichtbaar opgelucht – Morath had zich niet gerealiseerd hoe bang hij was geweest. 'Nu zullen we eens zien', zei hij, terwijl hij met een hand over zijn tarwekleurige vetkuif streek. 'Nu zullen we eens zien.'

Pantserwagens. Twee daarvan reden langzaam over de boulevard, niet harder dan vijftien kilometer per uur. Een wagen sloeg af en begaf zich naar de noordzijde van de stad, de andere bleef midden op de straat geparkeerd staan; de pantserkoepel draaide langzaam terwijl de schutter op zoek was naar een doelwit. Iemand – iemand die niet zo slim was, dacht Morath – schoot erop. Het antwoord kwam meteen, het koepelkanon vuurde een keer; een gele steekvlam en rauwe donderecho's in de verlaten straten.

'Idioot.'

'Een sluipschutter', zei de politieman. 'Hij probeert te vuren in de richtopening van de koepel.'

Ze stonden beiden bij het raam. Toen de pantserwagen zich naar voren bewoog, klonk opnieuw een schot.

'Zag u het gebeuren?'

Morath schudde zijn hoofd.

'Soms kun je het zien.' Hij was nu tamelijk opgewonden en sprak luid fluisterend. Hij ging op een knie bij het raam zitten, liet het geweer op het kozijn rusten en keek langs de loop.

De pantserwagen verdween. Aan de andere kant van de stad was een serieus gevecht bezig: kanon- en machinegeweervuur. Morath leunde uit het raam en dacht het flakkerende licht van de vuurmondvlammen te zien. Er explodeerde iets, een pantserwagen kwam in volle vaart voorbij en reed in de richting van de plaats waar het gevecht plaatsvond. Bovendien stond er iets in brand. Traag staken de contouren van de gebouwen iets scherper af door het oranje licht. Beneden in de keuken klonk venijnig het statische geruis van de radio. De politieman vloekte zachtjes, fluisterend, en holde weg om zich te melden.

Vier uur in de ochtend. De politieman snurkte op de bank terwijl Morath de wacht hield. De agent had zich verontschuldigd omdat hij zo moe was. 'We waren twee dagen op straat en hebben met batons en schilden tegen ze gevochten', zei hij. Morath rookte om wakker te blijven, waarbij hij uit de buurt van het raam bleef zodra hij een lucifer aanstreek; het uiteinde van de sigaret verborg hij in de holte van zijn handpalm. Tot zijn verbazing reed er op zeker moment een goederentrein door de stad. Hij kon hem al van ver horen. En hij stopte niet. Het trage puffen van de locomotief ging van oost naar west. Hij bleef luisteren tot het geluid in de verte wegstierf.

Een silhouet.

Morath was prompt klaarwakker, drukte de sigaret uit op de vloer, greep zijn geweer, dat in de hoek stond, en liet de loop op het raamkozijn rusten. Was de schim werkelijkheid geweest? Morath dacht van niet. Een geest, een fantoom – *dezelfde fantomen die we in Galicië zagen*. Tot het 's ochtends ging schemeren.

Nee. Niet deze keer.

Een roerloze gestalte, hij zat op een knie en dicht tegen de muur gedrukt van een gebouw aan de overkant van de boulevard. De schim ging staan, holde enkele meters verder en stopte weer. Hij hield iets in zijn hand, dacht Morath.

Hij raakte het sluitstuk van zijn geweer aan, waarbij hij zich ervan vergewiste dat het vergrendeld was, en liet zijn vinger zachtjes tegen de trekker rusten. Terwijl hij over het open vizier tuurde, kon hij de gestalte pas weer zien op het moment dat die bewoog. Hij volgde met de loop terwijl de schim ging staan, holde en op een knie ging zitten. Staan, rennen, knielen. Staan, rennen...

In het vizier, zeg maar dag.

De politieman schreeuwde het uit en rolde van de bank. 'Wat is er gebeurd?' riep hij ademloos. 'Zijn ze gekomen?'

Morath haalde zijn schouders op. 'Ik had iets gezien.'

'Waar dan?' De politieman ging op een knie naast hem zitten.

Morath keek. Er viel niets te zien.

Maar toen ze een uur later in het grijze licht de boulevard overstaken, was dat wel anders. 'Een koerier!' zei de agent. 'Om de sluipschutter te foerageren.'

Misschien. Het slachtoffer was nog maar een kind. Hij was naar achteren geslagen, in het keldergat getuimeld en daar gestorven. Hij lag halverwege de trap, met uitgestrekte armen om de val op te vangen. Een in een krant gewikkelde sandwich bevond zich op de stoep.

Bij het aanbreken van de dag liepen ze naar het politiebureau, maar dat bestond niet meer. Wat bleef was een uitgebrand 'skelet', zwartgeblakerde balken en rook die uit het verkoolde interieur opsteeg. Een hoek van het gebouw was weggeblazen – door een handgranaat, dacht Morath, of een zelfgemaakte bom. Er was geen manier om daarachter te komen, aangezien niemand was overgebleven om het verhaal te vertellen. Hij bleef een tijdje en sprak met de brandweermannen, die wat rondliepen om te kijken wat ze nog konden doen. Vervolgens dook een legerkapitein op, die hem terugreed naar het hotel. Hij zei: 'Niet alleen Novotny heeft eraan moeten geloven.

We verloren nog drie anderen; ze kwamen aangefietst van een observatiepost nadat ze een oproep via de radio hadden gehoord. Verder de politiecommissaris, verscheidene officieren, burgerwachten. Uiteindelijk lieten ze de dronkaards uit hun cellen en gaven hun geweren.' Hij schudde zijn hoofd, was boos en met afschuw vervuld. 'Iemand zei dat ze hebben geprobeerd zich over te geven op het moment dat het gebouw vlam vatte, maar de Duitsers lieten dat niet toe.' Hij zweeg even. 'Misschien is dat niet waar, ik weet het niet', zei hij. 'Misschien maakt het ook niet uit.'

Toen hij terug was in het Europa, zag hij een weelderige bos gladiolen in een zilveren vaas op een tafel in de lobby. Morath sliep een uur lang op zijn kamer. Daarna lukte het niet meer. Hij bestelde koffie en broodjes, liet het meeste op het dienblad liggen en telefoneerde naar het treinstation. 'Natuurlijk rijden de treinen', werd hem verteld. Toen hij ophing, klonk er een klop op de deur. 'Schone handdoeken, meneer.'

Morath opende de deur. Dr. Lapp maakte het zich gemakkelijk in de leunstoel.

'Zo, waar zijn mijn handdoeken?'

'Weet u, ik heb dat ooit daadwerkelijk *gedaan*. In het uniform van een dienstmeid, terwijl ik achter een karretje liep.'

'Dan moet u toch op z'n minst hebben... geglimlacht.'

'Nee, eigenlijk niet. De man die de deur opende, had een askleur.'

Morath begon zijn bagage in te pakken. Hij vouwde zijn ondergoed en sokken op en legde ze in zijn tas.

'Trouwens, hebt u de twee vrouwen ontmoet die altijd in de lobby zitten?'

'Nee zeg.'

'O? Hebt u er niet van, eh, geprofiteerd?'

Een zijdelingse blik. *Ik heb je toch gezegd dat dat niet is gebeurd.*

'De reden waarom ik u dat vraag, is omdat ze gisteravond zijn gearresteerd. En wel toevallig in deze kamer. Ze zijn via de lobby in handboeien afgevoerd.'

Morath stond als aan de grond genageld; in zijn hand hield hij twee zilveren haarborstels vast. 'Wie waren dat?'

'Sudeten-Duitsers. Waarschijnlijk werkten ze voor de Sicherheitsdienst, de SD, ofwel de inlichtingendienst van de SS. Het heeft beneden nogal wat beroering veroorzaakt. *In Mariënbad! Nou, nou!* Maar dat kon die vrouwen nauwelijks wat schelen... ze lachten en maakten grapjes. De Tsjechen kunnen ze maar een nacht vasthouden op het politiebureau, en dat is al veel gevraagd, zo bang zijn ze.'

Morath haalde de borstels door lussen in een leren tasje, waarna hij de ritssluiting dichtdeed.

Dr. Lapp stak een hand in zijn zak. 'Terwijl u toch aan het inpakken bent.' Hij overhandigde hem een cellofaan envelopje van amper drie bij drie centimeter. Daarin zat keurig verpakt een fotonegatief dat van een filmstrip was afgeknipt. Morath hield het tegen het licht en zag een getypt document in het Duits.

Een doodvonnis. Hij schoof zijn tekeningen van de bergfortificaties in een manilla-envelop en stopte die in het zijvak van de tas. Het zou kunnen lukken, dacht hij, zelfs als zijn bagage werd doorzocht. Hij kon zeggen dat het een perceel was voor de verkoop. Of een schets voor een gepland skioord. Maar dat gold niet voor dat.

'Wat is dat?'

'Een memorandum op briefpaper van het Oberkommando Wehrmacht. Van generaal Ludwig Beck, die net ontslag heeft genomen als hoofd van het OKW, aan zijn baas, generaal von Brauchitsch, de opperbevelhebber van het Duitse leger. Er staat in dat Hitler "zijn intentie om de Tsjechische kwestie met geweld op te lossen moet laten varen". Feitelijk heeft hij veel meer gezegd, op persoonlijke titel, over het aan de kant zetten van de Gestapo en de nazistische partijbazen, en over het terugleiden van Duitsland naar "rechtschapenheid en eenvoud". Uit protest nam hij vervolgens ontslag. En opvolger generaal Halder is nog sterker overtuigd van deze zaken dan Beck.'

'Er zal aan mij worden gevraagd hoe ik hieraan ben gekomen.'

Dr. Lapp knikte. 'De Abwehr, de militaire inlichtingendienst, maakt deel uit van het OKW. We gaan naar dezelfde vergaderingen en 's avonds naar dezelfde dineetjes.' Hij sloeg het ene been over het andere en tikte tegen de hak van zijn schoen, waarbij hij Morath aankeek. *Natuurlijk weet je waar je dat moet opbergen.* Hij boog zich over de tafel heen en pakte het botermesje van Hotel Europa van het dienblad, hield het tegen het licht, keek daarbij aandachtig naar de snijkant en overhandigde het mesje vervolgens aan Morath.

Morath deed zijn schoen uit en ging aan de slag met de hak. Hij was erg moe, doodziek van de wereld en hij moest zichzelf dwingen geduldig en nauwgezet te zijn. Hij wrikte een hoek van de hak open en liet het negatief in de holte glijden. Het was geen succes. Hij kon de spleet makkelijk genoeg zien, en hij kon het voelen ook.

Dr. Lapp haalde zijn schouders op. 'Improvisatie', zei hij, waarbij hij zijn stem met een zucht liet wegsterven. Morath was klaar met inpakken, trok de riemen om de reistas aan en maakte de gespen dicht.

'Ik weet niet wie u vindt om mee te praten, Herr Morath, maar hoe machtiger ze zijn hoe beter. We openen zo veel mogelijk communicatiekanalen. Ongetwijfeld zal een daarvan succes opleveren.' Aan zijn stem te horen, geloofde hij dat niet. Het klonk alsof hij zichzelf ervan wilde overtuigen dat twee plus twee vijf was. 'We vragen de Engelsen alleen om passief te blijven.' Hij keek op naar Morath. 'Is dat te veel gevraagd?'

Morath keek op zijn horloge, stak een sigaret op, ging zitten en wachtte tot het tijd werd om naar de trein te gaan. Het was rustig in het hotel; gedempte stemmen in de gang, het geluid van de stofzuiger van de dienstmeid.

'Mijn arme land', zei dr. Lapp. Hij rommelde in de binnenzak van zijn colbert en haalde een bril uit een leren koker, vervolgens een klein, metalen doosje. 'Dit kunt u misschien maar beter meenemen.'

Morath opende het en trof een gouden hakenkruisspeldje aan. Hij bevestigde het aan zijn borstzak en bekeek zichzelf in de spiegel.

'Gebruik het zodra u de Duitse grens bereikt', zei dr. Lapp. Hij hield een hand op de deurknop. 'Maar vergeet alstublieft niet om het er weer af te halen als u de Franse grens oversteekt.'

'Zaten die twee vrouwen speciaal achter mij aan?' vroeg Morath.

Langzaam schudde dr. Lapp zijn hoofd en keek verdrietig. 'Dat weet alleen God. Niet ik.'

17 augustus. Bromley-on-Ware, Sussex.

Toen Morath aan het begin van een begrinde oprijlaan stond, reed de taxi rammelend weg. Simon de advocaat, de vriend van Francesca,

kwam glimlachend naar hem toe en liep over het keurig gemaaide gazon. Hij had een korte broek aan en droeg sandalen. Van het witte
shirt waren de manchetten omgeslagen, een jasje hing over zijn
schouders. Met de pijp tussen zijn tanden geklemd hield hij een krant
onder zijn arm. Achter hem bevond zich een bakstenen huis met veel
schoorstenen, met op de achtergrond een blauwe lucht en een witte
wolk.

Simon pakte met een hand zijn tas, met de andere nam hij hem bij
de arm en zei in het Engels: 'Ik ben zo blij dat je kon komen, Nicholas.' Vervolgens sprak hij verder in het Frans.

Op een terras bevonden zich vrouwen in gestippelde jurken en
mannen met wit haar, in hun hand een glas Schotse whisky. Een
knuffel van Cara, die enkele dagen daarvoor was gearriveerd, en enkele woordjes in zijn oor. Het was hem niet precies vergeven, maar ze
was opgelucht dat ze hem veilig bij zich had. Bovendien zag hij in de
daaropvolgende minuten dat ze zich prima amuseerde.

'Hoe maakt u het, ik heet Bromley.'

Dan is dit dus jouw dorp. En jouw kasteel. Jouw boeren. 'Goedemid-
dag, meneer Bromley.'

'Hé, hé, Bramble.'

'Meneer Bramble?'

'Nee, nee. *Bram*-well. Ja, hm.'

De blote billen van Cara hadden een blauwe weerschijn in het maanlicht van Sussex. 'Maak niet zoveel geluid', siste ze.

'Het bed kraakt... ik kan het niet helpen.'

'Méchant! We kunnen het niet maken om zo luidruchtig te zijn.
Vooruit, ga op je rug liggen.'

De oever van de rivier bevond zich aan de andere kant van een wei-
land met koeien. 'Let op de koeiendrek', waarschuwde Simon hem.

Ze zaten op een bank bij een enorme wilg; tussen de schaduwen
van de boom liet de zon het water flonkeren. 'Ik heb een oude
vriend', zei Morath. 'Toen hij hoorde dat ik in augustus naar Engeland op vakantie zou gaan, vroeg hij aan mij of ik wat papieren voor
hem wilde meenemen.'

'O?' Simon had gedacht dat het 'gesprekje onder vier ogen' met Cara te maken had. Dat het over vrouwen ging. Dat soort zaken. 'Papieren?'

'Vertrouwelijke papieren.'

'O.' Simon veegde een volle, bruine haarlok van zijn voorhoofd. 'Jij bent dus een spion, hè, Nicholas?'

'Nee. Gewoon iemand die Hitler niet mag', zei deze. 'Hitlers.' Hij praatte Simon bij over de Tsjecho-Slowaakse fortificaties in de bergen, en over het memorandum van Beck. 'Mijn vriend denkt dat Hitler alleen ten val kan worden gebracht als hij faalt. En dat zal hoe dan ook gebeuren als jouw regering voet bij stuk houdt.'

Simon nam even de tijd om daarover na te denken. 'Dat is lastig, weet je, omdat er twee kanten aan deze zaak zitten. Zoals eigenlijk alles in de politiek. De ene kant, de kant die Sudetenland aan Hitler wil geven, bestaat uit de persoon Nevile Henderson, de Duitse ambassadeur. Zeer pro-Duits... pro-nazi, naar verluidt... en zeer anti-Tsjechisch. Maar Chamberlain *luistert* naar hem. Van de andere kant zijn er mensen als Vansittart, de adviseur van de minister van Buitenlandse Zaken. Hij zit veeleer in het kamp van Churchill. De vraag is dus met wie we moeten praten. Weet je, persoonlijk beschouw ik Vansittart als de held en Henderson als de boef.' Simon noemde hem een *homme néfaste*. Een man die schade berokkent.

'Anderzijds...,' vervolgde Simon, '... stel dat ik uiteindelijk een vriend vind die met Vansittart kan praten, gaat het dan niet simpelweg om een zedenpreek van jou?'

Morath dacht dat Simon naar de dertig liep, maar hij amuseerde zich er soms mee dat hij zoveel jonger overkwam, zo onnozel. Nu echter leek hij opeens ouder, veel ouder.

Simon staarde met gebogen hoofd naar het langzaam stromende water. 'Welnu, wat te doen?' vroeg hij.

Morath wist het niet. De sereniteit van het landschap – van het land zelf – was als de lucht in de lente; het liet het continent en zijn intriges dwaas, wreed en afstandelijk overkomen.

Uiteindelijk ging Simon telefoneren en sprak met een vriend van een vriend. Een vriend die nog dezelfde avond langskwam voor een borrel. Ze bevonden zich alleen op het terras, met als enige gezelschap de spaniël van de familie. Het was een hakkelend gesprek door een combinatie van Moraths weifelende Engels en het universiteits-Frans van de vriend van een vriend. Toch lukte het hun. Morath sprak verklarend over de defensiewerken, overhandigde de memo en gaf met grote nadruk het bericht van dr. Lapp door.

De volgende dag deed hij het wat beter toen de vriend-van-een-vriend – in een fraai pak en met een militaire rang – een glimlachende gnoom had meegebracht die Hongaars sprak. Het Hongaars uit Boedapest.

'We kunnen altijd een vriend in Parijs gebruiken', zeiden ze.

Morath wees het voorstel met een beleefde glimlach af.

Daarna gedroegen ze zich nooit echt ongemanierd. Veeleer nieuwsgierig. Om welke reden was *hij* hierin verwikkeld geraakt? Was hij simpelweg een officier van de VK-VI, de Hongaarse inlichtingendienst? Had hij *Duitsers* ontmoet? Maar dat ging hun niet aan. Hij vertelde het niet aan hen, en uiteindelijk werd hij gered door de moeder van Simon. Ze liep het terras op en praatte, flirtte en lachte met ze tot ze het voor gezien hielden en vertrokken.

Augustus 1938. Iedereen zei dat het de laatste zomer voor de oorlog was. 's Avonds kraakte de radio en gonsden de cicaden. De Tsjechen gingen over tot mobilisatie, zo ook de Britse vloot. Benes bood Henlein en de Sudeten alles aan wat ze beiden maar konden bedenken. Ze begonnen met volledige autonomie en gingen van daaruit verder. Maar dat was niet voldoende. In Engeland werden gasmaskers verstrekt en in de Londense parken loopgraven gegraven ter bescherming tegen luchtaanvallen. 'Maar wat zal er van *jou* worden, Nicholas?' vroeg de moeder van Simon aan hem tijdens de lunch aan tafel.

Hij had daarover nagedacht. Meer dan hij zelf wilde. Hij veronderstelde dat ze hem weer zouden oproepen voor actieve dienst en dat hij zich diende te melden bij de regimentskazerne in Boedapest – tussen gezette effectenmakelaars en kalende advocaten – en opdracht kreeg samen met de Wehrmacht te strijden.

Op een avond trof hij Cara huilend op de beddensprei aan, met het gezicht in het kussen. Ze had de armband van Cartier om. 'Ik zal tegen mijn vader zeggen dat we een van de *estancias* van de hand moeten doen, omdat ik een villa in Lugano ga kopen', zei ze fluiste-rend.

Tijdens een drankje de volgende dag werd hij *aangevallen* – iets anders kon je het niet noemen – door een buurman in het uniform van een legerofficier. Hij uitte zich fel en zag rood van woede. De man had een onverstaanbare tongval – de woorden verdwenen in een dikke, zwarte snor – en Morath deed een stap terug en wist niet hoe hij zich diende op te stellen. Het was Simon die hem redde door hem snel weg te voeren vanwege het feit dat hij die oom uit Perth simpel-weg móést ontmoeten. Ze waren zeer, bijna gewelddadig vriendelijk tegen hem in het huis in Sussex. Op een regenachtige middag, toen Morath en Cara de enigen waren die niet bridge speelden, rommel-den ze samen in een ladekast en diepten een verbleekte legpuzzel op. *De nederlaag van de Spaanse Armada.*

Nu er toch gewag van werd gemaakt:

Op de zesentwintigste kwam op de radio het bericht door over het bezoek van admiraal Horthy aan het Reich in Kiel – ogenschijnlijk als de laatste opperbevelhebber van de Oostenrijks-Hongaarse marine – met als doel een nieuw Duits slagschip, de *Prinz Eugen*, te dopen. Volgens de BBC ook om 'privé-beraadslagingen te voeren met kanse-lier Hitler'. In de kamer keek niemand naar Morath; iedereen vond iets anders oneindig interessanter.

Wat de BBC niet zei, en wat graaf Polanyi wel vermeldde toen ze elkaar drie weken later in Parijs ontmoetten, was dat die hele business geënsceneerd was, met de bedoeling dat Hitler tegen Horthy kon zeg-gen: 'Als je mee wilt eten, zul je ook met ons aan het fornuis moeten staan.'

Er waren twee auto's voor nodig om hen bij het treinstation te krij-gen. Toen ze wegreden, stonden de dienstmeiden en de tuinman bij de deur. Eenendertig augustus bleek, hoe kon het ook anders, een duivels mooie dag te zijn. De lucht was azuurblauw, de wolken leken gebeeldhouwde randen te hebben, zoals je in prentenboeken van kin-deren aantrof, en de kleine trein deed denken aan een ander tijdsge-wricht. Simon gaf hem een hand en zei: 'We hopen er het beste van, toch?' Morath knikte. Cara depte haar ogen met een zakdoek en hield zich vast aan Francesca op het moment dat de trein het station in reed. De moeder van Simon pakte beide handen van Morath vast. Ze had koele, grijze ogen en keek hem lang en aandachtig aan. 'Ik ben zo blij dat je kon komen', zei ze. 'En we willen graag dat je terugkomt, Nicholas. Dat zul je toch proberen, hè?'

Hij beloofde het en hield haar handen vast.

DE NACHTTREIN
NAAR BOEDAPEST

In september hing er een gespannen, tobberige sfeer in Parijs. De oorlog stond voor de deur. Het was er triester dan Morath ooit had meegemaakt. De *retour*, het oppakken van het dagelijkse leven na de augustusvakantie, was gewoonlijk een innemend moment in het Parijse leven, maar niet deze herfst. Ze gingen weer naar kantoor, naar dineetjes, en ze hielden zich bezig met liefdesaffaires, maar hadden er eigenlijk geen zin in, omdat Hitler hen vanuit elke krantenkiosk toeschreeuwde. In het café waar Morath 's ochtends kwam, zei de ober: 'Laat ze maar komen, dat ze hun bommen maar laten vallen, ik ben het wachten beu.'

Ze konden de gedachte aan wéér een oorlog niet verdragen; ze waren nooit helemaal bekomen van de laatste. De man die was thuisgekomen van de loopgraven en op de dag dat de oorlog eindigde, in 1918, de liefde bedreef met zijn vrouw, had nu een zoon van negentien, precies de geschikte leeftijd voor het leger. Op 6 september vroegen de ochtendkranten zich af of de Sudetenkwestie werkelijk een wereldoorlog waard was. De volgende dag steunde de Londense *Times* de afscheiding in een redactioneel commentaar.

Op de zesde begon in Duitsland de jaarlijkse nazi-partijbijeenkomst in Neurenberg en ze zou op de twaalfde eindigen, compleet met toortslichtparades, turnmeisjes en als indrukwekkende finale de speech in de kolossale Hal van de Vijftigduizend, waar de Führer beloofde dat hij zou onthullen wat hij voor de Tsjechen in petto had.

Op de tiende berichtte de Parijse radio over Roosevelts verklaring dat het 'honderd procent verkeerd' was om aan te nemen dat de V.S. Groot-Brittannië en Frankrijk militair zouden steunen in een oorlog om Tsjecho-Slowakije. Op de elfde liet de eigenaar van de kleinhandel in kantoorbenodigdheden in de Rue Richelieu zijn oude Lebel-revolver uit de Eerste Wereldoorlog aan Morath zien. 'Kijk, dit is *mijn* antwoord', zei hij. Welk antwoord? Zelfmoord? Een Duitse toerist neerschieten? Vanuit een hinderlaag op de Wehrmacht schieten?

'Hij heeft ons waar hij ons hebben wil', zei Polanyi tijdens een lunch aan de Quai de la Tournelle. 'Heb je het bioscoopjournaal gezien over de aankomst van Horthy op het treinstation in Kiel?' Morath antwoordde ontkennend. 'Je kunt een glimp van me zien, net boven de schouder van graaf Csaky.' Vervolgens beschreef hij hoe Hongarije was aangeboden om de betwiste grondgebieden terug te krijgen indien de natie akkoord zou gaan Slowakije binnen te marcheren als Hitler de Tsjechen aanviel.

'Horthy weigerde. Op grond van het feit dat we geen noemenswaardig leger hebben. En het leger dat we hebben, is nauwelijks voorzien van wapens en munitie', zei Polanyi, waarna hij Hitlers opmerking over de maaltijd en de bereiding ervan herhaalde.

Ze aten *blanquette de veau* aan een tafel op het terras van een Normandisch restaurant. Polanyi hield even op met praten op het moment dat twee jongemannen haastig passeerden. 'Het is zo vanzelfsprekend dat sommige eenheden weer worden opgeroepen voor actieve dienst', zei hij. 'Maar ik heb ervoor gezorgd dat jij *daar* niet aan toegevoegd zult worden.' Hij haalde een vork, waaraan gebakken aardappelen waren geprikt, door de mayonaise op een schoteltje, waarna hij even wachtte met eten en zei: 'Mag ik aannemen dat ik de juiste beslissing heb genomen?'

Morath nam niet de moeite om antwoord te geven.

'Waarom zou jij je tijd verspillen in een kazerne?' zei Polanyi. 'Trouwens, ik heb je hier nodig, bij mij.'

Op 14 september om half negen 's ochtends – Chamberlain was naar Berchtesgaden gevlogen om met Hitler te beraadslagen – ging de telefoon in het appartement van Morath. Het was Cara, de toon in haar stem had hij haar nog nooit eerder horen gebruiken. 'Ik hoop dat je bij me langskomt om afscheid van me te nemen', zei ze.

'Wat...?' begon hij, maar ze had al opgehangen.

Twintig minuten later was hij er gearriveerd. De deur stond open, hij liep naar binnen. Twee mannen in blauwe kielen waren de kleren van Cara in de laden van een enorme scheepshutkoffer aan het stoppen. Het kleerkastgedeelte was inmiddels volgestouwd met jurken aan kleine hangers. De derde man – hij was groter dan de anderen –

stond met over elkaar geslagen armen naar hen te kijken. Een chauffeur of een lijfwacht, dacht Morath. De man had een jasje zonder kraag aan, en hij fronste, keek ernstig. Toen Morath de kamer binnenliep, deed hij een halve stap in zijn richting en liet de armen loshangen.

Cara zat op de rand van het bed. Het Picasso-naakt in de vergulde lijst hield ze op haar knieën. 'Monsieur Morath, mag ik u voorstellen aan mijn vader, señor Dionello.'

Een kleine man zat in de slaapkamerstoel en kwam overeind. Hij had een zwart met witte snor en droeg een pak met zwarte en witte strepen, compleet met twee rijen knopen, en hij had een zwarte gleufhoed op – borsalino-stijl. Hij zei: 'Señor.' Vervolgens tikte hij tegen zijn hoed en gaf hem een hand. Het was Morath duidelijk dat de man het niet op prijs stelde de vierenveertigjarige minnaar van zijn dochter te ontmoeten. Een Hongaarse minnaar, een Parijse minnaar. Maar als Morath geen scène maakte, dan zou hij bereid zijn zich ook gedeisd te houden.

Morath wilde de blik van Cara vangen – *wat wil je dat ik doe?* Familie was familie, maar hij zou niet toestaan dat ze tegen haar wil werd ontvoerd. Ze schudde haar hoofd en deed haar ogen dicht. Heel subtiel – een klein, broos gebaar van overgave – had ze hem duidelijk gemaakt wat hij diende te weten.

De moed zonk hem in de schoenen. Hij was haar kwijtgeraakt.

Señor Dionello sprak haar in rap Spaans toe. Hij klonk niet onvriendelijk.

'Het is oorlog, Nicky', zei Cara. 'Mijn vader betreurt het zeer, maar hij zegt dat mijn moeder en mijn oma zich verschrikkelijk veel zorgen maken dat me iets overkomt.'

Terwijl Cara sprak, glimlachte señor Dionello hem quasi-zielig toe. Zijn gezichtsuitdrukking straalde een verzoek om begrip uit. Een verzoek om zich niet gedwongen te zien geweld te gebruiken of geld in te zetten om zijn zin te krijgen.

'Mijn vader logeert in het Meurice. Ik blijf daar ook enkele dagen, tot de boot vertrekt.'

Morath knikte naar señor Dionello en dwong zichzelf zo hoffelijk mogelijk over te komen.

Señor Dionello sprak weer en glimlachte naar Morath. 'Mijn vader zou het fijn vinden als je met ons zou willen dineren in het hotel.' Ze aarzelde, waarna ze vervolgde: 'Dat wil wat zeggen voor hem, Nicky.'

Morath wees het aanbod af. Cara vertaalde het, waarna ze zei: *'Un momentito, por favor.'*

Toen ze de hal in liepen, maakte señor Dionello een bescheiden gebaar, waarop de lijfwacht bleef waar hij was.

In de hal klampte Cara zich met beide handen vast aan zijn overhemd. Ze snikte stilletjes, haar gezicht tegen hem aangedrukt. Vervolgens duwde ze hem van zich af, veegde de tranen met een hand weg, nam twee passen naar de deur, keek nog één keer naar hem en liep terug het appartement in.

Op 21 september probeerde Chamberlain het opnieuw. Hij nam het vliegtuig naar Godesberg en bood Hitler aan wat de Führer zei dat hij graag wilde. Sudetenland zou, met goedkeuring van Frankrijk en Groot-Brittannië, Duits grondgebied worden. Maar de Führer reageerde niet helemaal zoals Chamberlain dacht dat hij zou doen. Toen hij eenmaal had wat hij graag wilde, wilde hij meer. Militaire bezetting, per 1 oktober.

Anders zou er oorlog uitbreken.

Dus vloog Chamberlain op negenentwintig september terug naar Duitsland – ditmaal naar München – en ging akkoord met de bezetting. Het Tsjecho-Slowaakse leger verliet de forten en trok zich terug uit de bergen.

18 oktober.

Morath staarde uit het raampje van de trein. Een piepklein dorp langs de spoorbaan gleed voorbij. Heette het Szentovar? Misschien. Of was het een andere plaats? Op honderd kilometer en honderd jaar van Boedapest hingen de boeren nog steeds knoflook aan de staldeuren om te voorkomen dat de vampiers 's nachts de koeien zouden melken.

Op de weg reed een zigeunerwagen. De menner keek op toen het raampje van Morath voorbijkwam. Hij was welvarend gezet, met een driedubbele kin en gewiekste ogen, misschien een *primas*, een clanleider. Met de teugels losjes in zijn handen draaide hij zijn hoofd en zei iets tegen de vrouwen in de wagen achter hem. Morath was niet in staat geweest hun gezichten te zien en zag alleen de rode en gele kleuren van hun kleren terwijl de trein luidruchtig voorbijreed.

Oktober was een stille maand, dacht hij. De meedogenloze politiek had afgedaan in de kranten. De Fransen ontspanden zich, feliciteerden zichzelf ermee dat ze het juiste besluit hadden genomen; de *geslepen* zet, deze ene keer in hun dromerige leven. Morath rookte te veel en staarde uit het raam; de volgende ochtend werd hij wakker.

Het verbaasde hem dat zijn hart was gebroken. Hij had zichzelf altijd op het hart gedrukt dat de liefdesverhouding met Cara iets blijvends voorbijgaands was. Maar nu was ze weg. Hij miste wat hij als een vanzelfsprekendheid had beschouwd en verlangde heftig naar wat zij had verloren. 'Toen ik in Parijs woonde', zou ze tegen haar vrienden in Buenos Aires zeggen.

Graaf Polanyi liet zich niets gelegen liggen aan deze stemming en maakte dat Morath ook duidelijk. 'We zijn allemaal van het paard geworpen', zei hij. 'Waar het om gaat is dat we terug in het zadel moeten.' Toen dat niet werkte, deed hij meer moeite. 'Dit is niet het moment om medelijden met jezelf te hebben. Ga terug naar Boedapest en red het leven van je moeder.'

Keleti Palyuadvar. Het *oostelijk* gelegen treinstation, in Hongarije, vormde het knooppunt van alle belangrijke treinverbindingen met het westen. Er bevonden zich taxi's in de straten, maar Morath besloot te gaan lopen – in de late namiddag op een herfstdag, wat anders. *Het is je neus die je duidelijk maakt dat je thuis bent*, dacht hij. Gebrande koffie en kolenstof, Turkse tabak en rottend fruit, seringenbloesemwater bij de herenkapperszaken, riolering en vochtige stenen, gegrilde kip. En nog veel meer; onbekend, ongedacht. Een diepe ademteug, en weer een – Morath ademde zijn kindertijd in, zijn land, hij was teruggekeerd uit zijn periode van ballingschap.

Hij liep een hele tijd en koos de met keien bestrate stegen, waarbij hij min of meer de stad doorkruiste naar een villa in de heuvels van het derde district, aan de Boeda-kant van de Donau. Hij lanterfantte en hield zijn pas in om naar winkeletalages te kijken. Zoals altijd daalde er rond deze tijd van de dag een melancholische, speculatieve luiheid neer over de stad. Morath liep langzamer om zich aan te passen aan dat levensritme. Om half zes, toen de zon in de ramen van een huurflat in de Kazinczy Avenue scheen en ze vlammend goudkleurig liet oplichten, nam Morath tramlijn zeven over de Chainbrug en ging naar huis.

De volgende ochtend kwamen ze niet echt tot een gesprek. In de woonkamer waren de vloerkleden nog steeds opgeborgen voor de zomer, dus toen zijn moeder sprak, klonk er vaag een echo. Ze zat volkomen beheerst op een sprietige stoel voor de openslaande tuindeuren, een silhouet tegen de achtergrond van het tuinlicht. Zoals altijd was ze slank en mooi, met ijskleurig haar en een geharde, bleke huid in de opengewerkte v-hals van haar zijden jurk.

'Kom je vaker bij Lillian Frei?' vroeg ze.

'Af en toe. Ze vraagt altijd naar u.'

'Ik mis haar. Draagt ze nog steeds die pakjes van de Pinna?'

'Waar?'

'Een winkel in de Fifth Avenue, in New York.'

Morath haalde beleefd zijn schouders op. Hij had geen flauw idee.

'Doe haar in elk geval de hartelijke groeten van mij.'

Morath nam een slokje koffie.

'Wil je graag een gebakje, Nicholas? Ik kan Malya even naar Gundel's sturen.'

'Nee, dank u.'

'Brood met boter, dan?'

'Alleen koffie is prima.'

'O, Nicholas, hoe jij je als een *Parijzenaar* gedraagt. Weet je het zeker?'

Morath glimlachte. Hij was in zijn hele leven nooit in staat geweest voor de middag iets te eten. 'Hoe lang is het geleden dat u in Parijs bent geweest, *anyusi?*' Het betekende 'moeder', wat ze zeer verkoos. Nooit was ze 'mama' geweest.

Zijn moeder zuchtte. 'O, dat is lang geleden', zei ze. 'Je vader leefde toen nog, de oorlog was net voorbij. In 1919... zou dat kunnen?'

'Ja.'

'Is de stad veranderd? Men zegt van wel.'

'Meer auto's. Elektrische uithangborden. Sommige mensen zeggen dat het er vroeger leuker was.'

'Hier is het niet anders.'

'Anyusi?'

'Ja.'

'Gezien de situatie in Duitsland vindt Janos Polanyi dat u... en misschien ook Teresa... dient te overwegen, moet gaan denken aan een andere verblijfplaats...'

Toen zijn moeder glimlachte, was ze nog steeds ongelofelijk mooi. 'Je bent toch niet helemaal hierheen gereisd om me *dat* te komen vertellen, hoop ik? Ferenc Molnar is naar New York verhuisd. Hij woont aan de Plaza en men zegt dat hij zich in één woord ellendig voelt.'

Moeder en zoon keken elkaar een hele poos aan.

'Ik ga niet mijn huis uit, Nicholas.' *Iets anders kan toch niet in je zijn opgekomen?*

's Middags gingen ze naar de bioscoop. Een Britse komedie, nagesynchroniseerd in het Hongaars, uit de jaren twintig. Een cruiseschip, nachtclubs met glimmende vloeren, een jachthond die luisterde naar de naam 'Randy', een held – hij heette 'Tony' – met een naar het leek gepatenteerde haardos van leer, een blondje met spuuglokken om wie gevochten werd en die ze 'Veronica' noemden, wat overigens zeer vreemd klonk in het Hongaars.

De moeder van Morath was er dol op. Hij keek haar van opzij vluchtig aan en zag haar ogen glimmen als van een kind. Ze lachte om elke grap en at toffees uit een zakje. Gedurende de zang en dansscènes in de nachtclub zong ze mee op de muziek.

Akor mikor, Lambeth utodon
Bar melyek este, bar melyek napon
Ugy talâlnâd hogy mi mind is
Sétaljâk a Lambeth Walk. Oi!

Minden kis Lambeth leany
Az ö kis, Lambeth parjäval

Ugy találnád hogy ök
Sétalj... a Lambeth Walk. Oi!

Daarna begaven ze zich naar de tearoom van Hotel Gellert, waar ze cake met acaciahoning en slagroom aten.

Half vier in de ochtend. In de grillige, van ijzeren poorten voorziene tuinen van de villawijk hielden sommige mensen nachtegalen. Verder kon hij horen hoe de wind door de herfstbladeren blies, en een krakend raamluik, de fontein bij de buren, het verre gerommel van een onweer – in het noorden, dacht hij, in de bergen.

Toch was het moeilijk om de slaap te vatten. Morath lag in zijn oude bed en las Freya Stark. Hij was er voor de derde maal in begonnen. Een reisverhaal, avonturen in de ruige bergvalleien van Perzië.

In dit huis was hij altijd laat opgebleven, de bloedeigen zoon van zijn vader. Hij hoorde hem altijd wanneer hij soms rondliep door de woonkamer. Vaak draaide hij een plaatje op zijn grammofoon terwijl hij aan het werk was in zijn kantoor – met een zilveren pincet postzegels in enveloppen van cellofaan schuiven.

Ze waren niet rijk, maar zijn vader had nooit hoeven te werken voor zijn geld. Hij was een van de prominentste filatelisten van Hongarije, gespecialiseerd in zowel het negentiende-eeuwse Europa als de koloniën. Morath nam aan dat zijn vader had gehandeld op de internationale markten, misschien had hij aldus wat geld verdiend. Daar kwam bij dat vóór de oorlog niemand echt hoefde te werken. Althans niemand die ze kenden.

Na het Verdrag van Trianon veranderde echter alles. Families verloren hun inkomen dat ze verkregen dankzij landerijen op het platteland. Niettemin sloegen de meesten zich erdoorheen; ze moesten simpelweg leren improviseren. Het werd modieus om dingen te zeggen als: 'Kon ik het me financieel maar permitteren om te leven zoals ik leef.'

In 1919, op een dag in juni, vermoordden de communisten zijn vader.

Na de krampachtige politieke chaos die ontstond nadat de oorlog was verloren, volgde de sovjetrepubliek Hongarije – een regering, geboren uit de nationale wanhoop, en zo misleid dat die zichzelf ervan overtuigde dat Lenin en het Rode Leger het land konden bevrijden van de vijanden, de Serven en Roemenen.

De sovjetbeweging werd geleid door Bela Kun, een Hongaarse journalist die, terwijl hij diende in het Oostenrijks-Hongaarse leger, in de oorlog deserteerde naar de Russische troepen. Kun, zijn trawant Szamuelly en vijfenveertig volkscommissarissen begonnen hun heerschappij, die 133 dagen duurde. Schietpartijen, brandstichting en lynchsessies, en wel van de ene kant van Hongarije naar de andere; op die manier dreven ze hun zin door. Vervolgens werden ze het land uit gejaagd door een Roemeens leger dat Boedapest bezette, doelloos door de landelijke gebieden zwierf en de dagen doorbracht met in het wilde weg plunderen tot dat leger de grens werd overgejaagd door een Hongaarse troepenmacht onder leiding van Miklos Horthy. De daaropvolgende contrarevolutie vormde het begin van de Witte Terreur. Opnieuw schietpartijen, brandstichting en lynchsessies, en wel van de ene kant van Hongarije naar de andere om eveneens op die manier hun zin te krijgen, waarbij vooral de joden het moesten ontgelden, aangezien joden bolsjewieken (of bankiers), en omdat Kun en een aantal van zijn kameraden van joodse afkomst waren.

Een van de rondzwervende benden van Kun had de dood van de vader van Morath op zijn geweten. Hij was voor een weekeinde naar het landhuis in de uitlopers van de Karpaten gegaan. De communistische militie reed in de avondschemering het erf op en eiste juwelen voor de onderdrukte massa. Ze sloegen de beheerder van de boerderij tot hij een bloedneus had, gooiden de vader van Morath in een paardentrog en namen drie postzegelalbums mee – Luxemburgse herdenkingszegels uit 1910. Verder al het contant geld dat ze konden vinden, verscheidene overhemden en een lamp. In de bossen achtervolgden ze de dienstmeisjes, maar ze konden hen niet te pakken krijgen. In een hoek van de keuken maakten ze een kampvuurtje dat een gat in de voorraadkamer brandde, waarna ze vertrokken.

De vader van Morath droogde zichzelf af, stelde de dienstmeisjes gerust en drukte een koude lepel in de nek van ouwe Tibor om het bloeden te stelpen, waarna hij zichzelf een glas pruimenbrandewijn inschonk en plaatsnam in zijn favoriete stoel, waar hij – met de opgevouwen bril zachtjes in een hand geklemd – stierf.

Morath ging eten in het huis van zijn zus. Een nieuwe villa, eveneens in het derde district, maar in de verderop gelegen, in die periode keurige wijk, die ook bekendstond als Rose Hill. Zijn zus, ze had een laag uitgesneden jurk aan en droeg rode, vilten laarsjes die voorzien waren van piepkleine spiegeltjes – o, Cara – gaf hem een sexy knuffel en een vurige kus op de lippen. 'Ik ben zo blij dat ik je zie, Nicholas. Eerlijk waar.' Ze liet hem pas los op het moment dat een dienstmeid de kamer in liep.

Dit was niet nieuw. Ze was drie jaar ouder dan Morath. Toen hij negen en zij twaalf was, hield ze ervan om haar lokken te kammen en bij hem in bed te kruipen als het eng onweerde; ook wist ze altijd wanneer hij in een melancholische bui was en zij lief voor hem kon zijn.

'Teresa', zei hij. 'Mijn enige liefde.' Ze lachten beiden.

Morath keek om zich heen. Te veel meubilair in het huis van Duchazy. Veel te duur ook, en té nieuw. Hij begreep niet hoe zijn zus met die idioot Duchazy had kunnen trouwen. Ze hadden vier kinderen, waarbij inbegrepen een tienjarige Nicholas, het absolute evenbeeld van die mallotige Duchazy.

Niettemin was Teresa met hem getrouwd, en de dagen dat ze zich zorgen maakte over geld waren sinds lang verleden tijd. De familie Duchazy bezat graanmolens; dertig jaar geleden stonden er in Boedapest meer graanmolens dan in welke andere stad ter wereld ook. De moeder van Morath, zij had een nog grotere hekel aan Duchazy dan hij, noemde hem stiekem 'de molenaar'.

Niet de typische molenaar. Hij beende met grote passen naar Morath toe en omhelsde hem. Hij was een pezige man met een onrustbarend stramme lichaamshouding, compleet met een dun snorretje en vreemde, lichtgroene ogen. Zo, hoe was het in Parijs? Nog steeds in de reclamebusiness? Nog steeds vrijgezel? Wat een leven! De kinderen werden naar voren gehaald, tentoongesteld en vervolgens opgeborgen. Duchazy schonk Schotse whisky in en had het vuur aangestoken.

Het gesprek zwalkte. De familie Duchazy was niet echt *nyilas*, maar het kwam er dichtbij. Teresa waarschuwde hem meer dan eens met een vluchtige blik als hij op een netelig gespreksonderwerp afstevende. Toen ze hun tweede glas Schotse whisky bijna op hadden, had Duchazy een tweede blok eikenhout op het vuur gelegd, dat nu plezierig fel brandde in de onlangs met gele tegels bezette haardmantel.

'Janos Polanyi vindt dat moeder naar Boedapest dient te verhuizen', zei Morath.

'En waarom dan wel?' Duchazy ergerde zich.

'Vanwege de oorlog', zei Morath.

Teresa haalde haar schouders op. 'Ze zal niet gaan.'

'Misschien wel als jullie twee dat voorstel doen.'

'Maar dat doen we niet', zei Duchazy. 'We zijn patriotten. Ik denk trouwens dat dit een hele tijd zo doorgaat.' Hij bedoelde de diplomatie, de betogingen, de straatgevechten – het soort activiteiten dat ze in Sudetenland hadden gezien. 'Hitler is van plan de Balkan te domineren', vervolgde hij. 'Iemand gaat het doen, waarom zou hij dat niet kunnen zijn? Bovendien wil hij rust in Hongarije en ten zuiden van hier... daar bevinden zich de "graanschuren" en olievelden. Ik denk niet dat de Britten het lef hebben de strijd met hem aan te binden, maar als het zover komt, zal hij de tarwe en de olie nodig hebben. Trouwens, als we slim zijn, kunnen we maar beter bij hem in de gratie staan, omdat de grenzen beginnen te verschuiven.'

'Dat is al gebeurd', zei Teresa.

Dat was waar. Hongarije, dat de bezetting van Sudetenland had gesteund, diende beloond te worden met de teruggave van een deel van het noordelijk gelegen grondgebied, in het bijzonder het zuiden van Slowakije, waar de bevolking voor vijfentachtig procent uit Magyaren bestond.

'De broer van Laszlo vecht in Roethenië', zei Teresa.

Morath vond dit onbegrijpelijk. Duchazy keek zijn vrouw aan met een blik die uitdrukte: *je bent indiscreet geweest.*

'Eerlijk waar?' vroeg Morath.

Duchazy haalde zijn schouders op. 'Niets is hier geheim.' Hij bedoelde dit huishouden, Boedapest, het land zelf, dacht Morath.

'In Roethenië?'

'In de buurt van Uzhorod. We zitten er met de Polen. Zij hebben ongeregelde legereenheden, in het noorden, en wij werken samen met de Rongyos Garda.' De Irreguliere Garde.

'Wat is *dat?*'

'Pijlkruisers, straatjongens en wat al niet meer, geleid door enkele legerofficieren in burger. Ze vechten tegen de Sich, de Oekraïense militie. De volgende stap is dat de plaatselijke Hongaren eisen dat er een einde komt aan die instabiliteit, waarna we de geregelde troepen eropaf sturen. Per slot van rekening was het land altijd van de Hongaren, dus waarom zouden de Tsjechen het in bezit mogen hebben?'

Jakhalzen, dacht Morath. Nu de prooi het kon schudden, zouden ze er voor zichzelf een stuk afscheuren.

'De wereld verandert', zei Duchazy. Zijn ogen flonkerden. 'Het zou tijd worden ook.'

Het etentje was uitzonderlijk. Rivierkarper met uien, met varkensgehakt gevulde kool en een médoc van de Duchazy-landgoederen nabij Eger.

Na het diner liet Teresa de mannen alleen. Morath en Duchazy zaten bij de open haard. Er werden sigaren aangestoken en een tijdlang rookten ze samen in een aangename stilte. 'Er is iets wat ik jou wilde vragen', zei Duchazy.

'En?'

'Sommigen van ons zijn samengekomen om Szalassy te steunen. Kan ik jou inschrijven voor een inbreng?' Szalassy was een van de leiders van pijlkruisers.

'Bedankt dat je het vraagt, maar niet nu', zei Morath.

'Mm. Goed, ik heb bepaalde mensen beloofd dat ik dat jou zou vragen.'

'Daar heb ik geen moeite mee.'

'Ontmoet je kolonel Sombor wel eens in het gezantschapsgebouw?'

'Ik kom daar amper.'

'O. Hij heeft naar jou gevraagd. Ik dacht dat jullie misschien vrienden waren.'

Dinsdag. In de late namiddag nam Morath de tram naar het Kobanya District, waar fabrieksmuren aan weerszijden van de straat hoog boven de rails uittorenden. Nu het avond werd, hing er een nevel van rook. Een lichte regen bespikkelde het water in de rivier. Tegenover hem zat een jonge vrouw. Ze had die zuivere, transparante uitstraling die je bij sommige Hongaarse meisjes zag, en haar lange haar viel voor haar gezicht toen de tram door een bocht ging. Met een hand haalde ze de lokken weg en keek vluchtig naar Morath. De tram stopte voor een brouwerij en het meisje stapte uit, een arbeidersmenigte in. Sommigen kenden haar, noemden haar bij naam, en een van hen stak haar een hand toe op het moment dat ze van de hoge trede kwam.

De volgende halte bevond zich bij het slachthuis. Een metalen bord was aan het metselwerk geschroefd. Er stond 'Gersoviczy' op. Toen Morath uit de tram stapte, leek de lucht uit ammoniak te bestaan, zijn ogen traanden ervan. Het was een heel eind naar de ingang die naar het kantoor voerde. Hij passeerde laadplatforms met open deuren en kon om die reden slagers in leren schorten zien, en rode karkassen aan haken. Een van hen legde een voorhamer in het zaagsel – de ijzeren kop was aan beide zijden vlak geslagen – terwijl hij even de tijd nam om een sigaret te roken.

'Waar is het kantoor?'

'De trap op. Rechtdoor tot u de rivier ziet.'

In het kantoor van de gebroeders Gersoviczy stond een bureau, met daarop een telefoon en een rekenmachine. In de hoek bevond zich een oude kluis, en een kapstok achter de deur. De broers verwachtten hem. Ze hadden zwarte Homburg-hoeden op, en ze droegen zware pakken met zilverkleurige dassen. Ze hadden lange pijpenkrullen aan weerszijden van het hoofd, en de baard van de orthodoxe jood. Aan de muur hing een Hebreeuwse kalender met de foto van een rabbi die op een sjofar blies. Bovenaan stond in het Hongaars te lezen: 'De gebroeders Gersoviczy wensen u een gelukkig en voorspoedig nieuwjaar'. Een zwartberoet raam keek uit op de rivier. Op een heuvel boven de andere oever twinkelden lichtjes. De broers – ze rookten beiden ovale sigaretten – tuurden in de schemer van het onverlichte kantoor naar Morath.

'Bent u Morath *uhr?*' Ze bedienden zich van de traditionele aanspreektitel: Morath meneer.

'Ja, de neef van graaf Polanyi.'

'Neemt u alstublieft plaats. Het spijt me dat we u niets kunnen aanbieden.'

Morath en de oudere broer, van wie de baard zilveren strengen vertoonde, namen de twee houten draaistoelen; de jongste broer zat half op de rand van het bureau. 'Ik ben Szimon Gersoviczy', zei hij. 'En dit is Herschel.' De oudere broer knikte hem stijfjes toe.

Szimon sprak Hongaars met een zwaar accent. 'We zijn afkomstig uit Polen', legde hij uit. 'Uit Tarnapol, twintig jaar geleden. Toen arriveerden we hier. Honderd jaar geleden verhuisde de helft van de inwoners van Galicië hierheen. Wij kwamen om dezelfde reden, vanwege de pogroms daar, en om hier wat kansen te krijgen. En dat lukte. Dus bleven we en hebben we de naam een Hongaarse klank gegeven. Vroeger was het gewoon Gersovicz.'

De oudere broer rookte zijn sigaret op en maakte die uit in een tinnen asbak. 'Uw oom heeft ons om hulp gevraagd. Dat was in september. Ik weet niet of hij u dat heeft verteld.'

'Toen niet, nee.'

'Nou, dat heeft hij dus gedaan. Via onze zwager, in Parijs. Hij vroeg of we hem, het land, wilden helpen. Hij zag de tekens aan de wand, om het zo maar te zeggen.' Hij zweeg even. Buiten klonk het kloppende geluid van een sleepboot; hij trok een reeks schuiten noordwaarts de rivier op.

Hij vervolgde: 'We *vragen* niets. Maar nu weet Polanyi het, en u, dus...'

Szimon liep naar de kluis en begon met het combinatieslot. Vervolgens trok hij de hendels omhoog en draaide de deuren open. Herschel boog zich dicht naar Morath toe. Hij rook doordringend naar zweet, uien en sigaretten.

'We betalen uit in pengö', zei hij. 'Als de gemeenschap er meer bij betrokken was geweest, hadden we er iets anders van kunnen maken. Maar de graaf wilde er geen ruchtbaarheid aan geven. Het gaat dus om slechts enkele mensen. Szimon en ik, onze familie, weet u, een of twee anderen, het gaat grotendeels om ons.'

Szimon begon pakjes pengö op het bureau te stapelen. Elk pakje, vastgeklemd in de hoek ervan, bestond uit vijftig biljetten. Hij schoof zijn duim over het uiteinde van elk pakje, maakte zijn duim nat en 'bladerde' door het geld. Hij telde in het Jiddisch. Herschel lachte. 'Om een of andere reden is dat lastig in het Hongaars.'

Morath schudde zijn hoofd. 'Niemand heeft ooit kunnen denken dat het zo zou aflopen', zei hij.

'Excuseer, meneer, maar zo loopt het altijd af.'

'Zvei hundrit toizend', zei Szimon.

'Welke naam gaat u het geven?'

'Ik weet het niet. Het Vrije Hongaarse Comité... zoiets.'

'In Parijs?'

'Of Londen. Na de bezetting is de dichtstbijzijnde plaats het beste. De beste veilige plaats.'

'Nu dan, vindt u New York een leuke stad?'

'God verhoede het.'

Szimon was klaar met tellen. Hij maakte er keurige stapeltjes van door de randen ervan als geheel op de tafel vlak te kloppen. 'Vierhonderdduizend pengö', zei hij. 'De Franse franc heeft ongeveer dezelfde waarde. Of, als God het niet verhoede, tachtigduizend dollar.'

'Vertelt u me eens...,' zei Herschel, '... denkt u dat het land wordt bezet? Sommige mensen zeggen dat je moet verkopen en wegwezen.'

'En alles verliezen', zei Szimon. Hij schoof het geld over het bureau – biljetten van duizend pengö, breder dan de Franse, met zwarte en rode gravures van St.-Istvan aan een kant en aan de andere een kasteel. Morath opende een aktetas, legde de pakjes op de bodem en plaatste Freya Stark erbovenop.

'Hebben we geen elastiekjes?' vroeg Herschel.

Morath trok de riemen aan en gespte ze vast. Vervolgens gaf hij de twee broers heel formeel een hand. 'Ga met God', zei Herschel.

Die avond ontmoette hij Wolfi Szubl in de Arizona, een *nachtlokal* in de Szint Josefsteeg op het Margareteiland. Szubl had een lichtblauw pak aan en een stropdas met bloemmotief om. Hij rook naar heliotroop. 'Je kunt nooit weten', zei hij tegen Morath.

'Wolfi', zei Morath. Hij schudde zijn hoofd.

'Op elk potje past een deksel', zei Szubl.

Szubl ging hem voor naar een tafel op een platform bij de muur. Vervolgens drukte hij op een knop, waarna ze drie meter de hoogte in gingen. 'Hier is het uit te houden.' Ze riepen onder hen naar een ober om drankjes – Poolse wodka. Die kwam omhoog via een mechanisch dienblad. De orkestleden waren gekleed in smoking en speelden liedjes van Cole Porter voor een mensenmassa op de dansvloer, die soms onder veel gekrijs en gelach van de dansers tot beneden in de kelder zakte.

Een naakt meisje in een klimgordel zweefde voorbij. Haar donkere haar golfde achter haar aan, en haar houding was artistiek, verheven; een hand rustte onverschillig tegen de kabel die aan het plafond was vastgemaakt.

'Ah', zei Szubl.

'Vind je haar leuk?'

Szubl grijnsde – wie niet?

'Waarom de "Arizona"?' vroeg Morath.

'De eigenaars, een echtpaar, hebben onverwacht een erfenis gekregen, een fortuin, van een oom uit Wenen. Ze besloten een nachtclub te bouwen op het Margareteiland. Toen ze het telegram kregen, bevonden ze zich in Arizona, dus...'

'Nee. Meen je dat?'

Szubl knikte. 'Ja', zei hij. 'Tucson.'

De drankjes kwamen eraan. Het meisje zweefde weer voorbij, nu de andere kant op. 'Zie je dat?' zei Szubl. 'Ze negeert ons.'

'Ze vliegt toevallig voorbij, in haar blootje aan een kabel. Zoek er niets achter.'

Szubl hief het glas. 'Op het Vrije Hongaarse Comité.'

'Dat het nooit mag bestaan.'

Morath vond Poolse wodka lekker. Aardappelwodka. Er zat een smaakje aan dat hij nooit helemaal kon duiden. 'Zo, hoe is het jou vergaan?'

'Niet slecht. Tweehonderdvijftigduizend pengö van de Salon Kitty, in de Szinyeistraat. Het grootste deel van het bedrag is van madame Kitty zelf. Ze wilde ons echter laten weten dat drie van haar meisjes met een bijdrage zijn gekomen. Vervolgens nog eens honderdvijftigduizend van de neef van de voormalige, overleden minister van Financiën.'

'Is dat alles? Zijn oom was een schraper.'

'Te laat, Nicholas. Het casino heeft het meeste gekregen... hij is een van de kandidaten voor de boot.'

De burgers van Boedapest waren dol op zelfmoord. Dus zorgden de gemeentelijke autoriteiten ervoor dat er een boot onder de Ferenc Josefbrug werd vastgebonden. Een schipper wachtte bij de boeg met een lange stok en was er klaar voor om de nachtelijke springers uit het water te trekken voordat ze verdronken.

'En jij?' vroeg Szubl.

'Vierhonderdduizend van de gebroeders Gersoviczy. Ik vertrek morgen naar Koloszvar.'

'Jagen?'

'Jezus, daar had ik niet aan gedacht.'

'Ik ga Voyschinkowsky opzoeken.'

'De leeuw van de beurs. Hij woont in Parijs. Wat doet hij hier?'

'Nostalgie.'

'Ober!'

'Meneer?'

'Nog eens twee, graag.'

Een grote roodharige kwam langs gezweefd. Ze blies een kusje naar hen, legde haar handen onder haar borsten, schudde ermee en trok vervolgens een wenkbrauw op.

'Ik huur haar voor jou in, Wolfi. Voor de hele nacht, ik trakteer.'

Ze dronken van hun wodka en bestelden dubbele. De dansvloer verscheen weer. De dirigent van het orkest had glimmend, zwart haar en een kleine snor. Terwijl hij met zijn dirigentenstokje zwaaide, glimlachte hij als een heilige.

'Begin-n-n-n met de beguine.' Szubl haalde diep adem en zuchtte. 'Weet je...,' zei hij, '... wat ik echt fijn vind, is kijken naar blote vrouwen.'

'Meen je dat?'

'Nee, Nicholas, hou me niet voor de gek. Ik meen het heel serieus. Ik bedoel, ik wil echt niets anders. Als ik daarmee op mijn veertiende had kunnen beginnen, als zijnde mijn levenswerk, als het enige dat me dag en nacht bezighield, dan zou er voor mij nooit een andere reden zijn geweest om de wereld op een andere manier lastig te vallen. Maar natuurlijk lieten ze me dat niet doen. Dus stap ik nu in overvolle treinen, laat telefoons rinkelen, gooi oranje sinaasappelschillen in vuilnisbakken, haal vrouwen over om korsetten te kopen, vraag om wisselgeld, het houdt maar niet op. En, het ergste van alles, als je op een mooie dag gelukkig en vredig de straat op gaat... dan ben ik daar! Eerlijk waar, er komt geen einde aan. En het houdt pas op als ik op het kerkhof de ruimte inneem die jij voor je moeder gewild zou hebben.'

Het orkest speelde *'Tango du Chat'*. Morath herinnerde zich het lied in de bar aan het strand in Juan-les-Pins. 'Weet je wat?' zei hij tegen Szubl. 'We gaan naar de Szinyeistraat, naar Salon Kitty. We vragen om een parade in de salon, ieder meisje van het huis doet mee. Of we spelen tikkertje. Nee, wacht, wie-niet-weg-is-is-gezien!'

'Nicholas. Je bent een romanticus, weet je.'

Later begaf Morath zich naar het toilet, ontmoette een oude vriend en babbelde enkele minuten met hem. Toen hij terugkwam, zat de roodharige op de schoot van Szubl. Ze speelde met zijn stropdas en lachte. Vanaf het platform waaierde de stem van Wolfi naar beneden. 'Welterusten, Nicholas. Welterusten.'

Het treinstation in Koloszvar op een heldere, kille ochtend.

Er waren twee andere Hongaren, die samen met hem uit de trein stapten. Het waren jagers met jachtgeweren onder de arm. Terwijl Morath de trein verliet, wenste de conducteur op het perron hem goedemorgen in het Hongaars. En de twee vrouwen die de vloer van de stationswachtkamer dweilden, gekscheerden in het Hongaars. Sterker nog, ze lachten in het Hongaars. Een aangename Magyaarwereld, alleen was dat toevallig in Roemenië. Ooit Koloszvar, nu Cluj. *Nem, nem, soha.*

Een tocht regelen naar het landgoed van prins Hrubal bleek een helse, gecompliceerde aangelegenheid. Het vereiste, uiteindelijk, verscheidene middeleeuwse telefoontjes, drie telegrammen – waarvan er een om een raadselachtige reden naar Wales ging – een persoonlijk bericht naar het kasteel met hulp van de dochter van een jachtopziener, en een persoonlijke interventie van de burgemeester van het dorp. Uiteindelijk lukte het echter.

Op de straat buiten het station wachtte de opperstalknecht van prins Hrubal op hem. De man besteeg een voskleurige ruin en hield de teugels vast van een gekortstaarte, chocoladekleurige merrie. Morath wist dat dit verreweg de beste manier van reizen was. Je kon proberen met de auto over de weg te gaan, maar dan bracht je meer tijd door met graven dan met rijden. En van een tocht met paard en wagen zouden de tanden uit je mond klapperen. Bleef over lopen of paardrijden. En te paard was je sneller.

Hij steeg in het zadel en klemde de aktetas onder zijn arm. In Boedapest had hij ervoor gezorgd dat hij voor de reis laarzen had aangetrokken.

'Uwe excellentie, mag ik u mijn diepste respect betuigen', zei de stalknecht.

'Goeiemorgen', zei Morath. En weg waren ze.

De prima weg in Cluj ging buiten de bebouwde kom over in een slechte. Daarna over een weg die lang geleden was geasfalteerd in opdracht van een onbekende dromer/bureaucraat. Een weg ook die snel vergeten werd. Dit was het noorden van Transsylvanië, een bergachtige, verloren streek, waar de Hongaarse adel generaties lang het leven van de lijfeigenen bestierde. Zo nu en dan was er sprake van een woeste *jacquerie*, ofwel een boerenopstand, en de plunderingen en het brandstichten duurden voort tot het leger kwam, met opgerolde touwen aan de zadels bevestigd. De bomen waren al voorhanden. Nu was het er rustig, althans op dat moment. Het was er zeer rustig. Op het platteland verbrak de ruïne van een kasteel de contouren van een bergtop. Verder waren er alleen maar bossen, met hier en daar wat open land.

Het deed Morath terugdenken aan de oorlog. Ze gedroegen zich niet anders dan welk leger ook dat zich in de herfst op deze wegen begaf. Hij herinnerde zich de gevangen sliertjes herfstmist aan het prikkeldraad, het geluid van de wind tussen de stoppels op de roggevelden, het gekraak van het gareel en de in de lucht rondcirkelende kraaien lachten hen uit. Soms zagen ze ganzen naar het zuiden vliegen, en soms, als het 's ochtends vroeg regende, hoorden ze hen alleen maar. Duizend paardenhoeven kletterden op de verharde wegen – hun komst was geen geheim en de met geweren gewapende mannen wachtten hen op. Er was destijds een sergeant, een Kroaat, die een stijgbeugel schikte in de schaduw van een eik. De lucht kraakte, een officier schreeuwde. De sergeant legde een hand voor zijn oog, als een man die naar een opticienkaart keek. Het paard steigerde, galoppeerde een eindje over de weg en begon vervolgens te grazen.

Prins Hrubal bezat bossen en bergen.

Een bediende opende nadat Morath op de deur had geklopt. Hij leidde hem naar een grote hal – hertenkoppen aan de muur en tennisrackets in de hoek. De prins kwam even later opdagen. Hij zei: 'Welkom in mijn huis.' Hij had genadeloze, peilloos diepe, zwarte ogen en – heel hardvochtig – een geschoren hoofd en een Turkse hangsnor. Zijn bijnaam 'Jacky' had hij gekregen gedurende zijn tweejarige verblijf in Cornell. Zijn smaak ging uit naar Italiaanse modemodellen, en zijn passie wat betreft liefdadigheid was bijna manisch te noemen. Zijn boekhouder kon het amper bijhouden: bezemfabrieken voor de blinden, weeshuizen, tehuizen voor bejaarde nonnen en onlangs dakreparaties van oude kloosters. 'Dit zou voor mij voldoende geweest kunnen zijn, Nicholas.' Hij had een arm log om de schouders van Morath geslagen. 'Ik moest mijn suikercontracten in Chicago verkopen. Maar het contemplatieve leven moet toch geleefd worden, niet dan? Zo niet door jou of door mij, dan wel door *iemand* anders, heb ik gelijk of niet? Natte monniken kunnen we niet hebben.'

Barones Frei had ooit aan Morath verteld dat het leven van de prins het verhaal was van een bloeddorstige aristocraat die het ambieerde een goedhartig edelman te worden. 'Hrubal is niet helemaal goed bij zijn hoofd', zei ze. 'Maar ze vormen een opwindend soort om naar te kijken, vind je niet? Arme man. Dertig generaties voorvaderen waren zo gemeen en bloeddorstig als de dag lang is, ze roosterden rebellen op ijzeren tronen en God weet wat ze nog meer deden, en maar één leven om verlossing te zoeken.'

De prins leidde Morath naar buiten. 'We hebben bukshout getransporteerd', zei hij. Hij droeg hoge laarzen, had een ribfluwelen veldbroek en een bloes aan die door boeren werd gedragen; uit de achterzak van zijn pantalon staken twee handschoenen van koeienleer. Aan de andere kant van het gazon bevonden zich twee boeren, die, leunend op hun schop, op hem wachtten.

'Hoe gaat het met Janos Polanyi?' vroeg Hrubal. 'Is-ie in vorm?'

'Altijd iets van plan.'

Hrubal lachte. 'De Koning van het Zwaard... dat is zijn tarotkaart. Een leider, machtig, maar sinister en geheimzinnig. Zijn onderdanen varen er wel bij, maar betreuren het dat ze hem ooit hebben leren kennen.' De prins lachte opnieuw, ditmaal vertederd, en sloeg op de schouder van Morath. 'Hij heeft je nog niet vermoord, zie ik. Maar wees niet bang, Nicky, ooit zal dat gebeuren, zeker weten.'

Diner voor twaalf personen. Wild uit de bossen van Hrubal, forel uit zijn rivieren, saus van zijn rode aalbessen én van zijn vijgen, een traditionele salade – sla met een dressing van varkensvet en paprika – en een bordeauxrode Stierenbloed uit de wijngaarden van Hrubal.

Ze aten in de kleine eetkamer, waar de muren waren voorzien van rood satijn, dat hier en daar uitzakte in melancholieke plooien, en rijkelijk bespat met champagne, kaarsvet en bloed. 'Maar het bewijst de echtheid van de kamer', zei Hrubal. 'Voor het laatst in 1810 in vlammen opgegaan. Dat is lang geleden, in dit deel van de wereld.' Er werd gedineerd bij het licht van tweehonderd kaarsen. Morath voelde het zweet langs zijn zij naar beneden lopen.

Hij zat dicht bij het hoofd van de tafel, tussen Annalisa, de vriendin van de prins – ze was afkomstig uit Rome, zo bleek als een lijk, compleet met lange, witte handen, en voor het laatst te zien geweest in het aprilnummer van *Vogue* – en juffrouw Bonington, de verloofde van de correspondent van Reuter in Boekarest.

'Het is een ellendige tijd', zei ze tegen Morath. 'Hitler is al erg genoeg, maar het plaatselijke broed doet er nog een schepje bovenop.'

'De IJzeren Garde.'

'Ze bevinden zich overal. Met kleine zakjes aarde om hun nek. Heilige aarde, weet u.'

'Ga maar eens naar Rome', zei Annalisa. 'En kijk eens hoe ze daar paraderen, onze *fascisti*. Kleine, mollige mannen, ze denken dat hun *tijd* is aangebroken.'

'Wat kunnen we doen?' vroeg juffrouw Bonington. 'Stemmen?'

Annalisa zwaaide met een hand in de lucht. 'Je erger gedragen dan zij, neem ik aan. Dat is het tragische ervan. Ze hebben een ordinaire, moreel vervuilde, eenzame wereld geschapen, en nu is het ons vergund om erin te leven.'

'Nou ja, ik heb me nooit kunnen voorstellen dat...'

'*Basta*', zei Annalisa zachtjes. 'Hrubal kijkt naar ons; tijdens het eten over politiek praten druist tegen de regels in.'

Juffrouw Bonington lachte. 'Wat is dan wel toegestaan?'

'Liefde. Poëzie. Venetië.'

'Wat een lieve man.'

Gedrieën lieten ze hun blik naar het hoofd van de tafel glijden.

'Ik hield van het leven hier', zei Hrubal. 'Op zaterdag was de grote wedstrijd. Zo noemden ze dat... de grote wedstrijd! Nou ja, wat mij betreft was ik hun sabelkampioen, wat anders, en alleen onze vriendinnen keken naar de wedstrijden. Maar we gingen allemaal naar het voetbal. Ik had een gigantische hoorn bij me, om ze aan te moedigen.'

'Een gigantische hoorn?'

'Verdomme. Laat iemand...'

'Een megafoon, denk ik', zei de man van Reuter.

'Precies! Bedankt, al jaren heb ik op dat woord willen komen.'

Een bediende liep naar de tafel en fluisterde iets tegen Hrubal. 'Ja, prima', zei deze.

Het strijkkwartet was gearriveerd. Ze werden de eetkamer binnen geleid en de bedienden gingen weg om stoelen te halen. De vier mannen knikten en glimlachten, wreven de regendruppels uit hun haren en droogden de instrumentenkoffers met hun zakdoeken.

Nadat iedereen zich in de eigen kamers had teruggetrokken, volgde Morath Hrubal naar een kantoor, hoog in een vervallen toren. Aldaar opende de prins een ijzeren doos en haalde al tellend pakjes verbleekte Oostenrijkse schillingen te voorschijn. 'Deze zijn heel oud', zei hij. 'Ik heb nooit echt geweten wat ik ermee moest.' Terwijl de schillingen in de aktetas verdwenen, rekende Morath de bedragen om in pengö. Ongeveer zeshonderdduizend. 'Zeg tegen graaf Janos dat er meer geld is als hij dat wil', zei Hrubal. 'Of, weet je, Nicholas, hoe hoog het bedrag ook mag zijn.'

Later die avond hoorde Morath een zacht geklop. Hij opende de deur. *Na het wild uit het bos van prins Hrubal, en de forel uit zijn rivier, is het de beurt aan een dienstmeisje uit zijn keuken. Ze zeiden al* die tijd geen woord tegen elkaar. Ze staarde hem met haar donkere ogen ernstig aan. Toen hij de deur had dichtgedaan, stak zij de kaars naast zijn bed aan en trok ze haar hemdjurk over haar hoofd uit. Heel vaag was een snorretje te bespeuren, en ze had een weelderig lichaam en van rode wol gebreide kousen aan die tot halverwege haar bovenbenen kwamen.

Een lieflijke ochtend, dacht Morath, terwijl hij te paard over de met bruine bladeren bedekte bosgrond reed. Kieskeurig stapte de merrie door een brede stroom – enkele centimeters snelstromend, zilverachtig water – en vervolgens over een reeks uitspringende, rotsachtige randen. Morath hield de teugel losjes in zijn hand en liet de merrie haar eigen weg vinden. Een oude cavalerist, een Magyaar, had hem geleerd dat een paard overal kon komen waarheen een man maar wilde gaan, waarbij de laatste zijn handen niet gebruikte.

Morath hield zijn gewicht in balans – hetzelfde deed hij met de aktetas op het zadel – en trok zacht corrigerend aan de teugel op het moment dat de merrie iets zag dat ze als ontbijt wilde nemen. 'Gedraag je', fluisterde hij. Begreep ze Hongaars? Ze was een paard uit Transsylvanië, dus dat kon bijna niet anders.

Verderop reed de opperstalknecht van Hrubal op zijn voskleurige ruin. Morath liet zijn paard stoppen en floot zachtjes; de stalknecht draaide zich half om in het zadel en keek naar hem. Hij dacht dat hij andere paarden had gehoord. Niet eens ver weg. Maar zodra hij luisterde, was het geluid verdwenen. Hij reed naar de stalknecht toe en vroeg aan hem hoe hij daarover dacht.

'Nee, excellentie', zei de stalknecht. 'Ik denk dat we alleen zijn.'

'Jagers, misschien?'

De stalknecht luisterde, waarna hij zijn hoofd schudde.

Ze reden verder. Morath keek naar een mistbank die langs een bergflank dreef. Hij wierp een blik op zijn horloge. Even na twaalf uur. De stalknecht had een picknickmand met sandwiches en bier bij zich. Hoewel Morath trek had, besloot hij nog een uur langer te rijden. Ergens in het bos, op een zachte glooiing boven hem, hinnikte een paard en hield daar abrupt mee op, alsof iemand een hand op de muil had gelegd.

Opnieuw reed Morath naar de stalknecht toe. 'Dat hebt u toch zeker gehoord?'

'Nee, excellentie, dat heb ik niet.'

Morath staarde naar hem. Hij had een pienter gezicht, kortgeknipt haar en een getrimde baard. Bovendien lag er iets in de toon van zijn stem. Heel subtiel, maar het was er wel, iets opstandigs. *Ik heb ervoor gekozen het niet te horen.*

'Bent u gewapend?'

De stalknecht reikte in zijn overhemd, toonde hem een grote revolver en borg die vervolgens weer op. Morath wilde het wapen hebben.

'Bent u in staat de revolver te gebruiken?'

'Ja, excellentie.'

'Mag ik de revolver even zien?'

'Vergeef me, excellentie, maar dat moet ik weigeren.'

Morath voelde het bloed naar zijn gezicht stromen. Hij was heel kwaad, want hij zou vanwege dit geld worden vermoord. Hij sloeg het paard met de teugels en drukte zijn hielen in de flanken. De merrie spurtte naar voren; dode bladeren knisperden onder de hoeven terwijl de merrie over de glooiing naar beneden galoppeerde. Morath keek om, zag dat de stalknecht hem volgde en dat het paard makkelijk kon bijhouden. De revolver was echter niet zichtbaar. Morath liet de merrie vertragen tot een looppas.

'U kunt nu gaan', riep hij naar de stalknecht. 'Ik ga op eigen houtje verder.' Hij hijgde als gevolg van de galop.

'Dat kan ik niet doen, excellentie.'

Waarom schiet je me niet neer? Dan is het achter de rug. Morath liet de merrie naar beneden lopen. Iets dwong hem opnieuw over zijn schouder te kijken. Tussen de kale bomen door zag hij paard en ruiter. Vervolgens dezelfde aanblik, iets verder de glooiing op. Toen ze beseften dat hij hen had gezien, manoeuvreerden ze hun paarden naar de beschutting. Bovendien leken ze niet veel haast te hebben. Morath overwoog de aktetas weg te gooien, maar realiseerde zich dat het tegen die tijd niet meer zou uitmaken. Hij riep naar de stalknecht. 'Wie zijn die vrienden van jou?' Zijn stem klonk bijna honend, maar de man wilde geen antwoord geven.

Een paar minuten later arriveerde hij bij de weg die in de Romeinse Tijd was aangelegd. De steenblokken waren uitgehold en gescheurd door de paarden met wagens die hier eeuwenlang overheen hadden gereden. Morath nam de afslag naar Koloszvar. Toen hij omhoog keek, naar het bos, ving hij zo nu en dan een glimp op van de andere ruiters die hem bijhielden. Direct achter hem bevond zich de stalknecht op zijn voskleurige ruin.

Toen hij het sputterende, bonkende geluid van een auto hoorde, stopte hij en streek de merrie over haar hals. Een lief dier, ze had haar best gedaan; hij hoopte dat ze haar niet zouden neerschieten. Een oude Citroën verscheen vanachter een groepje berken langs de kant van de weg. De portieren en wielbeschermkappen waren met modder bespat. Over de voorruit liep een bruine, gebogen streep doordat de chauffeur had geprobeerd de troep met de ruitenwisser – het was er maar één – te verwijderen.

De Citroën stopte; de remmen piepten luid. Twee mannen stapten uit, ze waren beiden kort en gezet. Strohoeden, donkere pakken en besmeurde, witte overhemden met gesloten boorden. *Siguranza* dacht hij. De Roemeense geheime politie. Kennelijk hadden ze op hem gewacht.

'Stijg af', zei de chauffeur in slecht Hongaars. Morath nam daar langer de tijd voor dan ze voor wenselijk hielden. De man die in de passagiersstoel had gezeten, sloeg zijn colbert open en toonde Morath de kolf van een automatisch pistool in een schouderholster. 'Als je neergeschoten wilt worden, dan zullen we graag aan die wens voldoen', zei hij. 'Misschien is het een kwestie van eer, of zoiets.'

'Doe geen moeite', zei Morath. Hij steeg af en hield het paard bij het hoofdstel vast. De chauffeur naderde en pakte de aktetas. Iets aan hem maakte de merrie nerveus. Ze bewoog haar hoofd op en neer en stampte met haar hoeven op de stenen blokken. De chauffeur maakte de gespen los en keek in de aktetas, waarna hij tegen de stalknecht riep: 'Je kunt naar huis gaan, Vilmos. Neem zijn paard mee.'

'Ja, excellentie', zei deze. Hij was erg bang.

'En zwijg over wat je hebt gezien.'

Morath keek hoe hij het bos in reed en de merrie bij de teugel vasthield.

De mannen van de Siguranza bonden zijn polsen vast met een stuk koord, duwden hem op de achterbank van de auto en maakten vervolgens grapjes terwijl de startmotor jankte en in toerental afnam tot de motor opeens aansloeg. Ze praatten nog iets langer – Morath verstond geen Roemeens, maar ving het woord 'Bistrita' op, een stadje ten noorden van Koloszvar.

Terwijl de auto over de weg hobbelde, opende de man op de passagiersstoel de aktetas, waarna ze het ondergoed en scheergerei van Morath onder elkaar verdeelden. Even ruzieden de twee mannen over het shirt, maar de chauffeur bond vrijwel onmiddellijk in.

Vervolgens draaide de passagier zich om en staarde Morath aan. Hij had zich enkele dagen niet geschoren; zijn kin vertoonde een stoppelbaard in zwart en grijs. Hij leunde over de stoel en sloeg Morath in het gezicht. En dat deed hij nog een keer, maar nu harder. De chauffeur lachte en de passagier strekte zich zijwaarts uit tot hij zichzelf kon zien in de achteruitkijkspiegel, waarna hij de rand van zijn hoed schikte.

Morath had geen pijn op de plaats waar hij was geslagen. Hij voelde daarentegen wel zijn polsen, precies daar waar hij het koord had geprobeerd te breken terwijl de man van de Siguranza hem sloeg. Later, toen hij het voor elkaar kreeg zich half om te draaien en heimelijk even te kijken, zag hij dat hij bloedde.

Bistrita had tot 1878 deel uitgemaakt van het Ottomaanse Rijk. Sindsdien was er nauwelijks iets veranderd. Stoffige straten en lindebomen, gepleisterde gebouwen in geel en lichtgroen, met dakpannen op de kwalitatief betere huizen. Katholieke kruizen waren op de koepels van de voormalige moskeeën geplaatst; de vrouwen op straat liepen met neergeslagen ogen, zo ook de mannen.

De Citroën parkeerde voor het politiebureau. Ze trokken Morath er bij een elleboog uit en werkten hem al schoppend door de deur. Hij deed zijn uiterste best om vooral niet te vallen. Daarna sloegen ze hem tot hij de trap naar beneden had genomen, en door een gang was gegaan, tot bij de deur van een cel. Toen ze het koord om zijn polsen doorsneden, sneed het mes ook door de achterkant van zijn jas. Een van hen maakte een grapje, de andere grinnikte. Vervolgens maakten ze zijn zakken leeg, namen hem zijn laarzen, sokken, jas en stropdas af en gooiden hem in de cel, waarna ze de ijzeren deur dichtsmeten en de grendel met een klap dichtschoven.

Het was pikdonker in de cel. Geen ramen. En de muren ademden koude lucht uit. Er bevond zich een stromatras, een emmer en aan de muur waren enkele geroeste, oude ringen bevestigd. Gebruikt voor kettingen – in 1540, of gisteravond. Ze brachten hem een zoute haring, die hij niet opat, hij wist wel beter – hij zou verschrikkelijk veel dorst krijgen. Verder gaven ze hem een homp brood en een kopje water. Hij kon horen dat in het vertrek pal boven hem iemand aan het ijsberen was.

Heidelberg. Vakwerkhuizen, de brug over de Neckar. Toen hij in Eotvos was, waren ze daarheen gegaan om de lessen bij te wonen van Schollwagen over Aristophanes. En gewoon om – het was eind februari – ergens anders te zijn. In een *Weinstube*, Frieda. Krullend haar, brede heupen, schitterende lach. Hij kon het in zijn verbeelding horen. Een liefdesverhouding die twee dagen duurde. Het was lang geleden, maar elke minuut ervan bleef in zijn geheugen gegrift, en zo nu en dan vond hij het fijn om alles te herbeleven. Omdat ze ervan hield om op elke mogelijke manier de liefde te bedrijven; ze rilde van opwinding. Hij was negentien en dacht dat vrouwen zulke dingen deden om je een plezier te doen; misschien – als ze van je hielden – op je verjaardag. Hoeren betaalde je extra.

Boven hem klonk een dreun. *Een zak meel werd op de vloer gegooid.* Cara toonde geen bijzondere belangstelling voor *choses affreuses*. Ze zou die dingen hebben gedaan, ze zou alles hebben gedaan om maar geraffineerd en chic over te komen, want dát was wat Cara opwond. Deed ze het met Francesca? Ze plaagde hem daar graag mee, omdat zij wist dat hem dat interesseerde. *Nog een zak meel.* Deze schreeuwde het uit toen die de vloer raakte.

Naar de klote met jullie, had hij tegen hen gezegd.

Hij had overwogen om Eva Zameny in Boedapest te bezoeken. Zijn ex-verloofde, die haar man had verlaten. Jezus, wat was zij vroeger mooi. Geen enkel ander land bracht vrouwen voort die er zo uitzagen. Over Eva viel niet veel te herinneren – hartstochtelijke kussen in de hal van haar huis. Hij had ooit de knoopjes van haar bloes losgemaakt. Ze had graag non willen worden, zei ze tegen hem. Ze ging twee keer per dag naar de mis, omdat alleen dát – en anders niets – haar vrede schonk, zei ze.

Getrouwd met Eva. Twee, drie, vier kinderen. Advocaat zijn, de dagen doorbrengen met testamenten en contracten. Vrijdagavond eten bij zijn moeder thuis, zondag lunchen bij haar moeder. Op zaterdagavond de liefde bedrijven onder een veren dekbed terwijl het buiten Hongaars wintert. Zomerhuisje aan het Balatonmeer. Hij zou naar een koffiehuis gaan, naar een *gentlemen's club*, een kapper. Waarom had hij zijn leven niet op deze manier geleid?

Ja, waarom niet?

Als hij dat had gedaan, dan zou hij nu niet in een Roemeense kerker zijn. Wie had hem verraden? vroeg hij zich af. En zou hij – laat het de wil van God zijn! – de kans krijgen die rekening te vereffenen? Was het iemand uit het huis van Hrubal geweest? Duchazy?

Hou op. Hier is Frieda: krullend haar, brede heupen, lieve lach.

'Pech gehad, Monsieur Morath. Voor u en voor ons. God weet hoe we dit op orde moeten brengen. Waar was u in hemelsnaam met uw gedachten?'

Deze is ook van de Siguranza, dacht Morath. Maar hoger op de ladder. Gladgeschoren, prima in de brillantine en welbespraakt in het Frans.

De man liet zijn ellebogen op het bureau rusten en maakte met de vingertoppen van beide handen een torenspits. Hij waarschuwde Morath dat hij juridisch gezien zeker misdaden had begaan, geen twijfel mogelijk, maar wie kon het echt wat schelen? Hem in elk geval niet. Maar toch, wat was hij verdomme met al dat *geld* van plan? Hongaarse – minderheid – politieke spelletjes spelen? In Roemenië? 'Had u niet iemand kunnen vermoorden? Of een bank beroven? Een kerk platbranden? Nee. U moest zo nodig mijn leven ingewikkeld maken, op een zaterdagochtend terwijl ik geacht word te golfen met mijn schoonvader.' Ja hoor, dit was Roemenië. *Douce décadence, Byzance après Byzance*. Het was maar al te waar. Maar ze hadden toch wetten.

Morath knikte, hij realiseerde zich dat. Maar welke wet had hij precies overtreden?

De officier van de Siguranza was zo overweldigd dat hij amper wist wat hij moest antwoorden – te veel, te weinig, oude, nieuwe, sommige waren net in de maak. 'Laten we het over Parijs hebben. Ik heb ze opgedragen om u koffie en een brioche te brengen.' Hij keek op zijn horloge. 'Ze zijn vertrokken naar het café aan de overkant van het plein.'

Zeker, hij was nu werkelijk jaloers op Morath, hij kon het net zo goed toegeven. Een man van standing, met connecties; hij genoot van de geneugten in die verrukkelijke stad. Je kende dan ongetwijfeld – doet u geen moeite het te ontkennen – de meest interessante mensen. Franse generaals, Russische émigrés, diplomaten. Had hij monsieur X, Herr Y en señor Z ontmoet? En kolonel die-en-die op de Britse ambassade dan? Is die u onbekend? Nou, u zou hem echt eens dienen te ontmoeten. Naar verluidt is hij een amusante kerel.

Nee, zei Morath tegen hem.

Nee? Nou ja, waarom niet? Morath hoorde ongetwijfeld bij het soort gentlemen die ongeacht wie konden ontmoeten. Wat kon het zijn – o, het geld? Niet om grof te zijn, maar de rekeningen stapelden zich op. Vervelende mensen stuurden vervelende brieven. Bij anderen in de schuld staan, kon een voltijdse bezigheid zijn.

Een levenslange hobby. Maar Morath zei dat niet.

Het leven hoefde niet zo moeilijk te zijn, maakte de officier hem duidelijk. Hijzelf had bijvoorbeeld vrienden in Parijs. Zakenmensen die altijd op zoek waren naar advies en begeleiding van iemand als Morath. 'En geloof me, voor hen is geld geen probleem.'

Een politieman kwam binnen met een dienblad, waarop twee kopjes, een gegalvaniseerde koffiepot en een groot, luxueus broodje. Morath trok het papier van de geribbelde, gele brioche, die er lekker uitzag. 'Ik weet zeker dat u die thuis elke ochtend eet', zei de officier.

Morath glimlachte. 'Zoals u weet, reis ik met een Hongaars diplomatiek paspoort.'

De officier knikte en veegde een kruimel van zijn revers.

'Ze willen weten wat er van mij is geworden.'

'Ongetwijfeld. Ze zullen een diplomatiek schrijven naar ons sturen. En wij sturen een brief terug. Daarna is het hun beurt om hetzelfde te doen. En ga zo maar door. Diplomatie is een bedachtzaam, omzichtig proces. Zeer uitgesponnen.'

Morath dacht daarover na. 'Niettemin zullen mijn vrienden zich zorgen maken. Ze zullen hulp willen bieden.'

De officier staarde hem aan en maakte hem duidelijk dat hij driftig en opvliegend van aard was. Morath had hem smeergeld aangeboden, en dat stelde hij niet op prijs. 'Weet u, we zijn zeer beleefd tegen u geweest.' *Tot nu toe.*

'Bedankt voor de koffie', zei Morath.

De officier liet zich weer van zijn minzame kant zien. 'Graag gedaan', zei hij. 'We hebben geen haast om u op te sluiten. Twintig jaar in een Roemeense gevangenis zal u geen goed doen. En wij zijn er evenmin mee gebaat. Het is veel beter om u bij Oradea over de grens te zetten. Het beste ermee, dat het u goed mag gaan, opgeruimd staat netjes. Maar dat hangt helemaal van u af.'

Morath gaf een teken dat hij het begreep. 'Misschien moet ik er even over nadenken.'

De officier zei: 'U moet doen wat u het beste lijkt. Ik kom morgen terug.'

In de kamer boven hem hield het ijsberen niet op. Buiten onweerde het. Hij hoorde de donder en het kletteren van de regen. Een plas doorlekkend water bedekte de vloer, steeg enkele centimeters, waarna het ophield. Morath lag op de stromatras en staarde naar het plafond. *Ze hebben me niet vermoord en vervolgens het geld gepakt.* Voor die Siguranza-schurken die hem hadden gearresteerd, was het een vermogen, een leven aan de Franse Rivièra. Maar dit was Roemenië, 'de hand die je niet kunt bijten, moet je kussen'. Bovendien hadden ze gedaan wat hun was opgedragen.

Soms dutte hij in. De kou wekte hem, en de nachtmerries. Zelfs wanneer hij wakker was, had hij last van boze dromen.

De volgende ochtend namen ze hem mee naar een kamer op de bovenverdieping. Waarschijnlijk het kantoor van de hoofdcommissaris van politie in Bistrita. Aan de muur hing een kalender met schilder-achtige uitzichten op Constanta aan de Zwarte Zee. Een omlijste foto op het bureau; een glimlachende vrouw met zwart haar en donkere ogen. En aan de muur een staatsiefoto van koning Carol in een wit legeruniform, compleet met sjerp en medailles.

Morath kon uit het raam zien dat er op het plein bedrijvigheid heerste. Bij de stalletjes op de marktplaats kochten vrouwen brood, en ze droegen boodschappennetjes met groenten. Voor de fontein be-vond zich een Hongaarse straatzanger. Een nogal komische, dikke man die zong als een operatenor, met gespreide armen. Een oud lied uit de *nachtlokals* van Boedapest:

> *Wacht op me, alsjeblieft, wacht op me*
> *zelfs als de nachten lang zijn,*
> *schat van me, mijn enige lief*
> *o alsjeblieft, wacht op me.*

Zodra iemand een muntstuk in de versleten hoed gooide die voor hem op de grond lag, glimlachte hij en knikte gracieus, en toch zong hij niet één keer uit de maat.

Het was kolonel Sombor die het kantoor binnen liep. Hij trok de deur achter zich dicht. Sombor, met glimmend, zwart haar – net een hoed – en schuine wenkbrauwen, had een pak aan in een felle kleur groen. Zo ook de stropdas, met de opdruk van een gouden kroon. Ernstig en met op elkaar geklemde lippen groette hij Morath en schudde zijn hoofd – *kijk nu eens wat je hebt geflikt*. Hij nam plaats in de draaistoel achter het bureau van de hoofdcommissaris. Morath zat tegenover hem. 'Ik heb meteen het vliegtuig genomen toen dit mij ter ore kwam', zei Sombor. 'Gaat het?'

Morath was vuil, ongeschoren en blootsvoets. 'Zoals u ziet.'

'Maar ze hebben je niets *geflikt*.'

'Nee.'

Sombor diepte een pakje Chesterfield op uit zijn zak, legde het op het bureau en plaatste er een doosje lucifers bovenop. Morath scheur-de de folie open, haalde een sigaret uit het pakje en stak die aan. Hij blies een lange, dankbare rookpluim uit.

'Vertel me wat er is gebeurd.'

'Ik was in Boedapest en ging naar Roemenië om een vriend te bezoeken. Vervolgens arresteerden ze me.

'De politie?'

'Siguranza.'

Sombor keek bars. 'Goed, ik heb je er over een dag of twee uit, wees niet ongerust.'

'Dat zou ik zeker waarderen.'

Sombor glimlachte. 'Dit soort zaken mag onze vrienden niet overkomen. Enig idee wat ze willen?'

'Niet echt.'

Sombor keek een moment lang rond in de kamer, waarna hij ging staan, naar het raam liep en vervolgens naar de straat staarde. 'Ik heb al een poosje met je willen praten', zei hij.

Morath wachtte.

'Mijn baan lijkt met de dag veeleisender te worden', zei Sombor. Hij draaide zich om naar Morath. 'Europa verandert. Een nieuwe wereld, en wij maken daar deel van uit, of we het nu willen of niet. En we kunnen winnaars of verliezers zijn, afhankelijk van de koers die we varen. De Tsjechen hebben bijvoorbeeld verloren. Zij vertrouwden de verkeerde lui. Daar ben je het mee eens, neem ik aan.'

'Ja.'

'Luister, Morath. Ik moet openhartig tegen je zijn. Ik realiseer me wat je bent en begrijp wat je denkt... Kossuth, burgerlijke vrijheid, democratie, al dat knusse Schaduwfront-idealisme. Misschien ben ik het er niet mee eens, maar wie kan dat wat schelen? Je kent het oude gezegde... "Laat het paard zich maar zorgen maken over de politiek, want zijn hoofd is groter." Heb ik gelijk of niet?'

'Ja.'

'Ik moet op een praktische manier met de wereld omgaan, ik heb geen tijd om filosoof te zijn. Welnu, ik heb het grootste respect voor graaf Polanyi. Hij is eveneens een realist, misschien meer dan jij beseft. Hij doet wat hij moet doen, en jij hebt hem daarbij geholpen. Je bent geen onbeschreven blad, bedoel ik daarmee te zeggen.'

Sombor wachtte op een reactie.

'En?' Morath zei het zachtjes.

'Zoals ik ben gekomen om jou te helpen, zo zou ik willen dat je mij ten dienste staat. Help je land. Ik neem aan dat dat niet tegen jouw principes indruist.'

'Absoluut niet.'

'Je zult hoe dan ook smerige handen krijgen, vriend. Als het niet vandaag is, dan morgen, ongeacht of dat idee je aanstaat of niet. Geloof me, het is zover.'

'En als ik nee zeg?'

Sombor haalde zijn schouders op. 'We zullen je besluit moeten accepteren.'

Daar was niet alles mee gezegd.

Morath lag op het natte stro en staarde in de duisternis. Buiten passeerde dreunend een vrachtwagen, die langzaam rond het plein reed. Enkele minuten later kwam het voertuig terug, stopte even voor het politiebureau en reed vervolgens weg.

Sombor was nog een hele tijd doorgegaan. De flonkering in zijn ogen, wat dat ook mocht betekenen, was uitgegaan als een kaars, maar zijn stem bleef onveranderd. *Het zal wellicht niet zo gemakkelijk zijn jou eruit te krijgen. Wees echter niet ongerust. We doen ons best. De gevangenis in Iasi. Die in Sinaia. Gedwongen om tweeënzeventig uur met je neus tegen de muur te blijven staan.*

Als avondeten brachten ze hem opnieuw een zoute haring. Hij brak er een klein stukje af, gewoon om te proeven. Hij at het brood en dronk van de koude thee. Toen ze hem terug in de cel stopten, hadden ze hem zijn sigaretten en lucifers afgenomen.

'Toen het mij ter ore kwam, ben ik meteen op het vliegtuig gestapt.' Het klonk terloops genoeg. Het gezantschap had de beschikking over twee Fiesler-Storchtoestellen. De Duitsers hadden ze aan Hongarije verkocht na eindeloos lange, kwellende onderhandelingen, en God mag weten welke gunsten er uiteindelijk aan verbonden werden. *Ik ben belangrijker dan je denkt*, wilde Sombor daarmee zeggen. Ik heb het voor het zeggen als het gaat over het gebruik van het gezantschapsvliegtuig.

Toen Somber overeindkwam en wilde gaan, zei Morath: 'U laat graaf Polanyi weten wat er is gebeurd.'

'Natuurlijk.'

Polanyi zou er nooit van op de hoogte worden gesteld. *Nacht und Nebel* – de frase van Adolf Hitler – nacht en mist. Een man verliet 's ochtends zijn huis en er werd nooit meer iets van hem vernomen. Morath deed zijn uiterste best – *denk alleen aan het volgende uur* – maar de wanhoop in zijn hart groeide en hij kon die radeloosheid niet laten verdwijnen. Petoffi, de nationale dichter van Hongarije, zei altijd dat de honden goed werden verzorgd en de wolven van de honger omkwamen, maar dat alleen de wolven vrij waren. Dus hier, in deze cel, of in de cellen die nog in het verschiet lagen, was de vrijheid te vinden.

Met het krieken van de dag kwamen ze hem halen.

De deur ging open. Twee bewakers namen hem onder de arm, renden met hem door de gang en sleepten hem de lange trap op. Hoewel er nog nauwelijks sprake was van daglicht, deed zelfs de zachte schemer pijn aan zijn ogen. Ze gaven hem zijn laarzen terug, waarna ze zijn polsen en enkels boeiden; hij schuifelde de voordeur uit naar een wachtende vrachtwagen. In het voertuig bevonden zich twee andere gevangenen. De ene was een zigeuner, de andere misschien een Rus; een lange man met afgeschoren, wit haar en tatoeages in de vorm van blauwe tranen bij beide ooghoeken.

Alleen de vrouwen die de straat veegden, zagen hoe hij werd afgevoerd. Ze pauzeerden even. De bezems, gemaakt van bundels bruin riet, rustten op de grond. *Arme jongens. God sta jullie bij*. Morath zou het nooit meer vergeten.

De vrachtwagen hobbelde over de keien. De zigeuner ving de blik van Morath en snoof de lucht op; ze waren langs een bakkerij gereden. De rit duurde niet lang, misschien een kwartier. Daarna arriveerden ze op het station waar – Morath had er geen twijfels over – treinen vertrokken naar steden als Iasi en Sinaia.

Drie geketende mannen en zes politieagenten. Dat was iets om naar te kijken als je trein stopte in Bistrita. Passagiers schoven de bovenkant van hun raampjes naar beneden om de show te zien. Een handelsreiziger, zo zag hij er althans uit, schilde een sinaasappel en gooide de schil op het perron. Een vrouw met een klein, rond dameshoedje op – de donkere sluier verhulde haar ogen, bleke handen rustten op de bovenrand van het schuifraampje. Andere gezichten verschenen, bleek in het prille daglicht. Een man maakte een grapje, zijn vriend lachte. Een kind keek Morath met grote ogen aan; het meisje was zich ervan bewust dat ze mocht staren. Een man in een overjas met een fluwelen kraag – streng en elegant – knikte Morath toe alsof hij hem kende.

Daarna volgde er chaos. Wie waren dat? Gedurende slowmotionmomenten wervelde deze vraag door Morath heen. Ze kwamen uit het niets. Ze bewogen te snel om ze te kunnen tellen, en ze schreeuwden in het – was het Russisch? Pools? De politieman naast Morath werd geraakt. Morath hoorde de inslag, vervolgens de gil, waarna hij wankelend ergens heen liep en naar zijn holster greep. Een man met een slappe hoed op stapte uit een door de locomotief uitgeblazen stoomwolk. Op deze koele ochtend, het had gevroren, had hij een das om zijn hals geslagen en de uiteinden in zijn jas gestopt, waarvan hij de kraag had opgezet. Aandachtig bekeek hij Morath naar wat een lange tijd leek, waarna hij zijn dubbelloops jachtgeweer ietwat naar een kant zwaaide en vervolgens vuurde. Verscheidene passagiers hapten naar adem; voor Morath klonk het geluid zo helder als een klok.

De Russische gevangene wist van wanten. Misschien wist hij te veel, dacht Morath later. Hij lag languit op het perron. Met zijn geboeide handen beschermde hij zijn hoofd. Wellicht was hij tot levenslang veroordeeld en besefte hij dat deze business helaas niet in zijn belang in gang was gezet, zijn goden waren niet zo machtig. Met uitgestoken handen riep de zigeuner naar iemand die een zakdoek voor zijn gezicht had gebonden. Maak me los! Maar de man duwde hem opzij. De ander viel bijna en probeerde vervolgens te vluchten, waarbij hij kleine stapjes nam; zijn enkelketting schraapte over het beton.

Tijdens de slachtpartij vergaten ze Morath bijna. Hij stond alleen in het middelpunt ervan. Een rechercheur – in elk geval een man in een pak en met een revolver in zijn hand – rende voorbij, waarna hij zich omdraaide, in de richting van Morath; hij had een angstige, onzekere uitdrukking op zijn gezicht, want nu moest de juiste beslissing worden genomen. Hij aarzelde, hief zijn pistool, deed zijn ogen dicht, beet op zijn lip en ging zitten. Nu wist hij wat hij moest doen, maar hij was te laat geweest. Het pistool bewoog slechts enkele centimeters, en een gapende, rode snee opende zich in zijn voorhoofd. Heel langzaam zakte hij in elkaar. Enkele meters verder lag de treinconducteur tegen het wiel van de tender. Morath kende die blik in diens ogen en wist dat de man stervende was.

Over het perron kwam heel langzaam een zwarte auto aangereden. De chauffeur was een jonge knul, niet ouder dan dertien. Verkrampte, witte handen om het stuur, een verwrongen gezicht als gevolg van intense concentratie. Hij stopte terwijl de man met de slappe hoed een andere man bij de kraag van diens jas naar de zijkant van de auto sleepte, het portier opende en hem op de achterbank smeet. Te midden van dit alles, het geschreeuw en de schoten, kon Morath amper geloven dat iemand zo sterk was.

'Schiet op, stom rund!' De woorden klonken in het Duits, en met zo'n zwaar Slavisch accent dat Morath het niet meteen verstond. De man greep hem bij de arm, het deed denken aan een stalen klauw. Een haakneus, sinister gezicht, een niet-aangestoken sigaret in de mond. 'Naar de vrachtwagen, ja?' zei hij. *Ja?*

Morath liep zo snel hij kon. Uit de trein achter hem klonk een uitroep in het Hongaars. Een ziedende vrouw vloekte, schreeuwde, maakte hun duidelijk dat ze allemaal, die bruten en duivels, moesten ophouden met het naar de verdommenis helpen van de wereld en dat ze mochten branden in de hel. De man naast Morath verloor zijn geduld – het in toonhoogte golvende geluid van sirenes kwam dichterbij – en sleepte Morath naar de vrachtwagen. De chauffeur reikte naar opzij en hielp Morath naar binnen, waardoor hij languit over de passagiersstoel lag en vervolgens worstelde om rechtop te gaan zitten.

De chauffeur was een oude man met een baard en een litteken dat dwars over zijn lippen liep. Zachtjes drukte hij het gaspedaal in; de motor ronkte, vervolgens zakte het toerental. 'Heel goed', zei hij.

'Hongaar?'

De man schudde zijn hoofd. 'Ik leer het een en ander in de oorlog.'

Hij drukte het koppelingspedaal helemaal in op het moment dat de man met de slappe hoed naar de vrachtwagen holde en heftig met zijn jachtgeweer zwaaide. *Opschieten. Wegwezen.* 'Ja, ja', zei de chauffeur, ditmaal in het Russisch. Hij drukte de versnellingspook naar voren, een moment later volgde de daadwerkelijke koppeling. Hij keek Morath onderzoekend aan. Deze knikte.

Langzaam reden ze weg, de straat in achter het treinstation. Op de hoek bevond zich een politieauto met stationair draaiende motor; beide portieren stonden open. Morath kon horen hoe de trein uit het station vertrok – de machinist was eindelijk bij zijn positieven gekomen. Een zwarte sedan zoefde voorbij, sneed de vrachtwagen met piepende banden en ging langzamer rijden. Er verscheen een hand uit het raam aan de bestuurderskant. Een hand die gebaarde voort te maken. De sedan versnelde, sloeg bij de volgende straat scherp af en reed in volle vaart weg.

Ze lieten Bistrita snel achter zich. De weg versmalde en veranderde in een zandspoor dat langs enkele vervallen boerderijen en sjofele dorpen kronkelde en vervolgens in de richting van het Transsylvanische woud klom. Tijdens zonsopgang sliep Morath, hoewel de ijzers om zijn polsen en enkels koud aanvoelden. Hij werd wakker terwijl het donker was. Uit het raam zag hij een door vorst en maanlicht getekend, open landschap. De oude man zat over het stuur gebogen en versmalde zijn ogen om de weg te kunnen zien.

'Waar zijn we?' vroeg Morath.

De man antwoordde met een sprekende schouderophaal. Hij haalde een vel bruin papier van het dashboard en overhandigde het aan Morath. Een wirwar van lijnen, met aan de kantlijn enkele krabbels in cyrillisch schrift. 'Vertel het mij maar.'

Morath moest erom lachen.

De oude man lachte eveneens. Misschien zouden ze hun weg vinden, misschien ook niet – zo was het leven.

De vrachtwagen baande zich een weg over een langgerekte heuvelflank. De wielen slipten in de bevroren geulen. Rusteloos schakelde de man van de ene versnelling naar de andere. 'Net een tractor', zei hij. In de verte zag Morath een matte gloed tussen de bomen te voorschijn komen en weer verdwijnen. Enkele minuten later bleek het te gaan om een laag, stenen gebouw bij het kruispunt van twee wegen uit vervlogen tijden. Olielampen verlichtten de ramen. Een herberg. Een houten bord hing aan kettingen boven de deur.

De oude man glimlachte triomfantelijk en liet de vrachtwagen uit-rijden op een met keien bestraat erf. Hij claxonneerde, met als gevolg dat twee blaffende Engelse dogs in het licht van de koplampen heen en weer begonnen te springen. De herbergier had een leren schort voor, een fel brandende toorts van pitchpine hoog in zijn hand. 'Wel-kom', zei hij in formeel Hongaars.

Een bedachtzame man, gezet en vriendelijk. Hij leidde Morath naar de stal, plaatste de toorts in een houder, brak met hamer en bei-tel de boeien en verwijderde ze. Terwijl hij daarmee bezig was, kreeg hij een verdrietige uitdrukking op zijn gezicht. 'Mijn grootvader was hetzelfde lot beschoren', verklaarde hij, terwijl hij de ketting herschik-te op een aambeeld. 'En de zijne.'

Toen hij klaar was, begeleidde hij Morath naar de keuken, liet hem bij het vuur zitten en gaf hem een groot glas cognac en een dikke plak gebakken maïskoek. Nadat Morath had gegeten, werd hij naar een kamer naast de keuken gebracht, waar hij als een blok in slaap viel.

Toen Morath wakker werd, was de vrachtwagen verdwenen. De herbergier overhandigde hem een oude jas en een kleppet, waarna Morath later die ochtend naast een boer op een wagen zat en het Hongaarse grondgebied betrad door een hooiland over te steken.

Morath had altijd een zwak gehad voor de novembermaanden in Pa-rijs. Het regende, maar in de bistro's was het warm. En de Seine had een donkere kleur aangenomen, de lampen verspreidden een gouden gloed en de nieuwe liefdesaffaires van dat seizoen waren nog steeds pril. De novembermaand in 1938 begon goed. *Tout Paris* was opgeto-gen over het feit dat de oorlog aan hen voorbij ging. Maar op 9 no-vember was de *Kristallnacht* een feit, en aan de duizenden kilo's glinsterend, gebroken glas van de joden was duidelijk af te lezen – duidelijker dan iedereen voor wenselijk hield – wat eraan zat te ko-men. Maar toch, het kwam niet tot *hier*. Laat Hitler en Stalin elkaar maar naar de keel vliegen, werd er die week gedacht, wij gaan dit weekeinde naar Normandië.

Morath had een ontmoeting met zijn oom geregeld in een of ande-re geheime *cuisine grandmère* in Clichy. Hij had tien dagen in Boeda-pest doorgebracht, waarbij hij geld inzamelde en luisterde naar de tegenspoed van arme Szubl betreffende het roodharige danseresje dat hij in de nachtclub had ontmoet. Daarna had het tweetal het geld verstopt in een cello en de nachttrein naar Parijs genomen. Op dit moment was Morath een man die ruim twee miljoen pengö in zijn kast had liggen.

Het was voor Morath duidelijk dat graaf Janos voor de lunch vroeg aan de drank was gegaan. Terwijl hij een poging deed plaats te nemen, liep hij al wankelend tegen de belendende tafel en veroorzaakte bijna een soepongeluk. Hij trok daarbij de aandacht van de *grand-mère*, die hem een scherpe blik toewierp. 'Het lijkt erop dat de goden me vandaag moeten hebben', zei hij in een walm van cognaclucht.

De goden waren niet de oorzaak. De wallen onder zijn ogen waren inmiddels onrustbarend gezwollen en donkerder geworden.

Polanyi tuurde naar het met krijt geschreven menu op het bord. *'Andouillette'*, zei hij.

'Ik heb gehoord dat u weg bent geweest', zei Morath

'Ja, opnieuw ben ik een man met een buitenhuis, of wat ervan over is.' Op 2 november had het Weense Comité – Hitler – Hongarije beloond. In ruil voor de steun aan Duitsland tijdens de Sudetencrisis, kreeg het land de Magyaardistricten in het zuiden van Tsjecho-Slowakije. Twaalfduizend vierkante kilometer, een miljoen inwoners; de nieuwe grens liep van Pozsoni/Bratislava helemaal oostwaarts naar Roethenië.

De ober arriveerde met een karaf wijn en een bord slakken.

'Oom Janos?'

'Ja.'

'In hoeverre bent u op de hoogte van wat mij is overkomen in Roemenië?'

Uit de gezichtsuitdrukking van Polanyi was duidelijk op te maken dat hij er niet over wilde praten. 'Je zat in de problemen. Er zijn maatregelen genomen.'

'Over tot de orde van de dag.'

'Wees niet kwaad op mij, Nicholas. Eigenlijk heb je mazzel gehad. Als ik het land twee weken eerder had verlaten, was jij misschien voorgoed verdwenen.'

'Maar op de een of andere manier is het u ter ore gekomen.'

Polanyi haalde zijn schouders op.

'Hebt u gehoord dat Sombor is opgedoken op het politiebureau van Bistrita?'

Zijn oom trok een wenkbrauw op, spietste een slak na de derde poging en at die op, waarbij hij knoflookboter op de tafel morste. 'Mmm? Wat wilde hij?'

'Mij.'

'Heeft hij je gekregen?'

'Nee.'

'Wat is dan het probleem?'

'Misschien vormt Sombor een probleem.'

'Sombor is nu eenmaal Sombor.'

'Hij gedraagt zich of de hele wereld van hem is.'

'Dat is zo.'

'Was hij verantwoordelijk voor wat mij is overkomen?'

'Kijk, dat is een interessant idee. Wat zou je doen als dat het geval was?'

'Wat zou u voorstellen?'

'Hem vermoorden.'

'Meent u dat?'

'Breng hem om, Nicholas, of laat me rustig lunchen. Kies uit een van beide mogelijkheden.'

Morath schonk zichzelf een glas wijn in en stak een Chesterfield op. 'En de mensen die mij hebben gered?'

'*Très cher*, Nicholas.'

'Wie moet ik daarvoor bedanken?'

'Iemand was mij een wederdienst verschuldigd. Nu zijn de rollen omgedraaid.'

'Russen? Duitsers?'

'Eskimo's! Mijn beste neef, als jij nieuwsgierig wordt en moeilijk gaat doen over deze zaak, dan...'

'Het spijt me. Natuurlijk ben ik dankbaar.'

'Mag ik de laatste slak hebben? Ben je zo dankbaar?'

'Dat is wel het minste.'

Polanyi prikte de slak met een felle beweging aan de kleine vork en fronste terwijl hij ze uit de schelp wurmde. Even keek hij heel verdrietig. 'Ik ben maar een oude, dikke Hongaar, Nicholas. Ik kan de wereld niet redden. Ik zou het wel willen, maar ik ben daar niet toe in staat.'

De laatste dagen van november waren aangebroken. Morath trok zijn overjas stevig dicht en haastte zich door de straten van Marais naar het Café Madine. De tijd had er stilgestaan, wat Morath al had gedacht. Verlaten, zoals voorheen, in het kille ochtendlicht. De kat sliep op de bar, de *patron* had zijn bril op het puntje van zijn neus staan.

Morath had het vermoeden dat de *patron* hem herkende. Hij bestelde een *café au lait*. Toen die arriveerde, warmde hij zijn handen aan het kopje. 'Ik ben hier al eens geweest', zei hij tegen de *patron*. 'Volgens mij was dat maart jongstleden.'

De *patron* keek hem aandachtig aan. *Echt waar?*

'Ik heb een oude man ontmoet. Ik kan me zijn naam niet meer herinneren, volgens mij heeft hij zich niet voorgesteld. In die periode had een vriend van mij problemen met een paspoort.'

De eigenaar knikte. Ja, dat soort dingen gebeurde zo nu en dan. 'Dat is mogelijk. Zo iemand kwam hier wel eens.'

'Maar nu niet meer?'

'Het land uitgezet', zei de eigenaar. 'In de zomer. Hij had een probleempje met de politie. Voor hem werd dat probleempje een groot probleem; ze stuurden hem terug naar Wenen. Ik heb geen idee wat er daarna met hem is gebeurd.'

'Wat vervelend voor hem', zei Morath.

'Hij vindt het ongetwijfeld ook vervelend.'

Morath sloeg zijn ogen neer en voelde hoe er figuurlijk gezien een hoge muur tussen hem en de *patron* in stond. Hij begreep dat er verder niets meer te zeggen viel. 'Hij had een vriend. Een man met een puntbaardje. Hij leek mij zeer goed geschoold. We hebben elkaar in het Louvre ontmoet.'

'Het Louvre.'

'Ja.'

De *patron* begon met een doek een glas af te drogen, hield het tegen het licht en plaatste het terug op het schap. 'Koud vandaag', zei hij.

'Vanavond gaat het sneeuwen.'

'Denkt u?'

'Het voelt zeker zo aan.'

'Misschien hebt u gelijk.' Hij begon de bar met de doek af te vegen, waarbij hij het kopje van Morath optilde, de kat met een scheppende beweging oppakte en hem voorzichtig op de grond zette. 'Je moet mij er niet bij betrekken, Sacha', zei hij.

Morath wachtte en dronk van zijn koffie. Op straat passeerde een vrouw met een baby die in een deken was gewikkeld.

'Het is rustig hier', zei Morath. 'Heel aangenaam.'

'U zou dan wat vaker moeten komen.' De *patron* glimlachte sarcastisch naar hem.

'Dat zal ik doen. Misschien morgen.'

'We zullen er zijn. Als God het wil.'

De volgende ochtend duurde het een half uur, waarna een vrouw het café binnenliep. Het was de vrouw die het geld had opgehaald en die, herinnerde Morath zich, hem een kus had gegeven op de trappen van het Louvre. 'Hij zal u ontmoeten', zei ze tegen Morath. 'Probeer het morgen om kwart over vier in het metrostation Jussieu. Als hij daar morgen niet kan komen, probeert u het de volgende dag om kwart over drie. Als ook die poging misgaat, moet u een andere manier zien te vinden.'

Tijdens de eerste poging was hij er niet. Het was druk in het metrostation. Als iemand hem in het oog had gehouden en zich ervan vergewiste dat er geen rechercheurs in de buurt waren, dan had Morath het niet gemerkt. Op de tweede dag wachtte hij drie kwartier, waarna hij er de brui aan gaf. Toen hij de trap naar de straat nam, ging de man naast hem lopen.

Hij was niet zo deftig als Morath zich hem herinnerde. Nog steeds die puntbaard en het tweed pak. En hij had iets over zich dat deed denken aan affiniteit met vercommercialiseerde cultuur. *De kunsthandelaar*. Zoals voorheen werd hij vergezeld door een man met een bleek, knokig gezicht en een hoed die scheef op zijn geschoren hoofd stond.

'Kom, we nemen een taxi', zei de kunsthandelaar. 'Het is te koud om te wandelen.'

Gedrieën stapten ze achter in een taxi die met stationair draaiende motor langs de stoeprand stond. 'Breng ons naar de Ritz, chauffeur', zei de kunsthandelaar.

De chauffeur lachte. Langzaam reed hij door de Rue Jussieu en sloeg af naar de Rue Cuvier.

'Zo', zei de kunsthandelaar. 'Hebben uw vrienden nog steeds problemen met hun papieren?'

'Ditmaal niet', zei Morath.

'O? Wat is er dan aan de hand?'

'Ik wil graag iemand ontmoeten in de diamantenbusiness.'

'Verkoopt u iets?'

'Ik wil iets kopen.'

'Een kleinigheid voor het liefje?'

'Absoluut. In een fluwelen doosje.'

De chauffeur sloeg af en nam een heuvel in de Rue Monge. Uit de laaghangende bewolking vielen enkele regendruppels. Op straat openden de mensen hun paraplu's. 'Een substantiële aankoop', zei Morath. 'Het kan maar beter iemand gaan doen die al lang in het vak zit.'

'En die discreet te werk gaat.'

'En of. Bedenk alstublieft wel dat er niets onwettigs in het spel is. Niets van dat alles. We willen het gewoon vertrouwelijk houden.'

De kunsthandelaar knikte. 'Niet de buurtjuwelier.'

'Precies.'

'Moet het wel Parijs zijn?'

Morath dacht daarover na. 'West-Europa.'

'Dan is het geen probleem. Welnu, voor ons betekent dit een taxirit en... misschien morgen... een treinreis. Dus, laten we zeggen vijfduizend franc?'

Morath reikte in zijn binnenzak en telde het bedrag neer in biljetten van honderd franc. De rest van het geld borg hij weer op.

'Er is iets dat ik u dien te vertellen. De markt voor diamanten-op-de-vlucht is niet best. Als u een jaar geleden in Amsterdam zou hebben gekocht en er morgen mee naar Costa Rica gaat, dan zult u zwaar teleurgesteld zijn. Als u denkt dat duizend karaat de waarde van duizend karaat heeft, zoals de geldwaarde in een normaal land ergens ter wereld, en dat u alleen maar de hak van uw schoen hoeft uit te hollen, dan hebt u het mis. De mensen kunnen dan wel denken dat het op die manier gaat, maar ze hebben het bij het verkeerde eind. Sinds Hitler aan de macht is, is de edelstenenmarkt een goede plaats om veel geld te verliezen. *F'shtai?'*

'Ik begrijp het', zei Morath.

'Zeg, wilt u een Vermeer kopen?'

Morath begon te lachen.

'Nee? Een Hals, misschien? Een kleine? Past in een koffer. En het is een *goeie*. Ik sta er garant voor. U weet niet wie ik ben... en ik heb liever dat dat zo blijft... maar ik weet waarover ik praat.'

'U meent het.'

'Ja.'

'U hebt iemand nodig die rijk is.'

'Niet deze week.'

Morath glimlachte met leedwezen.

De lijkbleke man nam zijn hoed af en streek met een hand over zijn hoofd. Vervolgens zei hij in het Duits: 'Stop. Hij is een moralist.'

'Is dat het probleem?' vroeg de kunsthandelaar. 'Wilt u geen misbruik maken van iemand die op de vlucht is?'

De chauffeur lachte.

'Nou ja, dat God het verhoede, maar als u voor uw leven moet rennen, dan zult u het begrijpen. Tegen die tijd heeft het niets meer met *waarde* te maken. Wat u dan zult zeggen, is: "Neem het schilderij, geef het geld, dank u, tot ziens." Als het eenmaal zover is dat u niet verder denkt dan de middag als het om overleven gaat, dan zal het tot u doordringen.'

Even was het stil in de taxi. De kunsthandelaar gaf Morath klapjes op de knie. 'Excuseer. Wat u vandaag nodig hebt, is een naam. Shabet zal het zijn. Een chassidische familie, in Antwerpen, in de diamantenwijk. Broers, zonen, van alles. Maar als je met een van hen zaken doet, doe je zaken met de hele familie.'

'Zijn ze te vertrouwen?'

'Met uw leven. Ik heb het gedaan, en zoals u ziet, ben ik er nog.' De kunsthandelaar spelde de naam en zei vervolgens: 'Natuurlijk moet ik u bij hen certifiëren. Hoe mag ik u noemen?'

'André.'

'Zo zal het zijn. Geef me tien dagen, aangezien ik er iemand heen moet sturen. Dit is geen zaak om telefonisch af te handelen. En we hebben beiden een soort confirmatie nodig, gewoon voor het geval dat. U gaat over tien dagen naar het Café Madine. Als u de vrouw ziet, wil dat zeggen dat alles is geregeld.'

Morath bedankte hem. Ze gaven elkaar een hand. De krijtwitte man tikte tegen zijn hoed. 'Het ga u goed, meneer', zei hij in het Duits. De chauffeur parkeerde aan de straatrand, pal voor de *charchuterie*; bij de deur stond het blikken standbeeld van een varken dat met een poot een uitnodigende beweging maakte aan het adres van de klanten om naar binnen te gaan. *'Voilà le Ritz!'* riep de chauffeur uit.

Emile Courtmain leunde naar achteren in zijn draaistoel, vouwde zijn handen achter zijn hoofd en staarde naar de Avenue Matignon. 'Als je er in het begin over nadenkt, zou het makkelijk moeten zijn. Maar als je er eenmaal mee aan de slag gaat, blijkt het moeilijker dan je dacht.'

Her en der in zijn kantoor bevonden zich veertig gewassen tekeningen. Ze waren aan de muren geprikt en rechtop in stoelen geplaatst. *Het Franse leven*. Boerenechtparen op de akkers, of in de deuropeningen van boerderijen, of zittend op boerenkarren. Zoals Millet, misschien een zachtaardige, optimistische Millet. Verder waren er Parijse *papas* en *mamans* tijdens een zondagse kuierwandeling, of bij de carrousel, de Arc de Triomphe. Een verliefd stelletje op een brug over de Seine; ze hielden elkaars hand vast, zij met een boeket, hij in een vrijetijdskostuum – *de toekomst moedig tegemoet treden*. Een van het front teruggekeerde soldaat zit aan de tafel, zijn zorgzame vrouw zet een terrine voor hem neer. Deze was niet eens zo slecht, vond Morath.

'Te mak', zei Courtmain. 'De regering wil iets met meer pit.'

'Moet er een tekst bij?'

'Een korte slogan. Mary komt eraan. Zoiets als: "In een gevaarlijke wereld blijft Frankrijk pal staan." Bedoeld om het defaitisme de kop in te drukken, zeker na wat er in München is gebeurd.'

'Waar zullen ze te zien zijn?'

'De gebruikelijke plaatsen. Metrostation, straatkiosk, postkantoor.'

'Het zal lastig zijn om het defaitisme in een Frans postkantoor te verjagen.'

Morath ging in een stoel tegenover Courtmain zitten. Zachtjes klopte Mary Day tegen de post van de open deur. Ze zei: 'Hallo, Nicholas.' Vervolgens trok ze een stoel bij, stak een Gitanes op en overhandigde Courtmain een vel papier.

'Frankrijk zal winnen', las hij. Daarna zei hij tegen Morath: 'Dat is geen slogan van arme Mary.' Van Courtmain kreeg ze een toegenegen grijns. Mary Day moest het doen met het afgrijzen van de stompzinnige slogan van iemand die dacht het te kunnen.

'Van die kleine man van het ministerie van Binnenlandse Zaken', verklaarde ze. 'Hij had een idee.'

'Ik hoop dat ze met geld over de brug komen.'

Courtmain trok een gezicht. *Niet veel.* 'De reclamebusiness in oorlogstijd... je kunt geen nee tegen ze zeggen.'

Mary Day pakte het vel papier dat Courtmain in zijn hand had. 'Frankrijk voor eeuwig.'

'*Bon Dieu*', zei Courtmain.

'Ons Frankrijk.'

Morath zei: 'Waarom niet gewoon "La France"?'

'Inderdaad', zei Mary Day. 'Het "Vive" denkt men er wel bij. Dat was mijn eerste poging. Ze waren niet geïnteresseerd.'

'Te subtiel', zei Courtmain. Hij keek op zijn horloge. 'Ik moet om vijf uur bij de RCA zijn.' Hij ging staan, opende zijn aktetas en vergewiste zich ervan dat hij alles bij zich had, waarna hij de knoop in zijn stropdas controleerde. 'Zie ik je morgen?' vroeg hij aan Morath.

'Rond tien uur', zei deze.

'Goed', antwoordde Courtmain. Hij had Morath graag om zich heen, en hij wilde dat hij dat ook wist. Hij nam van beiden afscheid en liep de deur uit.

Morath en Mary Day bleven alleen in de kamer.

Hij deed net of hij naar de tekeningen keek en probeerde iets slims te bedenken om te zeggen. Vluchtig keek ze naar hem terwijl ze haar aantekeningen doorlas. Ze was de dochter van een Ierse officier van de Royal Navy en de Franse kunstenares Marie d'Aumonville – een buitengewone combinatie als je het aan hem vroeg, of aan wie dan ook. Haar neusbrug was licht bezaaid met sproeten. Haar lange, bruine haar droeg ze los. Smekende, bruine ogen. Ze had kleine borsten, was onderhoudend, kwajongensachtig, afwezig en onhandig. 'Mary hoort bij een bepaald type', had Courtmain ooit tegen hem gezegd. Hij vermoedde dat op haar zestiende de jongens naar haar hadden gesmacht, maar dat ze te bang waren om haar te vragen voor de bioscoop.

Toen Morath voelde dat zij zich realiseerde dat hij naar haar staarde, draaide hij zijn hoofd naar het raam. Even later keek ze op en zei: 'Nu dan, ik denk dat we maar beter weer aan het werk kunnen gaan.'

Daar was Morath het mee eens.

'En daarna neem je me mee om samen iets te gaan drinken.' Ze begon haar papieren te verzamelen. 'Oké?'

Morath staarde naar haar. Meende ze dat? 'Met genoegen', zei hij. Hij trok zich terug in het formele. 'Om zeven uur?'

Haar glimlach was zoals altijd quasi-zielig. 'Het is geen moeten, Nicholas.' Ze was hem slechts aan het plagen.

'Ik wil het graag', zei hij. 'Fouquet, als je daar zin in hebt.'

'Tja, zei ze. 'Dat zou leuk zijn. Of gewoon het café om de hoek.'

'Fouquet', kondigde hij aan. 'Waarom niet?'

Een komische schouderophaal – ze wist het niet. 'Zeven uur', zei ze een beetje geschrokken na wat ze had gedaan.

Ze haastten zich over de Champs-Elysées en door de mensenmassa. Er dwarrelden enkele sneeuwvlokjes in de avondlucht. Mary Day nam grote passen en liep met opgetrokken schouders, haar handen diep in de zakken gestoken van wat Morath een zeer zonderlinge jas vond: driekwart, kastanjebruine wol met grote knopen, die bedekt waren met bruine stof.

Bij Fouquet was het druk, luidruchtig. Het bruiste er van vitaliteit. Ze moesten wachten tot er een tafeltje vrijkwam. Mary Day wreef in haar handen om ze warm te krijgen. De ober kreeg tien franc van Morath en zocht voor hen een tafeltje in de hoek. 'Wat wil je drinken?' vroeg Morath.

Ze dacht daarover na.

'*Garçon*, champagne!'

Ze grinnikte. 'Een vermout, misschien. Martini *rouge*.'

Morath bestelde een *gentiane*. Mary Day veranderde van gedachten en besloot hetzelfde als hij te drinken. 'Ik vind het lekker, maar ik vergeet steeds om ernaar te vragen.' Ze nam de tijd om naar de mensen om haar heen te kijken – het Parijse avondtheater. Aan haar gezichtsuitdrukking te zien, vond ze het schitterend. 'Ik heb ooit iets geschreven over deze gelegenheid, lang geleden, een stuk voor de *Paris Herald*. Restaurants met privé-kamers... wat speelt hier werkelijk?'

'En?'

'Balzac. Maar niet zo vaak als je graag zou denken. Meestal gedenkpartijtjes. Verjaardagen. Eerste communie.'

'Heb jij voor de *Herald* gewerkt?'

'Freelance. Alles en nog wat, als ze er maar voor wilden betalen.'

'Zoals...'

'Wijnfeesten in Anjou! Turkse minister van Buitenlandse Zaken gaf een party bij de Lumpingtons!'

'Niet zo makkelijk.'

'Niet moeilijk. Je hebt vooral uithoudingsvermogen nodig.'

'Iemand op kantoor zei dat je boeken hebt geschreven.'

Ze antwoordde op de toon van de keiharde jongen uit Amerikaanse gangsterfilms. 'O, da' ben je dus te wete' gekomme, hè?'

'Ja, je bent een romanschrijfster.'

'O, min of meer, misschien. Pikante boeken, maar van de opbrengst kun je de huur betalen. Ik werd de wijnfeesten in Anjou beu, geloof het of niet, en iemand stelde me voor aan een Engelse uitgever. Hij hield kantoor aan de Place Vendôme. De aardigste man ter wereld. Een jood, geloof ik, uit Birmingham. Hij zat in de textielbusiness, kwam naar Frankrijk om te vechten in de oorlog, ontdekte *Paree* en kon het niet over zijn hart verkrijgen om terug naar huis te gaan. Dus begon hij boeken te publiceren. Er zijn beroemde werken bij, in een bepaalde reeks, maar de meeste komen uit in gewoon bruin papier, als je snapt wat ik bedoel. Een vriendin van mij noemde ze "boeken die je met één hand kunt lezen".'

Morath lachte.

'De beste waren niet zo slecht. Er was er een bij die *Tropic of Cancer* heette.'

'Nou, volgens mij heeft de vrouw met wie ik samenwoonde dat boek gelezen.'

'Tamelijk gedurfd.'

'Zo was ze.'

'Dan heeft ze misschien *Suzette* gelezen. Of het vervolg daarop... *Suzette goes boating.*'

'Heb jij ze geschreven?'

'Op de stofomslag staat D.E. Cameron.'

'Waar gaan ze over?'

'"Ze liet de bandjes van haar bleke schouders glijden; de hemdjurk zakte tot aan haar middel naar beneden. De knappe luitenant..."'

'O ja? Wat deed hij?'

Mary Day lachte. Met een hoofdbeweging deed ze haar lokken naar achteren. 'Niet veel. Meestal ging het over ondergoed.'

De *gentianes* arriveerden met een bordje gezouten amandelen.

Ze namen er samen nog een. En daarna nog een. Met haar vingertoppen raakte ze zijn hand aan.

Een uur later hadden ze genoeg Fouquet gezien en ervaren. Ze vertrokken om ergens te gaan eten. Ze probeerden Lucas Carton, maar het was er *complet* en ze hadden niet gereserveerd. Daarna liepen ze door de Rue Marboeuf, vonden een restaurant waar het lekker rook en aten er soep, omelet en Saint-Marcellin.

Ze roddelden over het kantoor. 'Ik moet zo nu en dan reizen', zei Morath. 'Maar ik ben graag op kantoor. Ik vind het leuk wat we doen... de cliënten en wat ze allemaal proberen te verkopen.'

'Het kan je leven in beslag nemen.'

'Dat is niet zo erg.'

Ze scheurde een stuk brood in twee helften en deed er wat kruimelige Saint-Marcellin op. 'Ik wil niet nieuwsgierig zijn, maar je zei "de vrouw met wie ik in het verleden heb samengewoond". Is ze er niet meer?'

'Ze is vertrokken, ze moest wel. Haar vader was helemaal uit Buenos Aires komen reizen en nam haar mee. Hij dacht dat nu de oorlog inmiddels wel zou zijn uitgebroken.'

Ze at van het brood en de kaas. 'Mis je haar?'

Morath kon niet meteen antwoord geven. 'Natuurlijk wel. We hadden samen een fijne tijd.'

'Soms is dat het belangrijkste.'

Daar was Morath het mee eens.

'Een jaar geleden heb ik mijn vriend verloren. Misschien heeft Courtmain je dat verteld.'

'Nee, doorgaans hebben we het alleen over zaken.'

'Het was heel treurig. We hadden drie jaar samengewoond. Niet dat we zouden gaan trouwen, zo was het niet. We waren echter verliefd op elkaar, meestal. Hij was een muzikant, een gitarist, uit een stad in de buurt van Chartres. Klassiek geschoold, maar hij begon te spelen in de jazzclubs in Montparnasse. Hij raakte verknocht aan dat leven. Dronk te veel, rookte opium met zijn vrienden, ging pas naar bed als de zon opkwam. Op een avond vonden ze hem dood in de straat.'

'Door de opium?'

Ze spreidde haar armen. *Wie zal het zeggen?*

'Wat erg', zei Morath.

Haar ogen glinsteren; ze veegde er met een servet overheen.

Terwijl ze teruggingen naar haar appartement zaten ze zwijgend in de taxi. Ze woonde in de Rue Guisarde, een rustige straat in het achterste gedeelte van het zesde arrondissement. Hij liep om de taxi heen, opende haar portier en hielp haar met uitstappen. Terwijl ze in de deuropening stond, hief ze haar gezicht voor een welterusten-*bisou* op de wang, maar het werd iets meer dan dat. En later nog veel meer, en dat ging een hele tijd zo door. Het was heel teder allemaal. Haar lippen waren zacht en droog, haar huid voelde warm aan onder zijn hand. Hij wachtte bij de deur tot hij in haar appartement het licht zag aangaan, waarna hij met bonzend hart wegging en door de straat liep.

Hij was ver van huis, maar hij wilde lopen. *Te goed om waar te zijn*, zei hij in zichzelf. Omdat het daglicht dit soort zaken een mep gaf en ze tot stof liet vergaan. Een *folie*, zouden de Fransen zeggen, een vergissing van het hart.

Sinds hij terug was in Parijs had hij zich zeer neerslachtig gevoeld. De dagen in Bistrita, de cel, het treinstation – dit alles wilde zijn hoofd niet uit. 's Nachts werd hij wakker en dacht daarover na. Dus zocht hij zijn toevlucht, afleiding, in de Agence Courtmain. Vervolgens was daar die kantoorromance. Iedereen was min of meer verliefd op Mary Day, dus waarom hij niet?

De straten waren kil en donker, de wind rukte fel aan zijn kleren terwijl hij de Pont Royal overstak. Op de boulevard bevond zich een verlaten taxi. Morath stapte in. Teruggaan naar haar appartement? 'Rue Richelieu', zei hij tegen de chauffeur.

Maar de volgende ochtend, in het licht van de dageraad, had ze een zwarte jurk aan met knopen aan de voorkant en een strakke ceintuur. Het was een jurk die haar op een bepaalde manier blootgaf. En toen hun blikken elkaar voor het eerst vingen, wist hij het.

En zo gebeurde het dat hij door een aan hem geadresseerde brief, die hij die avond in zijn brievenbus vond, snel met beide benen op de grond stond. Préfecture de Police, Quai du Marché 9, Paris 1*ier*. Het *Monsieur* was voorgedrukt, standaard. Het *Morath, Nicholas* was geschreven in inkt. Of hij alstublieft aanwezig wilde zijn in *la salle 24* van de Préfecture op *le 8 décembre* tussen *9 et 12 du matin*.

Veuillez acceptez, Monsieur, l'expression de nos sentiments distingués.

Dit gebeurde van tijd tot tijd. De oproepen om naar de Préfecture te gaan – een onontkoombaar feit waarmee elke buitenlander geconfronteerd werd; een koufront in het bureaucratische weersysteem van de stad. Morath haatte het om daarheen te gaan. Het versleten linoleum, de groene muren, de mistroostige sfeer aldaar, de gezichten van de opgeroepenen. Gezichten die elk afzonderlijk een bepaalde combinatie van verveeldheid en ontzetting uitstraalden.

Kamer 24. Niet zijn gebruikelijke vertrek. Dat was goeie ouwe kamer 38, waar ingezeten buitenlanders met bescheiden diplomatieke connecties werden ontvangen. Wat wilde *dat* zeggen? vroeg Morath zich af, terwijl hij zijn beste blauwe pak aantrok.

Het betekende een ernstige inspecteur met een hardvochtig, bourgeois gezicht en een militaire houding. Heel formeel, heel correct, zeer gevaarlijk. Hij wilde graag de papieren van Morath zien, maakte aantekeningen op een formulier en vroeg of er veranderingen in zijn *situation* waren, zoals adres, beroep en burgerlijke staat. En hij stelde de vraag of hij onlangs naar Roemenië was gereisd.

Morath voelde dat hij zich op dun ijs bevond. Ja, eind oktober.

Waar precies in Roemenië?

Het district Cluj.

Verder?

Dat was alles.

En, alstublieft, om welke reden bevond hij zich daar?

Sociale verplichtingen.

Geen zakelijke?

Non, monsieur l'inspecteur.

Goed, wilde hij zo vriendelijk zijn te wachten in de *réception*?

Daar zat Morath dan. Het juridische gedeelte van zijn verstand maakte overuren. Twintig minuten. Dertig. *Klootzakken.*

Vervolgens kwam de inspecteur terug. Hij had de papieren van Morath in zijn hand. Dank u, monsieur, geen verdere vragen. Althans voorlopig niet. Na een lang ogenblik zei hij: '*Vos papiers, monsieur.*'

Polanyi zag eruit of hij niet had geslapen. Hij liet zijn ogen rollen toen hij het verhaal hoorde. *Mijn God, waarom ik?* Die middag ontmoetten ze elkaar in het kantoor van een elegante herenmodezaak in de Rue de la Paix. Polanyi sprak Hongaars met de exquis geklede en gekapte eigenaar. 'Mogen we uw kantoor een poosje gebruiken, Kovacs *uhr*?' De man knikte gretig en wreef in zijn handen terwijl de angst uit zijn ogen straalde. En dat laatste zinde Morath niet.

'Ik denk niet dat ze hiermee doorgaan', zei Polanyi.

'Kunnen ze me uitleveren aan Roemenië?'

'Natuurlijk kan dat, maar dat zullen ze niet doen. Een gerechtelijk onderzoek, de kranten, dat willen ze niet. Ik geef je twee dingen in overweging. Ten eerste vooral dit: maak je er geen zorgen over. Ten tweede, ga niet naar Roemenië.'

Morath drukte zijn sigaret uit in de asbak.

'Natuurlijk ben jij je ervan bewust dat de relatie tussen Frankrijk en Roemenië altijd belangrijk is geweest voor beide landen. Franse bedrijven hebben overheidsvergunningen wat betreft de exploitatie van Roemeense olievelden in Ploesti. Je moet dus voorzichtig zijn.'

Polanyi zweeg even, waarna hij zei: 'Zo, nu we toch hier zijn, moet ik je een vraag stellen. Ik heb een brief gekregen van Hrubal, die zich afvraagt of ik van jou te weten zou kunnen komen wat er met Vilmos, zijn opperstalknecht, is gebeurd. Hij is nooit teruggekeerd nadat hij jou naar het treinstation in Cluj heeft begeleid.'

'Het ligt voor de hand dat ze hem hebben vermoord.'

'O ja? Misschien is hij gewoon gevlucht.'

'Mogelijk. Weet Hrubal dat zijn geld is verdwenen?'

'Nee. En dat zal hem ook nooit ter ore komen. Ik heb naar Voyschinkowsky moeten gaan, die, zonder iets wat op een echte verklaring leek, akkoord is gegaan om het veilig te houden. De contributie van prins Hrubal aan het nationaal comité zal dus onder zijn naam worden gedaan.'

Morath zuchtte. 'Jezus, er komt nooit een einde aan', zei hij.

'Het is de tijd waarin we leven, Nicholas. Een schrale troost, ik weet het, maar vroeger was het erger. Hoe dan ook, ik wil niet dat je een seconde slechter slaapt om dit alles. Zolang ik hier ben om je te beschermen, mag jij je redelijk veilig weten.'

Conform de instructies van de kunsthandelaar moest Morath die ochtend naar het Café Madine gaan. Maar eerst begaf hij zich naar het kantoor, dat hij stil en verlaten aantrof – hij was te vroeg gearriveerd. Opeens kwam hij in een maalstroom van activiteiten terecht. Mary Day met een leerling-reclametekstschrijver. Mary Day met Léon, de illustrator. Mary Day die praatte met Courtmain door zijn open deur. In een witte, goddelijke sweater keek ze vluchtig naar hem terwijl hij haastig passeerde als een man die daadwerkelijk iets te doen had. Morath trok zich terug in zijn kantoor, keek op zijn horloge, liep de kamer uit en ging weer terug naar binnen. Uiteindelijk bevond ze zich alleen achter haar bureau, met het hoofd tussen haar handen terwijl ze naar vijf getypte woorden op een geel vel papier keek. 'Mary', zei hij.

Ze keek op. 'Hallo', zei ze. 'Waar zat jij al die tijd?'

'Ik heb je gisteravond proberen te bellen, maar ik kon je nummer niet vinden.'

'O, dat is een lang verhaal', zei ze. 'Het appartement is momenteel...' Ze keek om zich heen. Overal mensen. 'Verdomme, ik heb geen pennen meer.' Ze kwam bruusk overeind en hij volgde haar naar de voorraadkamer, een grote kast. Hij trok de deur achter hen dicht.

'Hier is het nummer', zei ze. Ze schreef het op.

'Ik wil je graag zien.'

Ze overhandigde hem een velletje papier en gaf hem een kus, waarna hij zijn armen om haar heen legde, haar een moment vasthield en haar parfum inademde. 'Morgenavond?' zei ze.

Morath was aan het rekenen. 'Rond tien uur, denk ik.'

'Er is een café op de hoek van de Rue Guisarde.' Ze drukte haar hand tegen zijn wang, waarna ze een handvol pennen greep. 'We mogen niet worden betrapt terwijl we flikflooien in de voorraadkamer', zei ze lachend.

Hij volgde haar swingende rok door de hal; ze verdween in het kantoor van de boekhouder en wierp een blik over haar schouder op het moment dat ze de deur dichtdeed.

In het Café Madine stond Morath aan de bar met de koffie die hij altijd dronk. Twintig minuten later – hij ging ervan uit dat iemand ergens op de uitkijk had gestaan – dook de vrouw op. Ze negeerde Morath, nam plaats aan een tafel bij de muur en las *Le Temps*.

Het werd dus Antwerpen. Hij ging naar Boris Balki in de nachtclub.

'Nog steeds hetzelfde?' vroeg Balki. Hij schonk twee Poolse wodka's in.

'Ik denk het wel', antwoordde Morath.

'Zo, ik moet je bedanken.' Balki hief het glas, een stille toast, en dronk van zijn wodka. 'Mijn vriend Rashkow is uit de gevangenis. Midden in de nacht brachten ze hem zijn kleren, namen hem mee naar de poort... de achteruitgang... gaven hem een flinke schop tegen zijn kont en waarschuwden hem niet meer terug te komen.'

'Ik ben blij dat ik heb kunnen helpen.'

'Arme, kleine Rashkow', zei Balki.

'Ik moet naar Antwerpen', begon Morath. 'Ik hoop dat je met me mee zult gaan.'

'Antwerpen.'

'We hebben een auto nodig.'

Met het krieken van de dag stampte Morath met zijn voeten op de grond om warm te blijven. Hij trok zijn overjas stevig dicht en wachtte in een witte nevel bij de ingang van het metrostation Palais Royal. Een schitterende auto, vond Morath. De wagen kwam zeer langzaam over de Rue Saint-Honoré gereden. Een bosgroene Peugeot 201, tien jaar oud, glimmend dankzij autowas en veel liefde.

Ze reden naar het noorden – achter vrachtwagenkonvooien aan – Saint-Denis in. Morath navigeerde Balki door een labyrint van kronkelende straten naar een park achter een kerk, waar ze de achterbank uit de auto haalden. De veersloten waren zeer hardnekkig. 'Alsjeblieft, Morath,' zei Balki, 'vooral niet te haastig. Deze auto staat voor iemands leven.' Hij had een stug, bruin pak en een wit overhemd aan. Geen stropdas, wel een kleppet; een barkeeper op zijn vrije dag.

Morath opende zijn reistas en stopte dikke pakken pengö onder de veerspiralen van de bank. Balki keek bars en schudde zijn hoofd terwijl hij al dat geld zag.

Route 2, richting noorden en oostelijk van Parijs, liep door Soissons en Laon, waar zich borden bevonden voor Cambrai en Amiens, waar de vlakke onkruidvelden lagen. Het open land waar ze altijd tegen de Duitsers hadden gevochten. In de dorpen rookten de schoorstenen. Vrouwen openden de luiken, keken vluchtig naar het zwerk en luchtten de kussens en dekens. Er gingen kinderen naar school, naast hen trippelden hun honden mee. Winkelbedienden haalden de metalen rolluiken van hun winkels omhoog, melkmannen zetten flessen op de drempels.

Achter de Franse stad Bettignies had de Belgische grenspolitie het druk met roken en leunen tegen hun barak. Ze getroostten zich echt niet de moeite om naar de Peugeot te kijken op het moment dat die passeerde.

'Nu de andere helft nog', zei Balki. Het klonk opgelucht.

'Nee, we hebben het achter de rug', zei Morath terwijl de barak in de achteruitkijkspiegel uit het zicht verdween. 'Eenmaal in Antwerpen zijn we toeristen. Ik had waarschijnlijk gewoon de trein kunnen nemen.'

Balki haalde zijn schouders op. 'Nou ja, je weet maar nooit.'

Ze sloegen af, een landweg in, en stopten het geld terug in de reistas.

Door Brussel rijden ging niet snel. In een bar in de buitenwijken stopten ze voor paling en *frites*, waarna ze langs de Schelde Antwerpen in reden. In de verte konden ze de misthoorn van een vrachtschip horen terwijl het vaartuig zich een weg de haven uit baande. Ze bevonden zich in de Van Eyklei in het diamantdistrict, een chique buurt bij een driehoekig park. 'Vanaf hier loop ik', zei Morath. Balki stopte en huiverde toen een wiel langs de stoeprand schraapte.

'Shabet? Twee panden verder', zeiden ze tegen hem. Hij vond de diamantbeurs in de Pelikaanstraat – lange tafels waarachter diamanthandelaren, met de kantoren van de diamantslijpers op de erboven gelegen verdieping. Het Shabet-familielid dat hij aantrof was een dertiger, kalend en met een zorgelijke uitstraling. 'Ik denk dat u maar beter met mijn oom kunt praten', zei hij. Morath wachtte bij de tafel tot er een telefoontje was gepleegd. Tien minuten later arriveerde de oom. 'We gaan naar mijn kantoor', zei hij.

En dat kantoor bevond zich weer in de Van Eyklei, op de tweede verdieping van een imposant, stenen gebouw. Een nogal luisterrijk kantoor. Perzische tapijten, een enorme mahoniehouten muurkast vol oude boeken, een barok bureau met een gecapitonneerd inzetstuk.

De oudere Shabet nam plaats achter zijn bureau. 'Zo, waarmee kan ik u van dienst zijn?'

'Een kennis in Parijs heeft mij uw naam doorgegeven.'

'Parijs. O, bent u Monsieur André?'

'Ik heb hem gevraagd die naam te gebruiken.'

Shabet keek inschattend naar hem. Morath schatte dat hij de zestig was gepasseerd. Hij had fijne gelaatstrekken en zilverkleurig haar, met op zijn kruin een wit, zijden keppeltje. Een aangename, rustige man. En rijk. En zelfverzekerd als het ging om wat er in de wereld te koop was. 'De tijd waarin we leven', zei hij, waarbij hij Morath de kleine misleiding vergaf. 'Uw vriend uit Parijs heeft iemand gestuurd om mij te spreken. U bent geloof ik geïnteresseerd in een investering.'

'Min of meer. Het gaat om ongeveer twee miljoen Hongaarse pengö.'

'U stelt geen belang in vorm en kwaliteit. Dat laat u aan ons over. Simpelweg een kwestie van conversie.'

'In diamanten.'

Shabet vouwde zijn handen op het bureau, duimen tegen elkaar aangedrukt. 'Uiteraard zijn de stenen beschikbaar.' Hij wist dat het niet zo eenvoudig lag.

'En als we ze eenmaal in ons bezit hebben, willen we ze verkopen.'

'Door ons?'

'Door uw compagnons, misschien familiepartners, in New York. Het betaalde bedrag komt op een bankrekening in Amerika.'

'Ah.'

'En indien, vanwege bezuinigingen op de verschepingskosten, de firma in New York de eigen voorraden wil aanspreken... stenen van dezelfde waarde... dan gaat ons dat niet aan.'

'U hebt een brief in gedachten, neem ik aan. Van ons aan hen, en de verrekening is een zaak van de familie, bedoelt u dat?'

Morath knikte en overhandigde Shabet een vel roomkleurig schrijfpapier.

Shabet haalde een knijpbrilletje uit zijn borstzak en plaatste dat op zijn neus. 'United Chemical Supply', las hij. 'Mr. J.S. Horvath, penningmeester. Bij de Chase National Bank, het filiaal in Park Avenue.' Hij legde het papier op zijn bureau en stak de knijpbril weer in zijn borstzak.

'Monsieur André? Wat is dat voor geld?'

'Donaties.'

'Voor spionagedoeleinden?'

'Nee.'

'Wat dan?'

'Een zeker fonds dat beschikbaar moet zijn in geval van een nationale noodsituatie.'

'Doe ik zaken met de Hongaarse regering?'

'Nee. Het bedrag is afkomstig van particulieren. Geen fascistisch kapitaal, en al evenmin geconfisqueerd, gestolen of verkregen door afpersing. De politiek die met dit geld wordt gediend, is de politiek van wat de kranten het "Schaduwfront" noemen, wat wil zeggen liberalen, legitimisten, joden, intellectuelen.'

Shabet was daar niet mee ingenomen. Hij fronste. De blik van een man die nee zou willen zeggen, maar dat niet kon. 'Het gaat om veel geld, meneer.'

'We vragen slechts om deze ene transfer.'

Shabet keek vluchtig uit het raam. Enkele sneeuwvlokjes dwarrelden door de lucht. 'Nou ja, het is een zeer oude methode.'

'Middeleeuws.'

Shabet knikte. 'En vertrouwt u ons dat toe? Er komen geen kwitanties aan te pas, niets van dat alles.'

'Uw familie vormt, naar wij menen, een firma met een gevestigde reputatie.'

'Dat mag u gerust zeggen, Monsieur André. Ik moet zeggen dat dat zo is. Sinds 1550.'

Shabet pakte het vel papier van zijn bureau, vouwde het dubbel en schoof het in de bureaulade. 'Er is ooit een tijd geweest,' zei hij, 'dat we u misschien het advies zouden hebben gegeven om met iemand anders zaken te doen. Maar tegenwoordig...' Het was onnodig de zin af te maken. Shabet nam niet de moeite. 'Goed', zei hij. 'Hebt u het geld bij u?'

Het begon te schemeren tegen de tijd dat ze een weg uit Antwerpen probeerden te vinden. Ze hadden een stadsplattegrond bij zich die waarschijnlijk was gemaakt door een ondernemende Belgische anarchist. Ze kibbelden terwijl de Peugeot door de smalle straatjes meanderde. Morath tikte met zijn vinger tegen de kaart en vertelde Balki waar ze waren, en Balki keek naar de straatnaambordjes en maakte Morath duidelijk waar ze zich niet bevonden.

De ruitenwissers knarsten schril terwijl ze zwiepend de natte sneeuw heen en weer over de gewolkte voorruit schoven. In een straat was brand uitgebroken. Het duurde een eeuwigheid om de auto achteruit de straat uit te krijgen. Ze draaiden de volgende straat in en bevonden zich achter paard en wagen van een voddenman. Ze probeerden een andere, die naar het beeld van een koning voerde en dood liep. '*Merde*', zei Balki. Hij reed in de tegenovergestelde richting en nam de eerstvolgende afslag.

Om de een of andere reden kwam die straat Morath vaag bekend voor. Hij was daar al eens eerder geweest. Toen zag hij het – de winkel *Homme du Monde*, de zaak van madame Golsztahn, waar je rokkostuums kon huren. Maar de mannequin was uit de etalage verdwenen.

Slechts een met de hand geschreven bord, waarop *Fermé* stond.

'Wat is er?' vroeg Balki.

Morath gaf geen antwoord.

Misschien kon het de Belgische douaniers niets schelen wie het land in en uit ging. Maar de Franse douanebeambten dachten daar anders over. 'Het horloge, monsieur. Is het, eh, nieuw?'

Balki zei: 'Gekocht in Parijs.'

Het was warm in de douanebarak. Een ijzeren kachel stond te gloeien in een hoek. Bovendien rook het er naar de natte wol in de capes van de douaniers. *Een Rus? En een Hongaar? Met een verblijfsvergunning? En een werkvergunning? De Hongaar met een diplomatiek paspoort? In een geleende auto?*

Welnu, wat was dat precies voor een *business* die hen had doen besluiten in een sneeuwstorm de grens over te steken? Misschien moeten we eens een kijkje gaan nemen in de kofferbak. De sleutel graag, monsieur.

Morath begon te rekenen. Om tien uur in het café in de Rue Guisarde arriveren, betekende dat ze deze hel een uur geleden al hadden moeten verlaten. Buiten claxonneerde een vrachtwagenchauffeur. Er begon een file te ontstaan terwijl een van de inspecteurs de Préfecture in Parijs telefonisch probeerde te bereiken. Morath kon de stem van de telefoniste horen; ze ruziede met de douanier. Deze hield zijn hand tegen de hoorn en zei tegen zijn chef: 'Ze zegt dat we via Lille moeten.'

'Onze telefoontjes gaan niet via Lille. Dat hoort bovenal zij te weten.'

Morath en Balki wisselden een blik. Maar de chef werd hen beu, en enkele minuten later stuurde hij hen met een heftig, heerszuchtig handgebaar op pad. Als ze met alle geweld aandrongen op hun status als buitenlander, dan was dat gewis niet *zijn* schuld.

Op Route 2 sneeuwde het.

De Peugeot kroop achter een oude Citroën-*camionette* aan met de naam van een kruidenierswinkel uit Soissons op de achterdeur geschilderd. Balki vloekte fluisterend en probeerde te passeren, waarbij de wielen slipten en de Peugeot begon te slingeren. Hij trapte op de rem, en Morath zag het bleke, furieuze gezicht van de chauffeur van de *camionette* terwijl het voertuig slippend passeerde. De Peugeot draaide om zijn as en ploegde door een akker terwijl de wielen dwars over de voren onder de sneeuw bonkten.

Ze kwamen op nog geen meter van een grote plataan tot stilstand. De schors vertoonde littekens als gevolg van het onbezonnen gedrag van vorige automobilisten. Balki en Morath stonden in de vallende sneeuw naar de auto te staren. De rechterachterband was plat.

Om tien voor twaalf 's nachts zag de Rue Guisarde er wit en stil uit in de knisperende sneeuw. De lichten in het café aan het einde van de straat straalden een amberkleurige gloed uit. Hij kreeg haar meteen in de gaten. Ze was de laatste klant en zag er verdrietig en in de steek gelaten uit, zoals ze daar over een boek en een leeg koffiekopje gebogen zat.

Hij ging tegenover haar zitten. 'Het spijt me', zei hij.

'O, het is niet erg.'

'Het was verschrikkelijk op de weg. We moesten een wiel verwisselen.'

Hij pakte haar handen vast.

'Je bent helemaal nat', zei ze.

'En ik heb het koud.'

'Je kunt misschien maar beter naar huis gaan. Na zo'n vervelende avond.'

Hij wilde niet naar huis.

'Je kunt ook meegaan naar mijn appartement. Daar kun je je haar drogen, dat is wel het minste.'

Hij ging staan, haalde enkele francs uit zijn zak en legde ze op de tafel voor de koffie.

Een zeer klein appartement; een enkele kamer met een bed in een alkoof, en een badkamer. Hij deed zijn overjas uit en zij hing die voor de radiatorkachel. Vervolgens deed hij zijn colbert in een grote kleerkast en plaatste zijn doorweekte schoenen op een stuk krant.

Ze zaten op een oude, ingewikkelde sofa, een Victoriaanse gruwel, van het soort dat nooit meer ergens heen ging als het eenmaal vijf trappen naar boven was gebracht. 'Lief, oud ding', zei ze toegenegen. Met een hand streek ze het bruinfluwelen kussen glad. 'Hij figureert vaak in de romans van D.E. Cameron.'

'Het ereveld.'

'Ja.' Ze lachte en zei: 'Eigenlijk heb ik geluk gehad dat ik dit kon vinden. Ik ben geen legale huurster, vandaar dat mijn naam niet in het telefoonboek staat. Het appartement is van iemand die Moni heet.'

'Moni?'

'Nou ja, ik denk dat Mona haar echte naam is. Maar als je Mona heet, blijft volgens mij alleen het koosnaampje Moni over.'

'Klein, zwart haar? Is ze nooit te beroerd om problemen te veroorzaken?'

'Precies. Ze is een kunstenares uit Montreal en woont ergens met haar vriendin in de buurt van de Bastille. Waar ken jij Moni van?'

'Juan-les-Pins. Ze was een van de vriendinnen van Cara.'

'O, nou ja, hoe dan ook, in mijn geval zorgde ze voor een buitenkansje. Toen Jean-Marie was overleden, heb ik mezelf plechtig beloofd dat ik in dat appartement zou blijven wonen, maar ik kon het financieel niet opbrengen. 's Zomers mis ik een koelkast, maar ik heb een kookplaat en ik kan de St.-Sulpice zien.'

'Het is rustig hier.'

'Alleen tussen de sterren.'

Ze pakte een fles wijn van het raamkozijn, opende die en schonk hem en haarzelf een glas in. Hij stak een sigaret op en zij haalde een Rico-asbak voor hem.

Ze zei: 'Portugees.'

Hij nam een slokje. 'Hele goeie.'

'Niet slecht, zou ik zeggen.'

'Absoluut.'

'Ik vind deze lekker.'

'Mm.'

'Hij heet Garrafeira.'

Jezus, wat is deze bank lang.

'Wat was je aan het lezen in het café?'

'Babel.'

'In het Frans?'

'Engels. Mijn vader was een Ier, maar ik moest die taal leren op school. Mijn moeder was een Franse. We woonden in Parijs en spraken thuis Frans.'

'Je hebt dus officieel de Franse nationaliteit.'

'De Ierse. Hoewel ik er maar twee keer ben geweest, moest ik op mijn achttiende verjaardag een keuze maken. Mijn ouders wilden graag dat ik Ierse werd... volgens mij zat daarachter dat mijn moeder dat graag voor mijn vader wilde. Trouwens, wat maakt het uit. Wereldburger, toch?'

'Voel je dat ook zo?'

'Nee, ik ben een Franse. Hier ligt mijn hart, ik kan er niets aan doen. Mijn uitgever dacht dat ik in het Engels schreef. Een leugen. Ik pende in het Frans en vertaalde het in het Engels.'

Morath liep naar het raam en staarde naar beneden, naar de sneeuwvlokken die langs de straatlampen zweefden. Dat bleek het keerpunt te zijn. Mary Day liep door de kamer naar hem toe en leunde tegen hem aan. Hij pakte haar hand vast.

'Hield je van Ierland?' Hij vroeg het zachtjes.

'Het was er erg mooi', antwoordde ze.

Het was een opluchting om het achter de rug te hebben, die eerste keer. Want alleen God wist wat er allemaal mis kon gaan. De tweede keer ging veel beter. Ze had een lang, soepel lichaam, zijdeachtig en slank. In het begin was ze een beetje timide, later niet meer. Het bed was smal, niet echt bedoeld voor twee personen, maar ze sliep de hele nacht in zijn armen, dus maakte het niet uit.

Kerstavond. Een lang gevestigde traditie, dat kerstfeestje van barones Frei. In de taxi was Mary Day gespannen. Dit was een party waar ze niet bepaald om hadden gevochten. Hij moest gaan, maar hij wilde haar op kerstavond niet alleen thuis laten. 'Voor jou iets nieuws, een Hongaarse avond', had hij gezegd.

'Met wie moet ik praten?'

'Mary, *ma douce*, er bestaat niet zoiets als een Hongaar die alleen Hongaars spreekt. De mensen op het feestje zullen Frans praten, of misschien Engels. En als, God verhoede het, jij aan iemand wordt voorgesteld en tot de ontdekking komt dat jullie geen enkel begrijpelijk woord met elkaar kunnen wisselen, dan is er nog geen man overboord. Een verontschuldigend lachje, waarna je naar het buffet ontsnapt.'

Uiteindelijk ging ze mee. In iets zwarts – en bovendien ietwat vreemd, zoals met alles wat ze aanhad – maar daardoor zag ze er nog hartbrekender in uit dan gewoonlijk. Ze was uiteraard verrukt over de doodlopende steeg Villon en het huis. En over de bediende die een buiging maakte op het moment dat ze bij de deur stonden en die hun jassen gezwind liet verdwijnen.

'Nicholas?' fluisterde ze.

'Ja.'

'Dat was een lakei in livrei, Nicholas.' Ze keek om zich heen. De kaarsen, het zilver, de honderd jaar oude kerststal boven de open haard, de mannen, de vrouwen. In een afgelegen kamer klonk een strijkkwartet.

Barones Frei bleek ingenomen dat hij in gezelschap was. En ze was kennelijk ook tevreden over zijn keuze. 'U moet eens een keertje langskomen, zodat we kunnen praten', zei ze tegen Mary Day, die ongeveer tien minuten aan de arm van Morath bleef, waarna een baron haar wegvoerde.

Morath, glas champagne in zijn hand, raakte in gesprek met een man die aan hem werd voorgesteld als Bolthos, een staatsambtenaar verbonden aan het Hongaarse gezantschap. Morath vond dat de man er zeer gedistingeerd uitzag, met grijze haren bij de slapen, net een olieverfschilderij van een diplomaat uit 1910. Bolthos wilde over politiek praten. 'Hitler is razend op hen', zei hij over de Roemenen. 'Calinescu, de minister van Binnenlandse Zaken, heeft snel werk gemaakt van de IJzeren Garde. Natuurlijk met goedkeuring van de koning. Ze schoten Codreanu en veertien van zijn luitenanten dood. "Neergeschoten terwijl ze probeerden te ontsnappen", zoals in dergelijke gevallen vaak wordt gezegd.'

'Misschien wordt het tijd dat we iets van hen gaan leren.'

'Ik denk dat het een boodschap was. Zorg dat dat ellendige uitschot van jou niet in ons land komt, Adolf.'

Daar was Morath het mee eens. 'Indien we ons alliëren met de Polen en Roemenen, zelfs met de Serven, en ons confronterend opstellen, dan kunnen we dit misschien daadwerkelijk overleven.'

'Ja, het Intermarium. Ik ben het met u eens, in het bijzonder als de Fransen zouden meehelpen.'

De Fransen hadden twee weken daarvoor een vriendschapsverdrag gesloten met Berlijn – een herbevestiging van München. 'Zouden ze dat doen?' vroeg Morath.

Bolthos nipte van zijn champagne. 'Misschien op de valreep, nadat wij alle hoop hebben opgegeven. De Fransen hebben altijd veel tijd nodig om het juiste te doen.'

'Geen München voor de Polen', zei Morath.

'Nee, zij zullen vechten.'

'En Horthy?'

'Hij zal schipperen, zoals gewoonlijk. Uiteindelijk zou dat wel eens niet voldoende kunnen zijn. Dan gaan we allemaal de kookpot in.'

Bolthos' verbluffende vrouw – een en al platinablond haar en diamanten oorbellen – kwam bij hen staan. 'Ik hoop niet dat ik je heb betrapt terwijl je over politiek praat', zei ze met een voorgewende frons. 'Het is *Kerstmis*, schat. Niet het tijdstip voor duels.'

'Uw dienaar, meneer.' Morath liet zijn hakken klikken en maakte een buiging.

'Zie je wel?' zei mevrouw Bolthos. 'Nu moet je met het krieken van de dag opstaan, net goed.'

'Snel!' zei een jonge vrouw. 'Het is Kolovitzky!'

'Waar?'

'In de balzaal.'

Morath volgde haar terwijl zij zich een weg baande door de mensenmassa. 'Ken ik u niet ergens van?'

De vrouw keek over haar schouder en lachte.

In de balzaal stond de eminente cellist Bela Kolovitzky op een verhoogd platform en grijnsde naar de samendrommende menigte. Kolovitzky legde een zakdoek tussen hals en schouder en schikte een viool. Destijds beroemd en succesvol in Boedapest, in 1933 naar Hollywood vertrokken.

'De vlucht van de hommel!' riep iemand. Het was duidelijk een grapje.

Kolovitzky speelde enkele dissonante, klaaglijke tonen, waarna hij langs zijn voeten naar beneden keek. 'Iets anders?'

Toen begon hij te spelen. Een trage, intens romantische melodie die vaag vertrouwd klonk. 'Dit is uit *Enchanted Holiday*', zei hij.

Het klonk almaar treuriger. 'Nu kijkt Hedy Lamarr op naar het stoomschip.'

En vervolgens, smachtend: 'Ze ziet Charles Boyer bij de reling staan... hij zoekt haar... tussen de menigte... ze begint haar hand op te steken... nu half in de hoogte... en laat de hand zakken... nee, ze kunnen nooit samen zijn... op het schip klinkt de stoomfluit.' Hij bootste dat geluid na op zijn viool. 'Charles Boyer is uitzinnig... waar is ze?'

'Wat *is* dit voor een stuk?' vroeg een vrouw. 'Het klinkt me vaag vertrouwd in de oren.'

Kolovitzky haalde zijn schouders op. 'Iets tussen Tsjaikowsky en Brahms in. Brahmsky zullen we hem noemen.' Hij begon Engels te spreken, met een komisch Hongaars accent. Het moez so teder, so ro-*man*-tisch, so zenti-*men*-teel zijn. So lieflijk dat... Sam Goldwyn in tranen is... en Kolovitzky... er rijk van wordt.'

Morath liep tussen de mensen door en was op zoek naar Mary Day. Hij vond haar in de bibliotheek, zittend bij het opflakkerende vuur van de open haard. Ze had zich naar voren gebogen op de canapé, met een duim in een boek, de plaats waar ze was gebleven, en luisterde aandachtig naar een kleine man met wit haar. Hij zat in een leren leunstoel; zijn hand rustte op de zilveren ramskop van zijn wandelstok. Aan de voeten van Mary lag een van de viszla's op de rug terwijl Mary Day de fluweelachtige vacht niet-aflatend streelde en de hond bijna in een halfbewuste, paradijselijke verrukking was terechtgekomen. 'Opeens, vanaf die heuvel...,' zei de heer met het witte haar, '... kun je de tempel van Pallas Athene zien.'

Morath zat op een spichtige stoel bij een openslaande balkondeur. Hij at een stuk cake; het bordje balanceerde op een knie. Barones Frei zat dicht bij hem, haar rug gebogen onder een zijden avondjapon, haar gezicht zoals altijd stralend. *Je zou kunnen zeggen dat ze de mooiste vrouw van Europa is,* dacht Morath.

'En wat zei je moeder, Nicholas?'

'Ze wil blijven.'

'Ik zal een brief naar haar schrijven', zei de barones resoluut.

'Graag, maar ik betwijfel of ze van gedachten verandert', zei hij.

'Koppig! Altijd haar zin doordrijven.'

'Ze zei net voor mijn vertrek dat ze met de Duitsers kon leven als het moest. Maar als het land bezet zou worden door de Russen, dan dien ik een manier te vinden om haar daar weg te halen. In dat geval zou ze meegaan naar Parijs.'

Hij vond Mary Day en nam haar mee naar de wintertuin; rottende bladeren plakten op de ijzeren stoelen en tafel, kale rozenstengels kronkelden tussen het latwerk door. De ijskoude lucht maakte het zwerk zwart en de sterren fel en wit. Toen ze begon te beven, ging Morath achter haar staan en legde zijn armen om haar heen. Ze zei: 'Ik hou van je, Nicholas.'

HET INTERMARIUM

11 maart 1939.

Amen. De wereld was in een chaos beland, de helft van alle Europese legers was gemobiliseerd. De diplomaten waren constant op sjouw en doken hier en daar op als tinnen aapjes op schietbanen. Precies, dacht Morath, ja, als aapjes op de schietbaan.

Terwijl hij de Pont Royal overstak om ergens te gaan lunchen – hij was laat en had geen haast – hield hij zijn pas in en leunde tegen de stenen brugleuning. De rivier stond hoog en stroomde log, de kleur deed denken aan glimmende lei, en de maartse wind en de lentestroming hadden het wateroppervlak ruw gemaakt. In het westen kwamen witte wolkenslierten aangedreven uit de richting van de Kanaalhavens. *De laatste dagen van het sterrenbeeld Vissen*, dacht hij. Van dromen en mysteries. Over tien dagen was de equinox een feit. Wanneer het midden in de nacht regende, werden ze wakker en bedreven de liefde.

Hij keek op zijn horloge – Polanyi zou op hem wachten. Was er een manier om dit te vermijden? Vanaf hier stroomde de Seine naar het noorden. Naar Rouen en Normandië. Naar de zee. *Ontsnapping.*

Nee, lunch.

Een half uur later bevond hij zich in de Brasserie Heininger. Een witte, marmeren trap voerde naar een kamer met van rood pluche voorziene muurbankjes, beschilderde cupidootjes en gele koorden aan de gordijnen. Obers met bakkebaarden haastten zich door het vertrek en droegen zilveren dienbladen, waarop roze *langoustes*. Morath was opgelucht. Geen Prévert meer; 'de schoonheid van sinistere dingen'. Graaf von Polanyi de Nemeszvar was kennelijk herrezen uit de krochten, verleid als hij was door het luxueuze eten en een in leer gebonden wijnkaart.

Polanyi begroette hem formeel in het Hongaars en ging staan om hem een hand te geven.

'Het spijt me dat ik zo laat ben.'

Een fles Echézeaux stond geopend op de tafel. Een ober kwam haastig aangelopen en schonk Morath een glas in. Deze nam een slokje en staarde naar het spiegelpaneel boven de muurbank. Polanyi volgde zijn blik.

'Nu niet kijken, maar er zit een kogelgat in de spiegel achter u', zei Morath.

'Ja, de beruchte tafel veertien, dit restaurant heeft geschiedenis geschreven.'

'Meent u dat?'

'Volgens mij was het twee jaar geleden. Op de chef-ober werd een aanslag gepleegd terwijl hij op de pot zat in het damestoilet.'

'Nu, *dat* zal hij nooit meer doen.'

'Naar verluidt met een machinepistool. Het had iets te maken met de Bulgaarse politiek.'

'O. En in zijn herinnering...'

'Ja. Er doet ook het verhaal de ronde dat een of andere Britse spion/minnares hier altijd "jour" hield.'

'Aan déze tafel?'

De ober kwam terug. Polanyi bestelde mossels en *choucroute royale*.

'Wat wil "royale" zeggen?' vroeg Morath.

'Ze koken de zuurkool in champagne in plaats van bier.'

'Kun je de champagne proeven? In de zuurkool?'

'Een illusie. Maar het idee dat zoiets mogelijk is, vindt men leuk.'

Morath bestelde *Suprêmes de volaille*, kippenborst in roomsaus, bovendien de eenvoudigste schotel die hij kon kiezen.

'Heb je gehoord wat er is gebeurd op het Franse ministerie van Luchtvaart?' vroeg Polanyi.

'Nee, wat?'

'Nu, ten eerste gaven ze een contract voor de bouw van gevechtsvliegtuigen aan de meubelmaker.'

'Iemands zwager.'

'Waarschijnlijk. Daarna besloten ze hun geheime papieren te bewaren in een militair testgebouw/terrein buiten Parijs. Opgeborgen in een niet meer in gebruik zijnde windtunnel. Ze vergaten alleen om het tegen de techneuten te zeggen, die het apparaat aanzetten, waardoor alle papieren door de buurt werden geblazen.'

Morath schudde zijn hoofd. Er was een tijd dat dit grappig zou zijn geweest. 'Als ze niet uitkijken, zit straks Adolf in het Elysée.'

'Dat maken wij niet meer mee', zei Polanyi. Hij had het laatste restje van zijn wijn opgedronken en vulde zijn glas opnieuw. 'Wij zijn van mening dat Adolf op het punt staat een fout te maken.'

'En die is?'

'Polen. De laatste tijd heeft hij de mond vol over Gdansk... "is Duits, is altijd Duits geweest en zal altijd Duits blijven". Zijn radiozender roept de Duitsers in die stad op een "lijst te maken van uw vijanden, want het zal niet lang duren voordat het Duitse leger u te hulp zal komen om ze te bestraffen". Er moet nu dus een pact komen, tussen de Polen, de Roemenen en ons... de Joegoslaven kunnen meedoen als ze dat willen. Het zogenoemde Intermarium, het land tussen de zeeën, ofwel de Baltische en de Adriatische Zee. Samen zijn we sterk. Polen heeft het grootste landleger van Europa, en we kunnen Hitler de Roemeense tarwe en olie ontzeggen. Als we zijn uitdaging aannemen en hij bakzeil moet halen, dan zal dat zijn einde betekenen.'

Polanyi zag dat Morath sceptisch was. 'Ik weet het, vertel mij wat', zei hij. 'Oude haat, territoriale geschillen en wat al niet meer. Maar als we niets ondernemen, gaan we de weg van de Tsjechen op.'

De lunch arriveerde. De ober kondigde elke schotel aan terwijl hij ze op tafel zette.

'Wat vindt Horthy hiervan?'

'Hij steunt het initiatief. Misschien ben je op de hoogte van de achtergrond van de politieke gebeurtenissen in februari. Misschien ook niet. Officieel heeft Imredy ontslag genomen en werd graaf Teleki minister-president. In feite werd Horthy gewaarschuwd dat een krant in Boedapest op het punt stond de in Tsjecho-Slowakije verkregen bewijzen te publiceren over het feit dat dr. Bela Imredy, de fanatieke antisemiet, zelf jood was. Hij had op z'n minst een joodse overgrootvader. Imredy sprong dus niet, hij werd geduwd. En toen hij ontslag nam, verkoos Horthy hem te vervangen door Teleki, een internationaal vooraanstaande geograaf en liberaal. Dat betekent dat Horthy op z'n minst enige weerstand tegen de Duitse doelstellingen steunt als het beste middel om Hongarije te behoeden voor weer een andere oorlog.'

'Samen met Groot-Brittannië en Frankrijk. En vroeg of laat ook Amerika. Ongetwijfeld zullen we die oorlog winnen.'

'Je vergeet Rusland', zei Polanyi. 'Hoe is jouw kip?'

'Heel goed.'

Polanyi zweeg even. Hij gebruikte een mes om op zijn vork een hoopje zuurkool op een stukje Frankfurter worst te schuiven, waarna hij er een likje mosterd bij deed. 'Je hebt toch niets tegen de Polen, hè, Nicholas?'

'Absoluut niet.'

'Mooi landschap. En de bergen, de Tatra, subliem. Vooral in deze tijd van het jaar.'

'Men zegt het.'

'Nicholas!'

'Ja?'

'Is het mogelijk dat jij daar nooit bent geweest, in de majestueuze Tatra?'

Er lag een memo op zijn bureau in het kantoor van de Agence Courtmain. Er stond op dat hij een dossier moest inzien over Betravix, een zenuwversterkend middel, gemaakt van rode bieten. Daarin trof hij ook een prentbriefkaart aan, waarop een afbeelding van een wild uit zijn ogen kijkende Zeus, wiens baard naar een kant werd geblazen door een donderwolk boven zijn hoofd. Bovendien stond Zeus op het punt een uitzonderlijk roze en naakte Hera, die hij in toom hield met zijn voet, te verkrachten. Op de achterzijde van de kaart zag hij een tekening, in rood potlood, van een hart dat doorboord werd door een uitroepteken.

Hij zat in vergadering met Courtmain. Toen hij terug was op zijn kantoor, vond hij een tweede bericht, ditmaal op een velletje papier gekrabbeld. *Je vriend Ilya heeft gebeld. M.*

Hij liep door de gang naar haar kantoor, een kamertje waarvan een muur was vervangen door een groot raam. 'Leuke kaart van jou gekregen', zei hij. 'Gaat dat hier zo als jij Betravix inneemt?'

'Ik zou het niet proberen, als ik jou was.' Een namiddagzonnestraal viel schuin op haar lokken. 'Heb je het telefoonberichtje gelezen?'

'Ja. Wie is Ilya?'

'Een vriend, zei hij. Hij wil je ontmoeten.' Ze bladerde door een stapel aantekeningen op haar bureau. 'Bij een drankje in het café in de Rue Maubeuge, tegenover de Gare du Nord. Om kwart over zes.'

Ilya? 'Weet je zeker dat het voor mij was bedoeld?'

Ze knikte. 'Hij zei: "Kunt u tegen Nicholas zeggen."'

'Werkt hier nog een andere Nicholas?'

Ze dacht daarover na. 'Niet op dit kantoor. Hij klonk heel aardig, heel kalm. Russische tongval.'

'Nou ja, het zou kunnen.'

'Ga je?'

Hij aarzelde. Onbekende Russen. Ontmoetingen in cafés bij trein-stations. 'Waarom heeft hij *jou* gebeld?'

'Geen idee, schat.' Ze keek langs hem, in de richting van de deur. 'Is het dat?'

Hij draaide zich om en zag Léon met een schets van een vrouw in een bontstola. 'Als je het nu druk hebt, kan ik later terugkomen', zei Léon.

'Nee, wij zijn klaar', zei Morath.

Gedurende de rest van de dag dacht hij erover na. Hij kon er niet mee ophouden. Bijna had hij Polanyi gebeld, maar besloot het niet te doen. Uiteindelijk nam hij het besluit weg te blijven. Hij verliet het kantoor om half zes, stond even in de Avenue Matignon en gebaarde naar een taxi met de bedoeling naar zijn appartement te gaan.

'Monsieur?' vroeg de chauffeur.

'Gare du Nord.' *Je m'en fous* – ach wat, ik doe het gewoon.

Hij zat in het café, een ongelezen krant lag naast zijn koffie, en staarde naar de mensen die door de deur naar binnen kwamen. Had het iets te maken met de diamanthandelaar in Antwerpen? Iemand die Balki kende? Of een vriend van een vriend – *bel Morath als je in Parijs arriveert.* Misschien iemand die hem een verzekering wilde aan-smeren. Of het betrof een effectenmakelaar. Of een émigré die een baan nodig had. Een Russische cliënt die wilde adverteren met zijn… schoenenzaak?

Werkelijk, het kon iedereen zijn, behalve degene van wie hij zeker wist dat het zou zijn.

Morath wachtte tot zeven uur, waarna hij een taxi nam naar het appartement van Mary Day. Ze dronken een glas wijn, bedreven de liefde en gingen uit eten – *steak-frites* – waarna ze naar huis wandelden en zich onder de dekens tegen elkaar aan nestelden. Maar hij werd wakker om half vier. En opnieuw om vijf uur.

Toen de volgende ochtend op zijn kantoor de telefoon rinkelde, wachtte hij tot het apparaat drie keer was overgegaan alvorens de hoorn op te pakken.

'Excuseer, meneer Morath. Ik hoop dat u het mij vergeeft.' Een zachte stem, met een zwaar accent.

'Wie bent u?'

'Gewoon Ilya. Morgenvroeg bevind ik me op de openluchtmarkt, Place Maubert.'

'En dit betreft...?'

'Dank u', zei hij. Op de achtergrond riep iemand: '*Un café allongé.*' Er stond een radio aan, een stoel schraapte over een tegelvloer, waarna er werd opgehangen.

Het betrof een grote markt, daar op de Place Maubert, op dinsdag en zaterdag. Kabeljauw en *red snapper* op ijsblokjes. Koolsoorten, aardappelen, rapen, prei, uien. Gedroogde rozemarijn en lavendel. Walnoten en hazelnoten. Twee bloederige, in een krant gewikkelde varkensniertjes.

Morath zag hem wachten in de portiek. *Een spookbeeld*. Hij staarde even naar hem en kreeg een knik als antwoord.

Ze liepen samen langs de kraampjes, hun adem was te zien in de koude lucht.

'Hoor ik u te kennen?' vroeg Morath.

'Nee', antwoordde Ilya. 'Maar ik ken u wel.'

Er was iets, heel subtiel, mis met deze man, dacht Morath. Misschien was zijn romp te lang voor zijn benen, of waren zijn armen te kort. Zijn haargrens was zover naar achteren geweken, terwijl de haardos zelf vol was, dat het aanvankelijk leek of hij een hoog voorhoofd had. Een gezicht dat kalmte uitstraalde, wasachtig en bleek, waardoor zijn dikke snor nóg zwarter leek. En zijn houding had iets van een arts of een advocaat, een man die zichzelf had getraind – vanwege zijn beroep – om zijn emoties te verbergen. Hij had een oude, sombere, olijfgroene overjas aan, misschien een restant van iemands leger, ergens gestationeerd, en zo vuil en versleten dat de afkomst van die jas lang geleden langzaam in duisternis was gehuld.

'Hebben we elkaar al eens eerder ontmoet?' vroeg Morath aan hem.

'Niet echt. Ik ken u dankzij uw dossier, in Moskou. Het soort dossier dat door de speciale diensten wordt bijgewerkt. Het is misschien completer dan u zou verwachten. Wie u allemaal kent, wat u verdient, politieke opvattingen, familie... de gewone dingen. Ik kon in Parijs kiezen uit honderden mensen. Diverse nationaliteiten, persoonlijke levensomstandigheden. Uiteindelijk koos ik u.'

Een tijdje liepen ze zwijgend verder. 'Ik ben natuurlijk op de vlucht. Ik zou worden doodgeschoten, als gevolg van de zuiveringsactie van het Directoraat van Buitenlandse Zaken. Mijn vrienden zijn gearresteerd, zomaar verdwenen; de normale gang van zaken daar. In die periode was ik in... ik mag wel zeggen in Europa. En toen ik werd teruggeroepen naar Moskou om een medaille te ontvangen, dat zeiden ze althans, wist ik precies om welke medaille het ging. Een van negen gram. Bovendien was ik precies op de hoogte van wat ze voor mij in petto hadden voordat ze zouden komen om mij die kogel te geven. Dus vluchtte ik en ben naar Parijs gegaan om onder te duiken. Ik heb gedurende zeven maanden in een kamer gewoond. Naar ik meen heb ik in die periode slechts drie keer dat vertrek verlaten.'

'Waar leefde u van?'

Ilya haalde zijn schouders op. 'Op de manier zoals je dat zou doen. Met het beetje geld dat ik had, kocht ik een kookpot, een spiritusstel en een grote zak haver. Met water, dat ik tot mijn beschikking had aan het einde van de gang bij mijn kamer, kon ik de haver koken en *kasha* maken. Als je er een beetje varkensvet aan toevoegt, kun je ervan leven. Ik heb dat gedaan.'

'En wat heb ik daarmee te maken? Wat wilt u van mij?'

'Hulp.'

Een politieagent passeerde, zijn cape hield hij strak om zich heen om warm te blijven. Morath meed zijn vluchtige blik.

'Er zijn dingen die bekend horen te zijn', zei Ilya. 'Misschien kunt u mij helpen om dat te laten gebeuren.'

'Ze zijn natuurlijk op zoek naar u.'

'Van hoger- en lagerhand. En ze zullen me vinden.'

'Is het wel verstandig dat u op straat vertoeft?'

'Nee.'

Ze passeerden een *boulangerie*. 'Een moment', zei Morath. Hij liep naar binnen en kwam weer te voorschijn met een *bâtard*. Hij brak er een stukje af en gaf de rest aan Ilya.

Morath kauwde een hele tijd op het brood. Hij had een zeer droge mond en slikken ging moeizaam.

'Ik ben me ervan bewust dat ik u in een gevaarlijke situatie heb gemanoeuvreerd', zei Ilya. 'En dat geldt ook voor uw vriendin. Ik moet me daarvoor verontschuldigen.'

'U was wel zo vrij om mij via haar te bellen. U weet waar ze werkt, toch?'

'Ik ben u gevolgd, monsieur. Dat is niet zo moeilijk.'

'Nee, ik neem aan van niet.'

'U kunt natuurlijk weigeren. Ik zal u dan niet langer lastigvallen.'

'Ja, dat weet ik.'

'Maar u weigert niet.'

Morath gaf geen antwoord.

Ilya glimlachte. Kortom...', zei hij.

Morath diepte uit zijn zak al het geld op dat hij bij zich had en overhandigde het aan Ilya.

'Dank u, zeer vriendelijk van u', zei Ilya. 'En wat de rest betreft, als God het wil, houd alstublieft in gedachten dat ik niet veel tijd heb.'

Morath nam Mary Day die avond mee naar de bioscoop. Een gangsterfilm, wat toevallig, waarbij rechercheurs in de regen een knappe bankrover door steegjes achtervolgden. Een nobele barbaar, zijn sinistere ziel was in de vorige film bevrijd dankzij de liefde, maar de *flics* waren daar niet van op de hoogte. De witte sjaal die hij in zijn hand hield toen hij stierf in een regenpoel onder de straatlamp was van lieve, aardige, verrukkelijke Dany in een strakke sweater. In deze wereld bestond geen gerechtigheid. Een verholen snifje van Mary Day, meer kreeg hij niet. Toen het bioscoopjournaal begon – een ingestorte kolenmijn in Lille, Hitler schreeuwde zijn keel schor in Regensburg – gingen zij weg.

Terug naar de Rue Guisarde. In de duisternis lagen ze in bed. 'Heb je die Rus ontmoet?'

'Vanmorgen. Op de markt, Place Maubert.'

'En?'

'Een vluchteling.'

'O?'

Ze voelde zich licht en broos in zijn armen.

'Wat wilde hij van jou?' vroeg ze.

'Een of andere vorm van hulp.'

'Ga je hem helpen?'

Hij zweeg even, waarna hij zei: 'Misschien.'

Hij wilde er niet over praten en liet zijn hand over haar maagstreek glijden met de bedoeling van onderwerp te veranderen. 'Zie je wat er gebeurt als ik mijn Betravix inneem?'

Ze grinnikte zachtjes. 'Nou, dat is iets wat ik *inderdaad* heb gezien. Een week nadat ik was aangenomen, geloof ik. Jij was ergens naartoe... waar dan ook waarheen jij je altijd begeeft... toen die kleine, zonderlinge man kwam met zijn tonicum. "Voor de zenuwen", zei hij. "Het geeft je bovendien meer vitaliteit." Courtmain was gretig, hij wilde er meer over weten. We zaten in zijn kantoor. De groene fles op zijn bureau. Ergens haalde hij een lepel vandaan. Ik deed het dopje eraf en rook aan de inhoud. Courtmain keek mij onderzoekend aan, maar ik hield mijn mond... ik was er pas sinds enkele dagen en wilde geen fouten maken. Nou, Courtmain liet zich nergens door afschrikken. Hij nam een theelepel vol en slikte het goedje moeizaam door. Vervolgens trok hij bleek weg en begon door de gang te rennen.'

'Betravix... het houdt de vaart erin.'

'En hoe hij keek.' Ze snoof toen ze zich dat herinnerde.

Het was vijftien maart. Tijdens een hevige sneeuwstorm vielen Duitse gemotoriseerde infanterietroepen, motoren, halfrupsvoertuigen en pantserwagens Praag binnen. Het Tsjechische leger bood geen weerstand en de luchtmacht bleef aan de grond. De hele dag meanderden de colonnes van de Wehrmacht door de stad, in de richting van de Slowaakse grens. De volgende ochtend sprak Hitler vanaf het balkon van het kasteel Hradcany een menigte *Volksdeutschen* toe. In de daaropvolgende paar dagen vonden er in Tsjecho-Slowakije vijfduizend arrestaties en honderden zelfmoorden plaats.

Twee weken daarvoor had Hongarije zich aangesloten bij het Anti-Comintern Pact – Duitsland, Italië en Japan – terwijl tegelijkertijd in het hele land een intense onderdrukking van fascistische elementen werd geïnitieerd. *We zullen ons verzetten tegen de bolsjewieken.* Dat leek de actie uit te stralen. *En ongeacht welk document we ondertekenen, we zullen niet worden geregeerd door nazi-surrogaten.* In zeker opzicht, een duister, verwrongen opzicht, leek dat ergens op te slaan. En het werd nog logischer toen de Honved, het koninklijke Hongaarse leger, op de veertiende de grens over marcheerde en Roethenië bezette. Langzaam, en op een pijnlijke wijze, kreeg men de oude grondgebieden weer in het bezit.

In Parijs was de jagende sneeuw veranderd in regen. Op de straten werd er over het nieuws gepraat. Onder zwarte, glimmende paraplu's verzamelden de mensenmassa's zich bij de kiosken waar de krantenvoorpagina's als posters waren opgehangen. *Verraad.* Morath voelde deze sfeer in de lucht hangen. Alsof het beest, dat ten tijde van München veilig was opgesloten in de kelder, de deur had ingetrapt en met het porselein begon te smijten.

De receptioniste van het reclamebureau beantwoordde de telefoontjes terwijl ze met een zakdoek deppend haar tranen droogde. Een stemmige Courtmain liet Morath een lijst van jongemannen zien die waarschijnlijk opgeroepen zouden worden voor militaire dienst – hoe moest het verder zonder hen? In de gangen werd indringend gefluisterd.

Maar toen Morath tegen de middag het kantoor verliet, fluisterde niemand. In de straten en cafés, op de bank en overal elders, was het *merde* en nog eens *merde*. En *merdeux, un beau merdier, merdique, emmerdé* en *emmerdeur.* De Parijzenaars konden het op vele manieren zeggen, en dat deden ze dan ook. De krant van Morath – zéér pessimistisch over de toekomst – herinnerde de lezers eraan wat Churchill had gezegd in antwoord op de redes van Chamberlain over 'eervolle vrede', destijds in München: 'U kreeg de keuze tussen oorlog en eerverlies. U koos eerverlies en u zult oorlog oogsten.'

Op 28 maart viel Madrid in handen van Franco's legers. De Spaanse republiek zwichtte. Mary Day zat in haar flanellen nachthemd op de bedrand en luisterde naar de stem op de radio. 'Weet je, ik heb ooit een vriend gehad', zei ze. Ze was bijna in tranen. 'Een Engelsman. Lang en dwaas, zo blind als een vleermuis... Edwin Pennington. Edwin Pennington, die *Annebelle Surprised* en *Miss Lovett's School* schreef. Op een dag vertrok hij en stierf in Andalusië.'

Morath was die ochtend aan het werk en ontving een *petit bleu*, een telegram dat werd aangeleverd via het pneumatische buizensysteem van de Parijse postkantoren. Een eenvoudig bericht: 'Notre Dame de Lorette, 13.30 uur.'

De kerk Notre Dame de Lorette bevond zich in het smerige negende arrondissement – de hoeren in die buurt stonden bekend als *Lorettes*. In de straten rond die kerk leek het of Ilya niet makkelijk opgemerkt zou worden. Intuïtief, het betere intuïtieve gevoel van Morath, waarschuwde hem niet te gaan. Hij leunde naar achteren in zijn stoel, staarde naar het telegram, rookte een sigaret en verliet het kantoor meteen.

Het was donker en druk in de kerk. Rond die tijd van de dag waren er doorgaans oudere vrouwen te vinden. *Oorlogsweduwen*, dacht hij. Ze waren in het zwart gekleed en een beetje vroeg voor de mis van twee uur. Hij zag de meest onopvallende schaduw aan de achterzijde, uit de buurt van het gebrandschilderd glas. Ilya kwam bijna meteen te voorschijn. Hij was gespannen, de kleine durfal op de Maubert-markt bleek verdwenen te zijn. Hij ging zitten, haalde diep adem en zuchtte, alsof hij had geheld. 'Prima', zei hij zachtjes. 'U bent er.'

'U ziet wat er in Praag gebeurt', zei hij. 'Polen volgt. Ik hoef u dat niet te vertellen. Maar wat niet bekend is, is dat de richtlijnen zijn *geschreven*, het oorlogsplan ligt klaar. Het heeft een naam. *Fall Weiss*, Witte Zaak. En er is een datum aan verbonden; na één september, ongeacht welke dag.'

Morath herhaalde de naam en de datum.

'Ik kan het bewijzen', zei Ilya opgewonden. Zijn Frans werd minder duidelijk. 'Met documenten.' Hij zweeg even, waarna hij vervolgde: 'Dit is goed werk van de Chekisten, maar het moet verder zijn weg vinden... hogerop gaan. Anders breekt de oorlog uit. Geen manier om het tegen te houden. Kunt u helpen?'

'Ik kan het proberen.'

Ilya staarde hem aan om zich ervan te vergewissen dat hij de waarheid sprak. 'Dat hoop ik.' Hij was zeer aanwezig, vond Morath. Macht. Hij had het, ongeacht het feit dat hij geslagen en hongerig was.

'Er is iemand tot wie ik me kan wenden', zei Morath.

De uitdrukking op Ilya's gezicht straalde uit: *Als dat alles is wat ik kan krijgen, dan doe ik het.* 'De Polen zitten er middenin', zei hij. 'En het zijn moeilijke, onmogelijke lui. In de junta van vijf personen die het land runnen, zijn alleen Beck en Rydz-Smigly van belang. Beck als het gaat om de buitenlandse politiek, en Rydz-Smigly wat betreft de legerzaken. Maar het zijn allemaal kinderen van Pilsudski. Nadat hij in 1935 was overleden, erfden zij het land, en zij hebben dezelfde ervaringen opgedaan. In 1914 vochten ze om de onafhankelijkheid, en die kregen ze. Daarna versloegen ze de Russen, in 1920, en wel voor de poorten van Warschau, en nu willen ze niets meer met hen te maken hebben. De afgelopen honderd jaar waren er te veel oorlogen, was er te veel bloed gevloeid. Tussen naties bestaat een bepaalde fase waarin alles te laat is. Zo zit het met Rusland en Polen.

Nu denken ze dat ze Duitsland kunnen verslaan. Het verleden van Beck heeft alles met clandestiene diensten te maken. In 1923 werd hij het land uitgezet. Hij diende toen als Pools militair attaché en werd verdacht van spionage voor Duitsland. Kortom, wat hij van Rusland en Duitsland weet, komt uit de schaduwwereld, waar de waarheid doorgaans te vinden is.

De Polen willen een alliantie vormen met Frankrijk en Groot-Brittannië. Oppervlakkig bekeken is dat logisch. Maar op welke manier kan Groot-Brittannië hen helpen? Met schepen? Zoals dat op Gallipoli het geval was? Wat een grap. Rusland is de enige natie die Polen in deze tijd te hulp kan schieten... kijk maar naar de landkaart. En Stalin wil hetzelfde als de Polen. Een alliantie met Groot-

Brittannië, om dezelfde reden, om de wolven van Hitler buiten de poorten te houden. Maar wij, goddeloze communisten en moordenaars, worden veracht, gevreesd en gehaat door de Britten. Dat is waar. Maar wat ook waar is, sterker nog zelfs, is dat wij de enige natie vormen die samen met Polen een oostfront kan vormen tegen de Wehrmacht.

'Chamberlain en Halifax zijn niet ingenomen met dit idee, en er is meer dan slechts een beetje bewijs voorhanden dat ze in werkelijkheid graag Hitler tegen Stalin zien vechten. Denken ze soms dat Stalin dat niet weet? Denken ze dat echt? Dus hier komt de waarheid... als Stalin geen pact kan sluiten met de Britten, dan zal hij dat doen met de Duitsers. Hij heeft geen andere keuze.'

Morath, die alle informatie probeerde te verwerken, antwoordde niet. De dienst van twee uur was begonnen. Een jonge priester deed 's middags de mis. Morath dacht dat hij informatie zou krijgen over bloedige misdaden, hongersnood, zuiveringen. Ilya was niet de enige overloper van de Russische geheime dienst – er bestond een GRU-generaal, Krivitzky, die in Amerika een bestseller had geschreven. Morath veronderstelde dat Ilya bescherming wilde, een toevluchtsoord, in ruil voor bewijzen dat Stalin de wereld wilde regeren.

'Gelooft u mij?' vroeg Ilya.

'Ja.' Min of meer, en bekeken vanuit een bepaald standpunt.

'Kan uw vriend de Britten benaderen?'

'Ik zou denken van wel. En de documenten dan?'

'Als hij instemt, zal hij ze in zijn bezit krijgen.'

'Wat zijn het voor papieren?'

'Van het Kremlin, notulen van vergaderingen, NKVD-rapporten, kopieën van Duitse memo's.'

'Kan ik contact met u opnemen?'

Ilya glimlachte en schudde langzaam zijn hoofd. 'Hoeveel tijd hebt u nodig?'

'Een week, misschien.'

'Goed.' Ilya ging staan. 'Ik ga eerst, u vertrekt over enkele minuten. Op die manier is het veiliger.'

Ilya liep naar de deur. Morath bleef waar hij was. Vluchtig keek hij op zijn horloge en volgde het Latijn van de priester. Hij was ermee opgegroeid, maar toen hij terugkeerde van de oorlog, woonde hij de missen niet langer bij.

Uiteindelijk ging hij staan en liep langzaam naar de achterzijde van de kerk.

Ilya stond bij de deur, in de kerk, en staarde naar de regen. Morath ging naast hem staan. 'Gaat u niet weg?'

Hij knikte naar de straat. 'Een auto.'

Voor de kerk bevond zich een Renault. Op de passagiersstoel zat een man.

'Misschien is dit voor mij bedoeld', zei Ilya.

'We vertrekken samen.'

'Nee.'

'Dan door de zijdeur.'

Ilya keek hem aan. Houden ze de wacht bij slechts één deur. Hij lachte bijna. 'In de val', zei hij.

'U gaat terug naar waar we ons bevonden. Ik kom u halen.'

Ilya aarzelde, maar liep toch weg.

Morath was furieus. *Op een dinsdagmiddag sterven in de regen!* Op straat ging hij naarstig op zoek naar een taxi. Hij haastte zich door de Rue Peletier, vervolgens nam hij de Rue Druot. Op de hoek keek hij hoe een lege taxi voor een klein hotel parkeerde. Toen Morath erheen holde, zag hij een gezette man met een vrouw aan de arm uit de lobby komen. Morath en de lijvige heer openden de achterportieren op hetzelfde moment en staarden elkaar over de achterbank aan. 'Excuseer, vriend,' zei de man, 'ik heb om deze taxi gebeld.' Hij bood de vrouw een hand en zij stapte in.

Morath stond daar maar. De regen stroomde over zijn gezicht.

'Monsieur!' zei de vrouw. Ze wees naar de overkant van de straat. 'Dat is geluk hebben!'

Een lege taxi was tussen het verkeer gestopt. Morath bedankte de vrouw, gebaarde naar de auto, stapte in en maakte de chauffeur duidelijk waar hij heen wilde. 'Ik heb een vriend die op me wacht', zei hij.

In de kerk trof hij Ilya aan en ging haastig met hem naar de deur. De taxi stond met stationair draaiende motor bij de trap. De Renault was verdwenen. 'Snel', zei Morath.

Ilya aarzelde.

'Kom, we gaan', zei Morath indringend. Ilya verroerde zich niet. Hij leek als aan de grond genageld, gehypnotiseerd. 'Ze zullen u hier niet vermoorden.'

'Toch wel.'

Morath keek hem aan en realiseerde zich dat hij iets had gezien, dat hij iets wist, dat hij misschien iets had gedaan. De chauffeur in de taxi claxonneerde ongeduldig.

Hij pakte Ilya bij de arm en zei: *'Nu.'* Hij bedwong zijn instinct om het in een gebogen houding op een hollen te zetten; met een snelle tred namen ze de treden naar beneden.

In de taxi gaf Ilya de chauffeur een adres door. Toen ze wegreden, draaide hij zich half om en staarde uit het achterraam.

'Was het iemand die u hebt herkend?' vroeg Morath.

'Ditmaal niet. Voorheen dacht ik een keer dat dat wel zo was. En een keer was ik ervan overtuigd.'

Gedurende lange minuten kroop de taxi achter een bus; op het instapplatform, achter in de bus, krioelde het van de mensen. Plotseling riep Ilya: 'Chauffeur, stop hier!' Hij sprong uit de taxi en holde door de ingang van het metrostation. Morath zag dat het Chauseé-d'Antin was, een drukke *correspondance*, waar passagiers van metrolijn konden wisselen.

De chauffeur zag hem gaan en maakte met een wijsvinger een draaiende beweging bij zijn slaap, wat in de gebarentaal van taxichauffeurs 'doorgedraaid' betekende. Hij keek om en staarde Morath knorrig aan. 'En nu?' vroeg hij.

'Avenue Matignon. Vlak bij de boulevard.'

Dat was een heel eind van de Chausée-d'Antin vandaan, zeker als het regende. Mensen van de ene plaats naar de andere brengen was in wezen een zware, opgelegde taak – klaarblijkelijk was dat de mening van de chauffeur. Hij zuchtte en ramde de pook in de versnelling. De banden gierden terwijl hij optrok. 'Wat is er aan de hand met uw vriend?' vroeg hij.

'Zijn vrouw zit achter hem aan.'

'Oei!' Hij liever dan ik.

Een paar minuten later vroeg hij: 'De kranten gelezen?'

'Vandaag niet.'

'Zelfs ouwe *j'aime Berlin* bezwijkt nu als het om Hitler gaat.' Met veel genoegen gebruikte hij de Parijse koosnaam voor Chamberlain.

'Wat is er gebeurd?'

'Een rede. "Misschien wil Adolf de wereld regeren."'

'Dat is misschien ook zo.'

De chauffeur keek om. 'Dat hij maar met zijn legers *Polen* binnen marcheert. Dat is dan het einde, punt uit.'

'Ik verbied je om hem nog een keer te ontmoeten', zei Polanyi. Ze bevonden zich in een café in de buurt van het gezantschapsgebouw. 'Hoe dan ook, iets in me wil je daarvoor waarschuwen.'

Morath amuseerde zich. 'U klinkt als een vader in een toneelstuk.'

'Ja, hè? Geloof je hem, Nicholas?'

'Ja en nee.'

'Ik moet toegeven dat alles wat hij zegt waar is. Maar wat mij zorgen baart is de mogelijkheid dat iemand van de Dzerzhinsky Street hem hierheen heeft gestuurd. Per slot van rekening kan iedereen een overjas kopen.'

'Maakt dat wat uit?'

Polanyi erkende dat dat misschien niet het geval was. Als diplomaten de Britten niet konden overtuigen, dan zou een *overloper* daar misschien wel toe in staat zijn. 'Kat-en-muisspelletjes...', zei hij. '... Hongaarse diplomaten onderhouden contacten met een sovjetstille.'

'Hij zegt dat hij bewijsmateriaal heeft... documenten.'

'Ja, documenten. Net als overjassen. Weet jij hoe je weer met hem in contact komt?'

'Nee.'

'Nee, natuurlijk niet.' Hij dacht even na. 'Goed, ik zal er bij iemand melding van maken. Maar als dit ploft... op een of andere wijze die we vanuit onze positie niet kunnen voorzien... dan mag je mij niet de schuld geven.'

'Waarom zou ik?'

'Als hij de volgende keer belt, áls hij belt, wil ik hem ontmoeten. Maar vertel *hem* dat in godsnaam niet. Bevestig gewoon de ontmoeting en laat de rest aan mij over.'

Polanyi leunde naar voren en sprak zachter. 'Weet je, we mogen de minister-president op geen enkele manier in opspraak brengen, ongeacht wat er gebeurt. Teleki is de enige die ons uit deze ellende kan loodsen... die kleine man is een *ridder*, Nicholas, een held. Verleden week betaalde hij enkele jongens in Boedapest om knoflook aan de deuren van het ministerie van Buitenlandse Zaken te hangen, met een briefje waarop stond: "Om de Duitse vampiers buiten de deur te houden".'

'Amen', zei Morath. 'Hoe kunnen betrekkingen met een overloper Teleki compromitteren?'

'Dat weet ik pas als het te laat is, Nicholas... zo staan de zaken er nu eenmaal voor. Triest, maar waar.'

Triest, maar waar voor Morath was het feit hij op de laatste dag van maart weer een brief van de *Préfecture* kreeg. Opnieuw was het kamer 24 en had hij zes dagen – vóór de afspraak een feit was – om zich er zorgen over te maken. Hij vermoedde dat de Roemenen de zaak niet wilden laten rusten, maar dat was slecht gegokt.

Ze lieten hem drie kwartier voor het kantoor van de inspecteur wachten. *Een bewuste zet*, dacht hij. Maar hij voelde hoe dan ook het effect ervan op zijn gemoed. De inspecteur was dezelfde van vorige keer; hij zat in de houding, met een bourgeois gezicht, uit op bloed en kil als ijs. 'Hopelijk vergeeft u het ons dat we u opnieuw lastigvallen', zei hij. 'Er zijn enkele dingen die we duidelijk proberen te krijgen.'

Morath wachtte geduldig af.

De inspecteur had alle tijd van de wereld. Langzaam las hij een pagina uit het dossier. 'Monsieur Morath. Hebt u toevallig ooit gehoord over een man met de naam Andreas Panea?'

De naam op het paspoort dat hij op de kop had getikt voor Pavlo. Hij nam even de tijd om onwankelbaar over te komen. 'Panea?'

'Inderdaad. Een Roemeense naam.'

Waarom dit? Waarom nu? 'Volgens mij ken ik hem niet', zei hij.

De inspecteur maakte een notitie in de kantlijn. 'Wees er zeker van, monsieur. Denk er goed over na, als u dat wilt.'

'Het spijt me', zei hij minzaam.

De inspecteur las verder. Wat er ook te lezen viel, het was belangrijk. 'En dr. Otto Adler? Is die naam u bekend?'

Morath was opgelucht dat hij ditmaal de waarheid kon zeggen.
'Opnieuw gaat het om iemand die ik niet ken', zei hij.

De inspecteur noteerde zijn antwoord. 'Dr. Otto Adler was hoofdredacteur van een politiek tijdschrift... een socialistisch blad. Een
émigré uit Duitsland. In de lente van 1938 arriveerde hij in Frankrijk
en zette hij bij hem thuis een redactiekantoor op, in St.-Germain-en-
Laye. In juni werd hij vermoord. Doodgeschoten in de Jardin du
Luxembourg. Ongetwijfeld was het een politieke moord, en die zijn
altijd moeilijk op te lossen, maar we zijn er trots op dat we blijven
zeuren. Moord is moord, monsieur Morath, zelfs in tijden van... politieke beroering.'

De inspecteur zag dat dit een voltreffer was – Morath dacht althans
dat dat zo was. 'Opnieuw geloof ik niet dat ik u van dienst kan zijn.'

Het leek of de inspecteur zich schikte in het antwoord. Hij sloot
het dossier. 'Misschien kunt u proberen om u het een en ander te herinneren, monsieur. Als u even niets te doen hebt. Misschien herinnert
u zich toch iets.'

Dat was zeker zo.

'Als dat het geval is,' ging de inspecteur door, 'kunt u mij hier altijd bereiken.' Hij gaf Morath zijn kaartje. Deze keek wat erop stond
en deed het in zijn zak. De inspecteur heette Villiers.

Hij belde Polanyi. En hij deed dat in het café, pal aan de overkant
van de Seine – de eerste publieke telefoon die je tegenkwam als je de
Préfecture verliet. Ze verdienden daar de kost dankzij hun buur,
dacht Morath, terwijl hij een *jeton* in de gleuf stopte. De vluchtelingen waren makkelijk te herkennen; een stel dat iets vierde met wijn
die ze zich financieel niet konden veroorloven, een bebaarde man met
het hoofd tussen zijn handen.

'Graaf Polanyi is er vanmiddag niet', zei een stem in het gezantschapsgebouw. Morath hing op; een vrouw wachtte op haar beurt.
Polanyi zou toch nooit weigeren met hem te praten, of wel?

Hij begaf zich naar de Agence Courtmain, maar hij kon daar niet
blijven. Hij ontmoette Mary Day even. 'Alles in orde?' vroeg ze. Hij
ging naar het toilet en keek in de spiegel – wat had ze aan hem ge-

zien? Misschien zag hij een beetje bleek, niet meer dan dat. Maar het verschil tussen Cara, die zesentwintig was, en Mary Day, iemand van veertig, was dat Mary Day begreep wat voor een effect de wereld op de mensen had. Kennelijk voelde ze dat die Morath niet onberoerd had gelaten.

Ze maakte er die avond geen gewag van, maar was intens lief voor hem. Hij kon niet precies duiden hoe, maar ze raakte hem vaker dan anders aan, misschien was dat het. Hij was diepbedroefd – zij realiseerde zich dat – maar ze vroeg niet waarom hij zich zo voelde. Ze gingen naar bed. Hij viel uiteindelijk in slaap en werd lang voor het aanbreken van de dag wakker. Zo stil als hij kon kroop hij uit bed, ging bij het raam staan en keek hoe de nacht voorbij ging. *Je kunt nu niets doen.*

De volgende dag ging hij pas rond de middag naar zijn appartement. De brief lag er toen. Persoonlijk afgeleverd; er zat geen postzegel op.

Een krantenknipsel van 9 maart uit een krant die de Duitse gemeenschap in Sofia bediende. Hij nam aan dat het ook in de Bulgaarse kranten had gestaan, een of andere versie ervan, maar de anonieme afzender wist dat hij Duits kon lezen.

Een zekere Stefan Gujac, een Kroaat, zo ging het verhaal, had zich kennelijk opgehangen in zijn cel in de gevangenis van Sofia. Deze Gujac had een vals paspoort bij zich van een overleden Roemeen, Andreas Panea, en werd door verscheidene geheime diensten van diverse Balkanlanden verdacht van betrokkenheid in meer dan tien politieke moorden. Gujac was geboren in Zagreb, had zich aangesloten bij de fascistische organisatie Ustashi en was verschillende malen in Kroatië gearresteerd vanwege oproer en geweldpleging. Bovendien had hij drie maanden gezeten voor een bankroof in Triëst.

Rond de tijd van zijn arrestatie in Sofia werd hij gezocht door de autoriteiten van Solanika. Ze wilden hem ondervragen over een bomaanslag in een café. Hierbij lieten zeven mensen het leven, waarbij inbegrepen E.X. Patridas, een ambtenaar van het ministerie van Binnenlandse Zaken, en er raakten twintig personen gewond. Bovendien had de Parijse politie Gujac willen verhoren over een moord op een Duitse émigré, tevens hoofdredacteur van een politiek tijdschrift.

De arrestatie van Gujac in Sofia was het gevolg van een poging tot moord op een Turkse diplomaat die logeerde in het Grand Hotel. Deze aanslag werd verijdeld door een alerte brigadier. Gujac werd ondervraagd door de Bulgaarse politie, die vermoedde dat het complot tegen de diplomaat was georganiseerd door Sveno, een terreurgroep die Macedonië als basis had.

Gujac, tweeëntwintig jaar oud, had zichzelf opgehangen door van zijn ondergoed een lus te maken. De autoriteiten van Sofia zeiden dat de zelfmoordzaak nog in onderzoek was.

Polanyi ging akkoord met een ontmoeting later die middag in het café nabij het gezantschapsgebouw. Toen Morath naar binnen liep, keek de graaf onderzoekend naar zijn gezicht en zei: 'Nicholas?'

Morath liet er geen gras over groeien. Hij vertelde over de ondervraging op de Préfecture, waarna hij het krantenknipsel over de tafel naar hem toe schoof.

'Dat heb ik niet geweten', zei Polanyi.

Morath glimlachte verbitterd naar hem.

'In de periode dat het gebeurde, wist ik het niet. Dat is de waarheid, ongeacht wat je wilt geloven. Ik kwam er later achter, maar toen was het kalf al verdronken en zag ik geen reden om jou op de hoogte te brengen. Waarom ook? Wat zou dat voor zin hebben gehad?'

'Niet uw schuld. Is het dat?'

'Ja. Precies. Dit was een zaak van von Schleben. Jij hebt geen idee van wat er zich nu afspeelt in Duitsland... de manier waarop de macht te werk gaat. Handel, Nicholas, handel in levens, in geld, in gunsten. De achtenswaardige mannen zijn van het toneel verdwenen. De meesten gingen een teruggetrokken leven leiden, als ze al niet vermoord of het land uit werden gejaagd. Von Schleben legt zich erbij neer. Zo zit hij in elkaar. Hij biedt de situatie het hoofd en ik regel zaken met hem. Ik moet het met iemand doen, dus ga ik met hem in zee. Daarna is het mijn beurt om te handelen.'

'Een wederzijds arrangement.' De stem van Morath klonk kil.

'Ja. Ik neem een verplichting op me, daarna krijg ik terugbetaald. Ik ben een bankier, Nicholas, en soms een erbarmelijke bankier, nou en?'

'Hoewel met tegenzin... maar het gaat om gunsten... hebt u deze moord georganiseerd.'

'Nee, dat heeft von Schleben gedaan. Misschien was het een gunst, een schuld die hij moest afbetalen. Ik weet het niet. Misschien was *hij* alleen akkoord gegaan om dit, *deze zaak*, in Parijs te ensceneren. Ik weet niet wie hem instructies gaf toen hij eenmaal hier was, noch wie hem betaalde. Iemand van de SS, begin daar. Daar vind je de schuldige. Ik vermoed echter dat lang voordat jij hem vindt, hij jou heeft gevonden.'

Polanyi zweeg even, waarna hij vervolgde: 'Weet je, soms is von Schleben een koning, dan weer een stroman. Zoals ik, Nicholas. Zoals jij.'

'En hoe zat het met hetgeen ik in Tsjecho-Slowakije heb gedaan? Wiens idee was dat?'

'Opnieuw von Schleben. Maar ditmaal aan de andere kant.'

Een ober bracht twee koffies. De kopjes bleven onaangeroerd. 'Het spijt me, Nicholas, en ik maak me meer zorgen over die Préfecture-business dan wie verleden jaar anderen wat heeft aangedaan, want wat gebeurd is, is gebeurd.'

'Voor de laatste keer.'

'Dan vaarwel en veel geluk. Ik zou het mezelf gunnen, Nicholas, maar ik kan mijn land niet opgeven, en dat is waar het allemaal om gaat. We kunnen de natie niet oppakken en aan Noorwegen vastplakken. In geografisch opzicht zijn we waar we zijn, en daaruit volgt alles.'

'Wie heeft mij met dat Préfecture-gedoe opgezadeld?'

'Dezelfde persoon die jou dat krantenknipsel heeft toegestuurd. Sombor, in beide gevallen.'

'Weet u dat zeker?'

'Daar kun je nooit zeker van zijn. Zoiets neem je aan.'

'Om wat te winnen?'

'Jou. En om mij in opspraak te brengen. Mij, die hij als zijn rivaal ziet. En dat is de waarheid... hij is in handen van de pijlkruisers. En ik heel zeker niet. Hongaarse politiek, dat is waar het hier om gaat.'

'Waarom dat krantenknipsel?'

'*Het is nog niet te laat*, wil hij daarmee zeggen. Tot nu toe tasten ze bij de Préfecture in het duister. Wil jij dat ik ze de rest vertel? Dat is zijn vraag aan jou.'

'Ik moet iets doen', zei Morath. 'Ervandoor gaan, misschien.'

'Zover zal het misschien komen. Voorlopig laat je dit echter aan mij over.'

'Waarom?'

'Dat is wel het minste wat ik jou schuldig ben.'

'Waarom von Schleben niet alles laten regelen?'

'Dat zou ik kunnen doen. Maar ben jij bereid te doen wat hij jou in ruil daarvoor zal vragen?'

'Weet u zeker dat hij *daartoe* zal overgaan?'

'Absoluut. Per slot van rekening ben jij hem al iets schuldig.'

'Ik? Hoezo?'

'Voor het geval je het vergeten bent, hij redde je leven toen de Siguranza jou gevangen hield in Roemenië.'

Polanyi reikte over de tafel en pakte zijn hand vast. 'Vergeef me, Nicholas. Vergeef me, vergeef me. Probeer de wereld te vergeven, ongeacht wat ervan geworden is. Misschien valt Hitler volgende week dood neer en gaan we allemaal uit eten.'

'En u betaalt?'

'Ik betaal.'

Zoals gewoonlijk daalde in april de *grisaille*, de grijsheid, neer over Parijs. Grijze gebouwen, grijze luchten, regen en mist in de lange avonden. De kunstenaar Shublin had hem op een avond in Juan-les-Pins verteld dat de kunstdetailhandels in de lente de kleur Payne-grijs niet in voorraad konden houden, zoveel vraag was ernaar.

De stad kon het grijs niets schelen en vond dat opgewekte en zonnige gedoe in de nawinter een beetje al te fleurig. Voor Morath schikte het leven zich in een soort tobbende vrede, zijn fantasie over 'het gewone leven' was als werkelijkheid niet zo zoet als hij zich graag voorstelde. Mary Day begon aan een nieuwe roman. *Suzette* en *Suzette Goes Boating* werden opgevolgd door *Suzette at Sea*. Een luxelijnschip – waarvan het kompas door sabotage was vernield door een snode concurrent – dobberde stuurloos rond in tropische wateren.

Verder deden mee een wellustige kapitein, een matroos die Jack heette, een Amerikaanse miljonair en een kruiperige dirigent van het scheepsorkest. Op de een of andere manier smeedden ze allemaal plannen om een glimp van Suzettes weelderige borsten en blanke, blozende billen op te vangen.

Mary Day schreef elke avond twee uur lang op een klepperende typemachine, waarbij ze een enorme, wollen sweater aanhad waarvan de mouwen tot boven haar slanke polsen waren opgestroopt. Morath keek dan altijd op van zijn boek en zag haar zonderling verwrongen gezicht en op elkaar geperste lippen, zo intens concentreerde ze zich, en hij maakte dan snode plannen om zijn eigen glimpen op te vangen. Plannen die makkelijk uitvoerbaar waren als het schrijven voor die avond achter de rug was.

De wereld van de radio dreef passief af naar hel en verdoemenis. Groot-Brittannië en Frankrijk kondigden aan dat ze Polen zouden beschermen als dat land werd aangevallen. Churchill verklaarde: 'Zonder de actieve steun van Rusland kan er op geen enkele wijze een oostfront in stand worden gehouden tegen de nazi-agressie.' Een woordvoerder van het Lagerhuis zei: 'Als we daar zonder de hulp van Rusland naar binnen gaan, lopen we in de val.' Morath keek hoe de mensen in de cafés hun krant lazen. Ze haalden hun schouders op en sloegen het blad om. En dat deed hij ook. Het leek allemaal plaats te vinden in een ver land. Ver weg en onwerkelijk. Een land waar overdag ministers arriveerden op spoorwegstations en waar 's nachts monsters rondliepen. Hij wist dat Ilya zich ergens in de stad schuilhield in een piepkleine kamer. Of hij was misschien al doodgeslagen.

De kastanjebomen bloeiden, witte bloesem plakte vast aan de natte straten en de kapitein gluurde door het sleutelgat naar Suzette, die haar lange, blonde haar borstelde. Léon, de illustrator van de Agence Courtmain, ging naar Rome om zijn verloofde te ontmoeten en keerde terug met een gezicht vol blauwe plekken en een gebroken hand. Lucinda, de liefste viszla van barones Frei, had een nest jongen geworpen, en Morath en Mary Day gingen naar de Rue Villon om *sachertorte* te eten en de nieuwelingen te bekijken die zich in een met zilveren *passementerie* versierde, tenen mand bevonden. Adolf Hitler vierde zijn vijftigste verjaardag. Onder Duitse druk stapte Hongarije uit de Volkerenbond. Morath begaf zich naar een winkel in de Rue de la Paix en kocht voor Mary Day een zijden sjaal; goudkleurige lussen en krullen op Venetiaans rood. Wolfi Szubl belde op. Hij was duidelijk zeer van streek. Morath liet zijn werk in de steek en begaf zich naar de krochten van het veertiende arrondissement, naar een klein, donker appartement in een straat waar ooit Lenin in ballingschap had gewoond.

In het appartement rook het naar gekookt meel en er lagen overal korsetten. Violetkleurige en limoengroene, bleekroze en roomkleurige, witte en zwarte. Een grote vertegenwoordigerskoffer lag open op het onopgemaakte bed.

'Sorry dat het hier zo'n rotzooi is. Ik neem de inventaris op', zei Szubl.

'Is Mitten hier?'

'Mitten! Mitten is een rijk man. Hij is op locatie in Straatsburg.'

'Fijn voor hem.'

'Niet slecht. *De zonden van dokter Braunschweig.*'

'En die zijn...'

'Moord en doodslag. Herbert wordt in de eerste tien minuten met een breinaald doodgestoken; dus geen grote rol. Maar het verdient toch goed.'

Szubl liet zijn vinger van boven naar beneden over een geel, getypt vel glijden. 'Er ligt een bustier op de radiator, Nicholas. Kun je even naar het label kijken?'

'Deze?' Het was er een met knopen aan de achterzijde en kousenbandknipsluitingen aan de voorkant. Op het moment dat Morath naar het label zocht, meende hij lavendelbadzeep te ruiken. 'Marie Louise', zei hij.

Szubl markeerde het op zijn lijst.

'Passen de vrouwen deze... deze proefkleding?'

'Zo nu en dan. Privé-passessies.' Hij telde de korsetten die op een hoop bij de bedrand lagen. 'Ik heb net gehoord dat ze me willen promoveren', zei hij.

'Gefeliciteerd.'

'Het is een ramp.'

'Waarom?'

'Het bedrijf bevindt zich in Frankfurt. Ik moet in Duitsland gaan wonen.'

'Wijs het af.'

'Het gaat om de zoon... de ouwe is inmiddels bejaard, de zoon heeft het van hem overgenomen. "Nieuwe tijden", zei hij. "Een frisse wind door het hoofdkantoor." Hem kan ik trouwens wel aan. Nee, hierom heb ik je gebeld.'

Hij haalde een gevouwen vel papier uit zijn zak en overhandigde het aan Morath. Een brief van de Préfecture. Een brief waarin *Szubl, Wolfgang* naar kamer 24 wordt gesommeerd.

'Waarom?' vroeg Szubl.

'Een onderzoek, maar ze tasten in het duister. Ze *zullen* echter proberen jou angst aan te jagen.'

'Dat hoeven ze niet eens te proberen. Wat moet ik zeggen?'

'Geen idee, ik ben er niet geweest, ik heb hem nooit ontmoet. Jij gaat je niet beminnelijk opstellen en al evenmin begin je stiltes op te vullen. Rustig blijven zitten.'

Szubl fronste zijn wenkbrauwen en hield een roze korset in zijn hand. 'Ik wist dat dit zou gebeuren.'

'Moed houden, Wolfi.'

'Ik wil niet stranden.'

'Dat zal ook niet gebeuren. Je moet je ditmaal aan de afspraak houden, want ze hebben je een brief gestuurd, het is officieel. Maar het wordt geen vaste prik. Oké?'

Szubl knikte. Hij voelde zich ongelukkig en was bang.

Morath belde Polanyi op en vertelde hem erover.

Graaf Janos Polanyi zat in zijn kantoor in het Hongaarse gezantschapsgebouw. Het was er rustig – soms ging de telefoon, dan weer klonk er een typemachine; de kamer had echter zijn eigen, speciale, verstilde sfeer. De gordijnen voor de lange ramen hielden het weer en de stad buiten. Polanyi staarde naar de stapel telegrammen op zijn bureau en schoof ze weg. Er zat niets nieuws bij. Of liever gezegd niets goeds.

Hij schonk wat abrikozenbrandewijn in een glas en dronk het leeg. Even deed hij zijn ogen dicht en herinnerde zich eraan wie hij werkelijk was en waar hij vandaan kwam. *Ruiters in het hoge gras, kampvu-ren op de vlakte*. Nutteloze dromen, vond hij. Romantische nonsens. Maar toch, diep in hem, roerden die dromen zich intens. In elk geval vond hij het fijn te denken dat dat het geval was. In zijn gedachten? Nee, in zijn hart. *Slechte wetenschap, goede metafysica*. En dat kwam nu juist tamelijk dicht bij de persoon die hij in werkelijkheid was, dacht hij.

Graaf Janos had twee persoonlijke, in leer gebonden telefoongid-sen. Het grote exemplaar bleef in zijn kantoor en de kleine ging mee waarheen Polanyi zich ook begaf. Het was de kleine die hij nu open-de. Hij vroeg een telefoongesprek aan met een vrouw van wie hij wist dat ze in zeer grootse stijl in een appartement in het Palais Royal woonde. *Wit en voortreffelijk*, zo dacht hij over haar. *Net sneeuw*.

Toen de telefoon overging, keek hij op zijn horloge. Vijfentwintig minuten over vier. Zoals altijd nam ze op nadat het apparaat vaak was overgegaan – aan de toon in haar stem te horen, had ze zich ertoe ver-waardigd om op nemen. Er volgde een ingewikkeld gesprek. Verhul-lend en aangenaam slinks. Het ging om bepaalde vriendinnen van haar, van wie sommigen net begonnen waren en anderen meer erva-ring hadden. Weer anderen waren vlot, anderen schuw. Sommigen waren gezet, anderen slank. Zo gevarieerd, de mensen van tegenwoor-dig. Blond. En zwart haar. Uit het buitenland of het zestiende arron-dissement. En ieder met een eigen definitie van genot. Miraculeus, die wereld van ons! De een was onbuigzaam, geneigd tot opvliegend-heid. De ander speels; het maakte niet uit zolang er maar gelachen kon worden.

Uiteindelijk kwamen ze tot een akkoord. Over de tijd. Over de prijs.

Zaken gaan voor het meisje. Een gemeen gezegde. Hij zuchtte en keek op naar de enorme portretten aan de muur. Arpad-koningen en hun nobele jachthonden. En hij nam nog wat meer brandewijn. En later nog wat meer. *De Magyaarhoofdman bereidt zich voor op de slag*. Hij dreef de spot met zichzelf, een oude gewoonte, maar dat deden ze allemaal, een instinct geboren uit nationaal bewustzijn – de ironie, de paradox, de wereld van binnenuit aanschouwen, geamuseerd zijn over iets wat niet amusant hoorde te zijn. Polanyi had altijd geloofd dat

dat waarschijnlijk de reden was waarom de Duitsers zich niet veel aan hen gelegen lieten liggen. Het was de Oostenrijkse aartshertog Franz Ferdinand die over de Hongaren zei: 'Het getuigde van slechte smaak van de kant van deze heren dat ze überhaupt naar Europa zijn vertrokken.' Nou, daar waren ze dan, of de buren het nu leuk vonden of niet.

Opnieuw keek Polanyi op zijn horloge. Nog een paar minuten kon hij het onvermijdelijke in gedachten opschorten. Zijn avondpleziertje arriveerde pas om zes uur, een uur later dan gewoonlijk, dat had hij geregeld. *En over genot gesproken, de zaken gingen voor.* Een moment later vloekte hij dat het een lieve lust was, Hongaarse verwensingen. Werkelijk, *waarom* moest hij dit doen? *Waarom* moest dat wezen, die Sombor, zich op zijn leven storten? Maar het feit was er. Arme Nicholas, hij verdiende dit niet. Alles wat hij wilde was wat de kunstenaars, acteurs en dichters in 1918 dachten over hoe hij strijd had geleverd. En dat had hij goed gedaan, zo wist Polanyi. Het stond in de regimentsanalen opgetekend. Zijn neef was een held, een goede officier, een vrek als het ging om het leven van zijn manschappen.

Hij borg de fles brandewijn op in de onderste lade, ging staan, schikte zijn das en verliet het kantoor, waarbij hij de deur behoedzaam achter zich dichtdeed. Hij liep door de gang, langs versgeplukte bloemen in een vaas op de gangtafel, met daarachter een spiegel, en hij groette Bolthos, die haastig voorbijkwam met een koeriersenvelop onder de arm, waarna hij de marmeren trap naar boven nam.

Op de volgende verdieping was het drukker, luidruchtiger. De handelsattaché bevond zich in het eerste kantoor, het vertrek ernaast was van de boekhouder, en daarnaast bevond zich het kantoor van Sombor. Polanyi klopte tweemaal en opende de deur. Toen hij naar binnen liep, keek Sombor op en zei: 'Excellentie.' Hij was druk aan het schrijven – opgetekende notities kwamen op een apart vel papier, dat later getypt als rapport verwerkt zouden worden.

'Kolonel Sombor', zei Polanyi. 'Ik wil u even spreken.'

'Ja, excellentie. Een ogenblik.'

Dit was simpelweg grof, beledigend, dat wisten ze beiden. Het was aan Sombor om te gaan staan, hem beleefd te groeten en een poging te doen de wensen van een superieur te vervullen. Maar – en dat zei hij met zoveel woorden – staatsveiligheidszaken hadden prioriteit. Nu en voor altijd. Polanyi kon daar blijven staan en wachten.

En dat deed hij gedurende een bepaalde tijd.

De gouden vulpen van Sombor kraste over het papier. *Als een veldmuis in de graanschuur.* Deze man met het leren kapsel en de scherpe oren maakte notities voor de eeuwigheid. Kras, kras. *Waar heb ik de hooivork eigenlijk gelaten?* Maar hij had geen hooivork.

Sombor voelde dat. 'Ik ben ervan overtuigd dat het belangrijk is, excellentie. Het is mijn bedoeling u mijn volledige aandacht te schenken.'

'Alstublieft, meneer,' zei Polanyi, waarbij hij zijn stem nauwelijks onder controle kon houden, 'ik moet u erop attent maken dat bepaalde vertrouwelijke informatie, verband houdend met mijn dienst, ter beschikking is gesteld aan de Préfecture van Parijs.'

'O ja? Weet u dat zeker?'

'Ja. Het kan op directe wijze zijn gebeurd of via de diensten van een informant.'

'Betreurenswaardig. Mijn dienst zal er gegarandeerd werk van maken, excellentie. Zodra we tijd hebben.'

Polanyi sprak zachter. 'Zorg dat het ophoudt', zei hij.

'Welnu, dat moet ik zeker proberen. Ik vraag me af of u bereid bent mij een rapport te overhandigen over deze zaak.'

'Een rapport.'

'Inderdaad.'

Polanyi stapte dichter naar de rand van het bureau toe. Sombor keek vluchtig naar hem op, waarna hij zich weer met zijn schrijfwerk bezighield. Polanyi haalde vanachter zijn riem een klein, zilveren pistool te voorschijn en schoot. De kogel verdween in het midden van Sombors schedel.

Sombor sprong overeind. Hij was furieus, zijn ogen bliksemden van verontwaardiging terwijl hij zich niet bewust was van de grote druppel bloed die van onder zijn haargrens te voorschijn kwam en over zijn voorhoofd naar beneden liep. 'Lafbek!' schreeuwde hij. Hij veerde op, greep met zijn handen naar zijn hoofd, draaide een keer rond, viel achterwaarts over zijn stoel, krijste, liep blauw aan en stierf.

Polanyi haalde een witte zakdoek uit zijn borstzak, wreef ermee over de kolf van het pistool en gooide het op de vloer. In de gang klonken haastige voetstappen.

De politie arriveerde vrijwel meteen, de rechercheurs volgden een half uur later. De leidinggevende inspecteur ondervroeg Polanyi in zijn kantoor. Hij is de vijftig gepasseerd, dacht Polanyi. En kort en dik, met een kleine snor en donkere ogen.

Hij zat aan de andere kant van het bureau, tegenover Polanyi, en maakte notities op een schrijfblok. 'Was kolonel Sombor volgens u zwaarmoedig?'

'Absoluut niet. Maar ik ontmoette hem alleen tijdens officiële aangelegenheden, verder nauwelijks.'

'Kunt u beschrijven wat er precies is gebeurd, monsieur?'

'Ik begaf me naar zijn kantoor om gezantschapszaken te bespreken. Erg urgent was het niet. Sterker nog, ik was eigenlijk op weg om de handelsattaché te spreken en besloot even bij hem langs te gaan. We spraken elkaar een minuut of twee. Vervolgens, toen ik me had omgedraaid om te gaan, hoorde ik een schot. Ik wilde hem te hulp schieten, maar hij was vrijwel onmiddellijk dood.'

'Monsieur', zei de rechercheur. Klaarblijkelijk was hem iets ontgaan. 'Kunt u zich zijn laatste woorden misschien herinneren?'

'Hij zei vaarwel. Daarvóór vroeg hij me om een geschreven rapport over een zaak die we samen hadden besproken.'

'En die is?'

'Het hield verband met een interne veiligheidskwestie.'

'Ik begrijp het. Dus hij sprak gewoon met u, waarna u zich omdraaide en het kantoor wilde verlaten. Op dat moment strekte de nu overleden persoon zijn arm helemaal... ik ben nu aan het gissen, in afwachting van het rapport van de lijkschouwer, als ik zeg dat de aard van de wond, eh, een zekere *afstand* impliceert. Hij strekte zijn arm helemaal, zoals ik zei, en schoot zichzelf in de kruin van zijn hoofd.'

Hij stond op het punt om het uit te schateren van het lachen. Net als Polanyi.

'Kennelijk', zei Polanyi. Hij kon het niet aan om de rechercheur in de ogen te kijken.

Deze schraapte zijn keel. Een moment later vroeg hij: 'Waarom zou hij dat hebben gedaan?' Het was niet bepaald een politievraag.

'God mag het weten.'

'Beschouwt u dit niet als...' Hij zocht naar het juiste woord, '... bizar?'

'Bizar', zei Polanyi. 'Zonder twijfel.'

Er volgden nog meer vragen, geheel volgens de procedure, en terug naar het uitgangspunt gingen ze, en weer terug, maar wat na de ondervraging bleef, was iets onsamenhangends. De waarheid hing niet verwoord in de lucht.

Nou dan, breng me naar de gevangenis.

Nee, het is niet aan ons om ons met dit soort politiek in te laten. Très Balkan, zo *plegen wij dit te noemen.*

Barst maar.

De inspecteur deed zijn aantekenboekje dicht, borg zijn pen op, liep naar de deur en schikte de rand van zijn hoed. Terwijl hij in de deuropening stond, zei hij: 'Hij was natuurlijk van de geheime politie.'

'Inderdaad.'

'Een kwaaie?'

'Vervelend genoeg.'

'Gecondoleerd', zei de inspecteur.

Polanyi regelde het zo dat Morath er meteen van op de hoogte was. Een telefoontje van het gezantschapsgebouw. 'Kolonel Sombor heeft er op een tragische manier voor gekozen een einde aan zijn leven te maken. Bent u genegen tot een financiële bijdrage ten behoeve van de bloemenkransen als blijk van respect?'

Eind april. Laat op de avond, in de Rue Guisarde, legde de bevallige Suzette de laatste hand aan de voorbereidingen voor de avond. Het plan om een Neptunusbal te organiseren, had de passagiers geïnspireerd. Passagiers die nogal rusteloos waren geworden nadat ze dagenlang op zee hadden rondgezworven. Nóg meer geïnspireerd was Jack, de knappe matroos, die in de balzaal zo vriendelijk was geweest de ladder vast te houden terwijl Suzette naar boven klom om decoraties vast te maken.

'Geen slipje?' vroeg Morath.

'Vergeten aan te doen.'

Een klop op de deur. Moni kwam binnen. Ze zag er zeer bedroefd uit en vroeg of ze vannacht op de bank kon slapen.

Mary Day haalde de Portugese wijn te voorschijn en Moni huilde een beetje. 'Het is mijn schuld', zei ze. 'Tijdens een onenigheid ging ik door het lint. Ze sloot de deur achter me en wilde me niet meer binnenlaten.'

'Je mag gerust blijven logeren', zei Mary Day.

'Alleen vannacht. Morgen zal alles vergeven en vergeten zijn.' Ze dronk wat wijn en stak een Gauloise op. 'Jaloezie', zei ze. 'Waarom doe ik ook zulke dingen?'

Ze stuurden Morath op pad om meer wijn te halen. Toen hij terugkwam, was Moni aan het telefoneren. 'Ze zei dat ze best wel naar een hotel wilde gaan', zei Mary Day kalm tegen hem. 'Ik heb haar echter gevraagd om te blijven.'

'Mij maakt het niet uit. Maar misschien wil zij liever gaan.'

'Geld, Nicholas. We hebben allemaal geldproblemen', zei ze. 'Eerlijk, vrijwel iedereen.'

Moni hing op. 'Dat wordt voor mij de bank.'

Ze praatten over van alles en nog wat – over arme Cara in Buenos Aires, over de problemen van Montrouchet met het Théâtre de Catacombes, over Juan-les-Pins – waarna ze het over de oorlog hadden. 'Wat ga jij doen als het gebeurt, Nicholas?'

Morath haalde zijn schouders op. 'Ik denk dat ik dan terug moet naar Hongarije. Het leger in.'

'En Mary dan?'

'Ik volg dan het kamp', zei Mary Day. 'Wanneer hij vecht, maak ik de stoofschotel.'

Moni glimlachte, maar Mary Day ving de blik van Morath. 'Nee, eerlijk, zouden jullie twee ervandoor gaan?' vroeg Moni.

'Ik weet het niet', zei Morath. 'Parijs wordt dan gebombardeerd, er blijft niets van over.'

'Dat zegt iedereen. Wij gaan allemaal naar Tanger... dat is het plan. Anders zijn we gedoemd. Terug naar Montreal.'

Mary Day lachte. 'Nicholas in een boernoes.'

Ze dronken de twee flessen op die Morath had meegebracht. Het was allang middernacht geweest toen Moni en Mary Day dwars op het bed als een blok in slaap vielen en het Morath was die uiteindelijk op de bank terechtkwam. Hij lag daar een hele tijd in de rokerige duisternis en vroeg zich af wat er met hen zou gebeuren. Konden ze ergens heen vluchten? Boedapest, misschien? Of New York? Lugano? Nee, intense rust bij een koud meer; na een maand zou het voorbij zijn. *Een Parijse liefdesverhouding laat zich niet verplaatsen.* Ze zouden nergens anders kunnen wonen, althans niet samen. *Dus moesten ze in Parijs blijven.* Nog een week, nog een maand, hoelang het ook zou duren, en daarna sterven in de oorlog.

's Ochtends had hij verschrikkelijke hoofdpijn. Toen hij het appartement verliet en de Rue Mabillon nam naar de rivier, dook Ilya op uit een portiek en liep vervolgens met gelijke tred naast hem. Zijn groene overjas had plaatsgemaakt voor een ribfluwelen jas in min of meer hetzelfde design.

'Zal uw vriend mij ontmoeten?' vroeg hij met een dringende toon in zijn stem.

'Ja.'

'Zeg tegen hem dat alles is veranderd. Litvinov is uitgerangeerd... het is een signaal aan Hitler dat Stalin zaken wil doen.' Litvinov was de sovjetminister van Buitenlandse Zaken. 'Begrijpt u wat ik zeg?'

Hij wachtte niet op antwoord. 'Litvinov is een joodse intellectueel... een bolsjewiek van de oude garde. Welnu, omwille van die onderhandelingen verschaft Stalin de nazi's een partner waar ze beter mee door een deur kunnen. Misschien is dat Molotov.'

'Als u mijn vriend wilt ontmoeten, dient u het tijdstip en de plaats te noemen.'

'Morgenavond. Om half elf. Metrostation Parmentier.'

Een verlaten station in het elfde arrondissement. 'Stel dat hij niet kan komen?' Morath bedoelde *als hij niet wil komen*, en Ilya realiseerde zich dat.

'Dan kan hij niet. En ik zal met u contact opnemen of ik doe het niet.'

Snel draaide hij zich om, liep weg en verdween uit het zicht.

Hoewel Morath even overwoog om het hierbij te laten, realiseerde hij zich opeens dat Ilya *dingen wist*. Maar hoe? Dit was geen kwestie van je schuilhouden met een zak haver in een kamer. Zou hij gegrepen zijn en vervolgens een akkoord hebben gesloten met de NKVD? Maar Polanyi had gezegd dat hij alles aan hem diende over te laten. Hij was niet gek en zou zich niet onbeschermd naar een ontmoeting als deze begeven. *Je zult het besluit aan hem moeten overlaten*, zei Morath tegen zichzelf. Want als de informatie echt was, betekende dit dat Hitler zich geen zorgen meer hoefde te maken over driehonderd Russische divisies, en dat wilde op zijn beurt zeggen dat in Polen de oorlog zou uitbreken. Ditmaal zouden de Britten en Fransen moeten vechten, en dát betekende weer dat de oorlog in Europa een feit zou zijn.

Toen Morath in de Agence Courtmain arriveerde, belde hij meteen het gezantschap.

'Een oplichter', zei Polanyi. 'We worden voor een karretje gespannen... ik begrijp niet precies waarom, maar zo ligt de zaak erbij.'

Ze zaten achter in een grote, glimmende Grosser Mercedes. Bolthos bevond zich voorin met de chauffeur. Het was zes mei. Een zachte, heldere en winderige dag. Ze reden langs de Seine de stad uit via Porte de Bercy, en zuidwaarts naar het dorp Thiais.

'Bent u alleen gegaan?' vroeg Morath.

Polanyi lachte. 'Wat een vreemde avond in het metrostation Parmentier... zwaargebouwde mannen lazen Hongaarse kranten.'

'En de documenten?'

'Vanavond. Daarna is het *adieu* voor kameraad Ilya.'

'Misschien maakt het nu niet meer uit.' Litvinov had twee dagen geleden ontslag genomen.

'Nee, we moeten iets ondernemen. De Britten wakker schudden, het is voor de diplomaten nog niet te laat. Ik zou zeggen dat Polen een herfstproject is, iets voor na de oogst, voordat het echt gaat regenen.'

Langzaam reed de auto door Alfortville, waar een rij danshallen naast elkaar aan de kade tegenover de rivier stond. De Parijzenaars kwamen hier op zomeravonden om te drinken en te dansen tot de dageraad. 'De arme ziel', zei Polanyi. 'Misschien liet hij zich in deze oorden vollopen.'

'Waar niet?' zei Bolthos.

Ze waren op weg naar de begrafenis van de romanschrijver Josef Roth, vierenveertig jaar, die stierf aan de gevolgen van een delirium tremens. Op de achterbank naast Polanyi en Morath bevond zich een grote, fraai afgewerkte rouwkrans met roomkleurige rozen en een zwart, zijden lint, dit alles van het gezantschap.

'Dus,' zei Morath, 'dit vluchtelingengedoe is flauwekul.'

'Waarschijnlijk wel. Hierdoor kunnen de mensen die hem sturen zijn bestaan ontkennen, misschien is het dat. Misschien betreft het simpelweg een menuet Russische stijl... de leugen onttrekt de list en wat al niet meer aan het oog. Wat in me opkomt is de mogelijkheid dat hij zijn instructies krijgt van een pressiegroep in Moskou, mensen zoals Litvinov, die geen zaken met Hitler willen doen.'

'Zult u voorzichtig zijn als u hem weer ontmoet?'

'O ja. Je kunt er zeker van zijn dat de geheime dienst van de nazi's zich tot doel heeft gesteld informatie over de onderhandelingen tussen Hitler en Stalin geheim te houden voor de Britten. Zij zouden het niet op prijs stellen als wij documenten doorgeven aan Engelse vrienden in Parijs.' Hij zweeg even, waarna hij vervolgde: 'Ik zal blij zijn als dit achter de rug is, hoe de uitkomst er ook zal uitzien.'

Hij lijkt dit alles beu te zijn, dacht Morath. Sombor, de Russen, God weet wat nog meer. Ze zaten dicht naast elkaar, de lucht was bezwangerd met *bay rhum* en brandewijn, wat deed denken aan macht, rijkdom en een comfortabel leven. Polanyi keek op zijn horloge. 'Het is bijna twee uur', zei hij tegen de chauffeur.

'We zullen op tijd komen, excellentie.' Uit beleefdheid gaf hij wat meer gas.

'Lees jij die romans, Nicholas?'

'*Radetzky Mars*, meer dan eens. *Hotel Savoy. Vlucht zonder einde.*'

'Kijk aan, dat zegt alles. Een grafschrift.' Roth was in 1933 uit Duitsland gevlucht. Aan een vriend had hij geschreven dat 'je niet in een brandend huis moet blijven'.

'Een katholieke begrafenis?' vroeg Morath.

'Ja. Hij was geboren in een Galicische *shtetle*, maar werd het beu om jood te zijn. Hij hield van de monarchie, van Franz Josef, Oostenrijk-Hongarije.' Polanyi schudde zijn hoofd. 'Triest, triest, Morath.

Hij haatte het leven van de émigré en dronk zichzelf dood toen hij besefte dat het oorlog zou worden.'

Twintig minuten later arriveerden ze in Thiais. De chauffeur parkeerde in de straat voor de kerk. Er had zich een bescheiden groep mensen gevormd, veelal émigrés. Ze zagen er onverzorgd en afgeleefd uit, maar ze hadden zich zo goed en zo kwaad als het kon opgedirkt. Voordat de mis begon, droegen twee mannen in donkere pakken en voorzien van onderscheidingen een rouwkrans de kerk in. 'Ah, de legitimisten', zei Polanyi. Over de krans heen bevond zich een sjerp in zwart en wit, de kleuren van het dubbele koningschap, en één woord – 'Otto', ofwel het hoofd van het Habsburger Huis en de erfgenaam van een verdwenen imperium. Het scheen Morath toe dat hij getuige was van het laatste, definitieve moment van het bestaan van Oostenrijk-Hongarije.

Op de begraafplaats bij de kerk sprak de priester kort, waarbij hij de vrouw van Roth, Friedle, noemde, die zich in een psychiatrische inrichting in Wenen bevond. Verder had hij het over zijn militaire dienst in Galicië gedurende de oorlog, over zijn romans, zijn journalistieke loopbaan, zijn liefde voor de Kerk en de monarchie. *We hebben de wereld allemaal overschat*, dacht Morath. Deze zin, geschreven aan een vriend nadat Roth naar Parijs was gevlucht, stond in het overlijdensbericht in de ochtendkrant.

Nadat de kist in het graf was gezakt, nam Morath een handvol aarde en strooide die uit over het vurenhouten deksel. 'Rust in vrede', zei hij. De treurenden stonden stil te kijken terwijl de doodgravers de aarde in het graf begonnen te scheppen. Sommige émigrés huilden. De namiddagzon scheen op de vierkante, van wit marmer gemaakte grafsteen met de inscriptie:

Josef Roth
Oostenrijkse dichter
In ballingschap gestorven in Parijs

Op 9 mei, het was middag, bevond Morath zich in de Agence Courtmain en kreeg hij een telefoonbericht overhandigd. 'Graag majoor Fekaj in het legatiegebouw bellen.' De moed zonk hem in de schoenen. Polanyi had hem op de terugweg van Thiais verteld dat Fekaj nu achter het bureau van Sombor zat; zijn eigen vervanging zou binnen een week uit Boedapest arriveren.

Morath stak het bericht in zijn zak en ging naar een vergadering in het kantoor van Courtmain. Alweer een postercampagne – een parade, een praalvertoning; de ministeries bereidden zich voor om in juli de honderdvijftigste verjaardag van de revolutie uit 1789 te vieren. Na de vergadering trakteerden Courtmain en Morath het personeel van het reclamebureau op een onbescheiden lunch in een bovenkamer van Lapérouse. Het vormde hun eigen speciale antwoord op het laatste dal van diepe duisternis wat betreft het nationale moreel.

Tegen de tijd dat hij terug was in de Avenue Matignon realiseerde Morath zich dat hij moest bellen, anders zou hij er de rest van de dag over zitten tobben.

De stem van Fekaj klonk kil en mat. Hij was een kleurloze, nauwgezette, formele en gereserveerde man. 'Meneer, ik heb u gebeld om u op de hoogte te brengen van het feit dat we ons grote zorgen maken over het welzijn van excellentie graaf Polanyi.'

'O ja? Wat is er dan aan de hand?'

'Hij is al twee dagen niet gezien in het gezantschapsgebouw. En bij hem thuis neemt hij de telefoon niet op. We willen weten of u toevallig contact met hem hebt gehad.'

'Nee, niet meer sinds de zesde.'

'Had hij, zover u weet, plannen om naar het buitenland te gaan?'

'Volgens mij niet. Misschien is hij ziek.'

'We hebben de stadsziekenhuizen gebeld. Hij is nergens opgenomen.'

'Bent u naar zijn appartement gegaan?'

'Vanmorgen. De conciërge heeft ons binnengelaten. Alles zag er ordentelijk uit, geen teken dat er iets... mis zou kunnen zijn. De dienstmeid verklaarde dat zijn bed twee nachten onbeslapen is gebleven.' Fekaj schraapte zijn keel. 'Zou u ons willen vertellen, meneer, of hij zo nu en dan ergens anders de nacht doorbrengt? Bij een vrouw?'

'Als dat het geval is, dan zal hij er tegen mij niets over loslaten. De details over zijn persoonlijke leven houdt hij voor zich. Hebt u de politie geïnformeerd?'

'Dat hebben we gedaan.'

Morath zag zich gedwongen aan zijn bureau te gaan zitten. Hij stak een sigaret op en zei: 'Majoor Fekaj, ik weet niet hoe ik u zou kunnen helpen.'

'We accepteren...', Fekaj aarzelde, waarna hij vervolgde: 'We begrijpen dat bepaalde aspecten van het werk van graaf Polanyi niet... in het oog mochten springen. Staatsaangelegenheden. Maar mocht hij contact met u opnemen, dan vertrouwen we erop dat u ons tenminste laat weten of alles... in orde is.'

Of hij nog leeft, zul je bedoelen. 'Dat zal ik doen', zei Morath.

'Dank u. Uiteraard zult u op de hoogte worden gebracht zodra wij meer horen.'

Morath hield de hoorn in zijn hand en was zich niet bewust van de stilte op de lijn nadat Fekaj had opgehangen.

Weg.

Hij belde Bolthos, die zich op zijn kantoor bevond, maar niet met hem wilde praten aan de gezantschapstelefoon. Hij ontmoette hem in een druk café, nadat het donker was geworden.

'Ik heb Fekaj gesproken', zei Morath. 'Ik kon hem echter niets vertellen.'

Bolthos zag er afgetobd uit. 'Het is moeilijk geweest', zei hij. 'Een onmogelijke situatie. Vanwege onze monsterachtige politiek gaan we gebukt onder gescheiden onderzoeken. Officieel zijn de *nyilas* verantwoordelijk, maar het echte werk moet worden gedaan door de vrienden van Polanyi. Fekaj en zijn bondgenoten zullen zich er niet in verwikkelen.'

'Waar denk je dat hij zich bevindt?'

Een beleefde schouderophaal. 'Ontvoerd.'

'Vermoord?'

'Na verloop van tijd zal dat het geval zijn.'

Een ogenblik later zei Bolthos: 'Hij zou toch niet van een brug springen, hè?'

'Nee, hij niet.'

'Nicholas,' zei Bolthos, 'je zult me moeten vertellen waar hij mee bezig was.'

Morath zweeg even, maar hij had geen keuze. 'Dinsdag de zesde werd hij verondersteld een man te ontmoeten die zei dat hij een afvallige was van de Russische geheime dienst. Polanyi geloofde dat niet. Volgens hem was de man niet gevlucht, maar gestuurd. Niettemin had hij informatie meegenomen die Polanyi belangrijk achtte... het ontslag van Litvinov, onderhandelingen tussen Stalin en Hitler. Dus ontmoette Polanyi hem en ging akkoord met een tweede afspraak, de laatste. Documenten in ruil voor geld, vermoed ik.

'Maar als je naar vijanden op zoek bent, dan mag je daar niet stoppen. Denk ook aan de collega's van Sombor. Ze waren ongetwijfeld wantrouwig over wat er in het gezantschapsgebouw is gebeurd, en in staat tot alles. Bovendien mag je het feit niet negeren dat Polanyi Duitse contacten had... diplomaten, spionnen, stafofficieren van de Wehrmacht. En hij had ook iets met de Polen, misschien ook met de Roemenen en Serven; een potentieel verenigd front tegen Hitler.'

Bolthos glimlachte wrang naar hem. 'Geen kwaaie minnares, dat weet jij zeker.'

Ze zaten zwijgend in het bruisende café. Aan de belendende tafel zat een vrouw met een lorgnet de krant te lezen. Haar teckel lag onder een stoel te slapen.

'Dat was natuurlijk zijn werk', zei Bolthos.

'Ja, dat was het zeker.' Morath merkte dat hijzelf in de verleden tijd sprak. 'Jij denkt dat hij dood is.'

'Ik hoop het niet, maar alles beter dan een kerker in Moskou of Berlijn.' Bolthos haalde een notitieboekje uit zijn zak. 'Die ontmoeting... wil je me vertellen waar die hoorde plaats te vinden?'

'Ik weet het niet. De eerste ontmoeting was in het metrostation Parmentier. Maar in de periode dat ik met die man omging was hij heel omzichtig als het ging om de plaats en het tijdstip. Kortom, tot op zekere hoogte zou die ontmoeting overal plaatsgevonden kunnen hebben, *behalve* dáár.'

'Tenzij Polanyi erop aandrong.' Bolthos bladerde terug in het notitieboekje. 'Ik heb gewerkt met mijn eigen bronnen in het Parijse politieapparaat. Op dinsdag de zesde werd er nabij het metrostation Parmentier een man doodgeschoten. Deze zaak kwam in de la tussen roofzaken en huiselijke problemen terecht. Er was echter iets mee dat mijn aandacht trok. Het slachtoffer bleek een Franse burger, geboren in Slowakije. Hij had gediend in het vreemdelingenlegioen en werd ontslagen wegens politieke activiteiten. Hij kroop in een portiek en stierf in de Rue St.-Maur, een minuutje of zo lopen vanaf het metrostation.'

'Een fantoom', zei Morath. 'De lijfwacht van Polanyi... denk je dat? Misschien zijn moordenaar? Of beiden, waarom niet? Of, heel waarschijnlijk was het niemand in het bijzonder. Iemand die op de verkeerde avond iemands besognepad kruiste, of die vermoord werd om een muntstuk van tien franc.'

Bolthos deed zijn notitieboekje dicht. 'We moeten een poging wagen', zei hij. Hij bedoelde dat hij zijn best had gedaan.

'Ja, dat weet ik', zei Morath.

Temetni Tudunk, een Magyaars sentiment, complex en ironisch... 'We weten in elk geval hoe we mensen moeten begraven'. Het was Wolfi Szubl die deze woorden uitsprak in een Hongaarse nachtclub in de kelder van een zonderling klein hotel in het zeventiende arrondissement. Szubl en Mitten, een door een Franse filmproducent geëscorteerde barones Frei, Bolthos met zijn vrouw en zijn nicht, Voyschinkowsky en lady Angela Hope, de artiest Szabo, de mooie madame Kareny en vele andere dolers en aristocraten die ooit in het gecompliceerde leven van Polanyi hadden gedobberd.

Het was geen begrafenis – er vond geen teraardebestelling plaats, en conform een ironische draai aan de zin van Szubl was het zelfs geen herdenking, maar alleen een avond waarop je je een vriend herinnerde. 'Een moeilijke vriend'. Dat had Voyschinkowsky gezegd, terwijl hij met zijn wijsvinger over een ooghoek wreef. Er was kaarslicht, een zigeunerorkest, schalen vol kip met paprika en room, wijn, fruitbrandewijn en ja, het werd naarmate de avond voortschreed meer dan eens gezegd dat Polanyi er graag bij zou zijn geweest. Tijdens een van die bijzonder hartbrekende songs bevond een bleke, elegante vrouw – een suprême, absoluut waarachtige *Parisienne*, van wie het gerucht ging dat ze een bordeelhoudster was die in het Palais Royal woonde – zich voor het orkest en danste met een sjaal. Morath zat naast Mary Day en vertaalde zo nu en dan wat iemand in het Hongaars had gezegd.

Ze brachten een toast uit op Polanyi. 'Waar hij vanavond ook mag zijn.' Waarmee hemel of hel werd bedoeld. 'Of misschien Palm Beach', zei Herbert Mitten. 'Ik denk dat daar niets mis mee is om dat te denken als je het goed meent.'

Om twee uur 's ochtends kreeg Morath de rekening op een zilveren dienblad gepresenteerd, compleet met een grootse buiging van de *patron*. Voyschinkowsky, wiens poging werd verijdeld om die avond te betalen, stond erop om Morath en Mary Day naar huis te rijden in zijn Hispano-Suiza met chauffeur.

We moeten een poging wagen – wat Bolthos had gezegd, gold voor hen beiden. Dat betekende voor Morath een voor de hand liggend, maar netelig eindje – waarlijk het enige dat hij kende – in wat een enorme kluwen van schimmige connecties moest zijn geweest.

De volgende ochtend ging hij naar de Balalaika en dronk wodka met Boris Balki.

'Schande', zei Balki. Hij bracht een toast uit 'ter nagedachtenis aan hem'.

'Terugkijkend was het wellicht onvermijdelijk.'

'Ja, vroeg of laat. Zijn soort leeft in geleende tijd.'

'De verantwoordelijken bevinden zich misschien in Moskou', zei Morath.

Een bepaalde fijngevoeligheid voorkwam dat Balki zich uitsprak over hoe hij daarover dacht, maar zijn reactie – Balki keek om zich heen om te weten te komen wie er misschien luisterde – was voor Morath een open boek.

'In jouw plaats zou ik niet eens een poging doen om met ze te praten', zei Balki.

'Nou ja, als het zou helpen.'

'Als ze dat doen, dan is het gebeurd', zei Balki. 'Gedoemd is gedoemd. De Slaven weten daar alles van.'

'Ik heb me afgevraagd wat er van Silvana is geworden', zei Morath.

'Ze leeft hoog en droog.' Balki was duidelijk opgelucht dat 'Moskou' niet langer een gespreksthema was. 'Dat is wat ik ervan heb gehoord.'

'Ik wil von Schleben spreken.'

'Tja...'

'Kun je dat regelen?'

'Silvana, ja. De rest is aan jou.'

Daaropvolgend, in de laatste week van mei, ontving Morath een brief – dik, roomkleurig papier – van ene Auguste Thien. Hij werd ontboden op het Geneefse advocatenkantoor Thien om 'zaken te regelen betreffende het landgoed van graaf Janos von Polanyi de Nemeszvar'.

Morath nam de trein in Parijs en staarde naar het Bourgondische landschap in groen en goud. Die nacht logeerde hij in een stil Geneefs hotel en arriveerde de volgende ochtend op het kantoor, dat uitkeek op het Meer van Genève.

Een lagergeplaatst staflid ging Morath voor in het kantoor. Advocaat Thien bleek een oude zak botten te zijn die overeind werd gehouden door een gesteven, ijzerkleurig pak. Hij had een volle bos golvend, zilverkleurig haar met een scheiding in het midden, en zijn huid deed denken aan perkament. 'Excellentie', zei de advocaat, die een hand naar hem uitstak. 'Wilt u koffie? Iets sterkers?'

Morath koos voor de koffie. Daar kwam het lagergeplaatste staflid mee aanzetten. Sèvres-servies, in talloze delen, op een gigantisch dienblad. Thien serveerde eigenhandig de koffie, zijn ademhaling was hoorbaar terwijl hij zich uitsloofde.

'Kijk eens aan', zei hij toen Morath uiteindelijk het kopje in zijn handen had.

Op het bureau bevond zich een metalen box van het soort dat werd gebruikt in bankkluizen. 'Deze documenten gaan over een belangrijk deel van het landgoed Polanyi de Nemeszvar', zei Thien. 'Conform zijn instructies zal ik die nu, in hoofdzaak, aan u overdragen. Er zijn voorzorgsmaatregelen getroffen voor de overgebleven familieleden van graaf Polanyi, zeer genereuze voorzorgsmaatregelen, maar het grootste deel van het landgoed is vanaf nu in uw bezit. Waarbij inbegrepen natuurlijk de titel, bestemd voor het oudste overlevende familielid in de mannelijke lijn... in dit geval de zoon van graaf Polanyi's zus, uw moeder. Welnu, voordat we ons in de meer technische details gaan begeven, is het voor mij een privilege om u, zelfs in dit droeve uur, te mogen begroeten als graaf Nicholas Morath.'

Langzaam ging hij staan, liep om het bureau heen en gaf Morath een hand.

'Misschien ben ik slecht op de hoogte van de wettelijke bepalingen,' zei Morath, nadat hij weer was gaan zitten, 'maar naar mijn weten bestaat er geen overlijdenscertificaat.'

'Dat is zo.' Het gezicht van Thien betrok. 'Maar conform onze instructies is die noodzaak van een certificaat er niet. U dient zich ervan bewust te zijn dat bepaalde individuen, conform hun vaste voornemen aangaande de definitieve schenking van hun bezit, nou ja, elke voorwaarde kunnen scheppen die zij nodig achten. Dat wordt, tenminste in Zwitserland, geheel aan hun oordeel overgelaten. We hebben een brief ontvangen van de Paris Préfecture, een *attestation*; tot ons genoegen wordt daarin bevestigd dat de legator officieel tot vermist persoon is verklaard. In deze onfortuinlijke omstandigheid was in feite voorzien. En ik mag wel zeggen dat dit kantoor bekendstaat om de meest nauwgezette uitvoering als het gaat om de instructies van de cliënt, ongeacht de mogelijke gevolgen. U hebt misschien gehoord over Loulou, de circusolifant? Nee? Nou, ze geniet nu van een voortreffelijk pensioen op een boerderij in de buurt van Coimbra, geheel overeenkomstig de wensen van wijlen señor Alvares, de voormalige eigenaar van Circus Alvares. In zijn wilsbeschikking en testament was hij zijn trouwe artiest niet vergeten. Aldus zal deze olifant zogezegd señor Alvares nooit vergeten. En dit advocatenkantoor, graaf Morath, zal de olifant nooit ofte nimmer vergeten!'

Tevreden glimlachend haalde advocaat Thien een grote sleutel uit zijn la, opende vervolgens de metalen box en begon Morath verscheidene overdrachtsakten en certificaten te overhandigen.

Hij kwam te weten dat hij zeer rijk was. In algemene zin was hij op de hoogte van de Canadese spoorwegobligaties en de landgoederen in Hongarije, maar nu was het tastbaar geworden. 'Bovendien,' zei Thien, 'bestaan er zekere gespecificeerde rekeningen, onder beheer van banken in deze stad. Ook die komen u nu toe. Mijn compagnon zal u helpen met het invullen van de formulieren. U kunt ervoor kiezen deze fondsen door welk instituut dan ook te laten beheren, of ze blijven gewoon onder uw naam bestaan, met betalingsinstructies naar wens.

'Graaf Morath, dit is veel informatie om te verwerken tijdens een ontmoeting. Zijn er op dit ogenblik punten die van uw kant helderheid behoeven?'

'Ik denk het niet.'

'Dan... met uw permissie... zal ik er dit aan toevoegen.'

Uit zijn lade haalde hij een vel papier en las hardop voor: 'Het mag dan wel onvermijdelijk zijn dat een man op zeker moment afscheid neemt van zijn vertrouwde wereld, zijn geest leeft voort in de handelingen en daden van hen die achterblijven, en in de herinnering van de nabestaanden, zijn vrienden en familie. Hun leven zal wellicht de lessen weerspiegelen die ze van hem hebben geleerd, en dat zal zijn meest waarachtige nalatenschap zijn.'

Na een stilte zei Thien. 'Ik geloof dat u troost moet putten uit die woorden, excellentie.'

'Zeker', zei Morath.

Klootzak. Je leeft.

Na zijn terugkeer in Parijs vond er natuurlijk een titelpromotiefeestje plaats. Het geval wilde dat alleen de graaf en vermoedelijke gravin aanwezig waren. De laatste zorgde ervoor dat de *pâtisserie* op de hoek een leuke cake aanleverde, met daarbovenop – dit in overleg met de bakkersvrouw en na raadpleging van een woordenboek – in blauwe glazuur een felicitatie in het Hongaars. Toen Morath dit las, bleek het zoiets te zijn als *Prettige gevoelens, meneer de graaf,* maar gezien de moeilijke taal kwam het er dicht genoeg bij. Verder – een geestverschijning van Suzette! – had Mary Day aan de muur van het appartement papieren slingers opgehangen. In tegenstelling tot Jack, de knappe matroos, was Morath er niet bij geweest om de ladder vast te houden. Niettemin zag hij meer dan Jack ooit te zien zou krijgen en kreeg hij het feit dat hij het suikerglazuur van de tepels van de gravin mocht likken op de koop toe.

Er volgde een nacht vol avonturen. Om drie uur stonden ze bij het raam en zagen ze de maan in de mist. Aan de andere kant van de Rue Guisarde leunde een pijp rokende man in een onderhemd tegen het raamkozijn. Een uur later volgde een lentewind en de geur van de velden op het platteland. Ze besloten om met het krieken van de dag naar de Closerie de Lilas te gaan en champagne te drinken. Vervolgens viel Mary Day met open mond in slaap, met haar lokken op haar voorhoofd geplakt. Ze sliep zo vredig dat hij het niet over zijn hart kon verkrijgen om haar wakker te maken.

Die avond gingen ze naar de film, een van die grillige Gaumont-bioscopen bij het Grand Hotel. *De lieftalligste vergissing* dacht Morath. Een Franse obsessie – hoe passie zich uitspeelde in romantische intrige, waarbij iedereen mooi uitgedost en goed gekleed ging. Zijn geliefde Mary Day, zo koppig als ze kon zijn op zoveel manieren, zwichtte compleet. Hij kon voelen, terwijl hij naast haar zat, hoe haar hart bonsde om een onverhoedse omarming.

Maar in de lobby, weelderig versierd met kroonluchters en cherubijntjes, terwijl ze op weg waren naar buiten, hoorde hij een jongeman tegen zijn vriendin zeggen: '*Tout Paris* kan zichzelf helemaal suf neuken, het zal er niet voor zorgen dat Hitler ook maar één minuut halt houdt.'

Zo was de Parijse stemming in juni. Gespannen maar veerkrachtig worstelde de stad om het cataclysme te boven te komen – Oostenrijk, München, Praag – en deed pogingen het normale leven weer te hervatten. Maar de nazi's lieten het daar niet bij. Nu was Gdansk aan de beurt. En de Polen deden hun uiterste best. Elke ochtend was het in de kranten te lezen: douanebeambten neergeschoten, postkantoren in brand gestoken, vlaggen naar beneden getrokken en vertrapt in het zand.

Ondertussen vonden er in Hongarije geen rellen of brandstichting plaats, maar heerste dezelfde politieke oorlog die van geen wijken wist. In mei had het parlement nieuwe antisemitische wetten goedgekeurd, en toen Morath een verzoek kreeg van Voyschinkowsky voor een bijdrage aan een fonds voor joden die het land wilden verlaten, schreef hij een cheque uit waar zelfs de 'Leeuw van de Beurs' versteld van stond. Voyschinkowsky trok zijn wenkbrauwen op toen hij het bedrag zag. 'Nou zeg, dat is *verschrikkelijk* vrijgevig van je, Nicholas. Weet je zeker dat je zoveel wilt geven?'

Dat wist hij zeker. Hij had een brief ontvangen van zijn zus. Teresa schreef dat het leven in Boedapest 'verrot en verwoest' was. Eindeloos gepraat over de oorlog en zelfmoorden, over een incident tijdens een opvoering van *Der Rosenkavalier*. 'Zelfs in het *operagebouw*, Nicholas.' Duchazy was in staat om 'God mag weten wat' te doen. Complotten, samenzweringen. 'Afgelopen dinsdag ging de telefoon na middernacht twee keer.'

Morath nam Mary Day mee voor de middagthee bij barones Frei, de officiële viering van het feit dat het zomer was geworden in de tuin. De sterren van de show vormden twee rozenstruiken die zich verspreidden langs de bakstenen muren die het terras omgaven. *Madame Alfred Carrière*, witte bloemen met een zweem van lichtroze – 'een perfect kruidje-roer-me-niet,' zei de barones tegen Mary Day, 'eigenhandig in 1911 door de baron geplant', en *Gloire de Dijon*, zachtgeel met vleugjes abrikoos.

De barones hield 'jour' in een van ijzerwerk gemaakte tuinstoel en schold op de viszla's, die de strijd aanbonden om verboden kruimels van de gasten. Ze gebaarde naar haar vrienden om dichter bij haar te gaan zitten. Naast haar zat Blanche, een Amerikaanse vrouw. Ze was de echtgenote van de cellist Kolovitzky en een levendige blondine met zwarte wenkbrauwen, een getaande huid als gevolg van een leven aan de zwembaden in Hollywood en een imposante boezem aan een lichaam dat Rubensproporties zou hebben gehad als ze niet gedwongen zou zijn om op grapefruit en toast te leven.

'Nicholas, schat.' De barones riep naar hem. 'Kom hier en praat met ons.'

Terwijl hij naar haar toe liep, zag hij Bolthos tussen de andere mensen en beantwoordde hij zijn vluchtige blik met een vriendelijke knik. Even werd hij in de verleiding gebracht iets te zeggen over zijn vermoedens, maar hij bedacht zich meteen. *Zwijgen*, maande hij zichzelf.

Morath drukte een kus op beide wangen van Lillian Frei. 'Heb je Blanche al ontmoet, Nicholas? De echtgenote van Bela?'

'Kolovitzky, niet Lugosi', zei de vrouw met een lach.

Morath lachte beleefd mee terwijl hij haar hand nam. Waarom was dit grappig?

'Op het kerstfeestje', zei Morath. 'Wat leuk u weer te ontmoeten.'

'Ze logeerde in het Crillon', zei barones Frei. 'Maar ik heb haar overgehaald om hierheen te komen en bij mij te logeren.'

De vrouw van Kolovitzky begon in het Engels tegen hem te praten. Morath deed zijn best haar te volgen. De barones zag aan hem dat hij er moeite mee had en vertaalde het voor hem in het Hongaars, waarbij ze de linkerhand van Blanche stevig in haar rechter hield en beide handen op en neer bewoog ter benadrukking tijdens het gesprek.

Het ging om – dat merkte Morath meteen – een boosaardig, en mogelijk fataal geval van geldgekte. Na het overlijden van een tante in Johannesburg had de cellist, die de muziek orkestreerde van Hollywoodfilms, twee appartementenhuizen in Wenen geërfd. 'Helemaal niet extravagant, hoor, maar degelijk, respectabel.'

De vrienden van Kolovitzky, verder zijn advocaat en zijn vrouw, hadden gelachen om het absurde idee van Kolovitzky om terug te gaan naar Oostenrijk en de erfenis te claimen. Kolovitzky had eveneens gelachen, waarna hij het vliegtuig nam naar Parijs en vervolgens op de trein stapte naar Wenen.

'Hij is opgegroeid in armoede', zei Blanche. 'Dus kan hij nooit genoeg geld vergaren. Hij loopt door het huis en doet de lichten uit.'

Ze zweeg even, pakte een zakdoek uit haar handtas en maakte deppende bewegingen bij haar ogen. 'Het spijt me', zei ze. 'Hij is drie weken geleden naar Wenen gegaan. Hij bevindt zich daar nog steeds. Ze laten hem niet de grens oversteken.'

'Heeft iemand hem aangemoedigd om te gaan?'

'Ziet u wel? Hij weet het', zei Blanche tegen de barones. 'Een schoft van een advocaat uit Wenen. "Maakt u zich absoluut geen zorgen", had hij in zijn brief geschreven. "U bent een Amerikaan, geen vuiltje aan de lucht."'

'Staatsburger?'

'Volgens zijn papieren is hij een vreemdeling met verblijfsvergunning. In het Crillon heb ik een brief van hem ontvangen. Als hij hun de gebouwen eenmaal zou geven, zo stond er... die advocaat speelt onder één hoedje met de nazi's, *dat* is er aan de hand... dacht hij dat ze hem wel naar huis zouden laten gaan. Maar misschien is het allemaal niet zo makkelijk.'

De barones was als verlamd op het moment dat de woorden 'onder één hoedje' vielen. Blanche zei: 'Ik bedoel daarmee te zeggen dat ze allemaal samenspannen.'

'Is hij naar de Amerikaanse ambassade gegaan?'

'Dat heeft hij geprobeerd. Maar ze zijn niet geïnteresseerd in jo-den. "Kom maar terug in juli", zeiden ze tegen hem.'

'Waar in Wenen bevindt hij zich?'

Ze maakte haar handtasje open en haalde een beduimeld, gevou-wen briefje van dun papier te voorschijn. 'Hier, hij schrijft...' Ze zocht naar haar bril en zette die op. 'Hij schrijft... het Schoenhof. Ik weet niet waarom... hij logeerde steevast in het Graben, daar vond hij het altijd fijn.' Ze las verder en zei: 'Kijk maar, hij schrijft: "Ik heb de gebouwen om belastingtechnische redenen op naam van Herr Kreml gezet." Dat is de advocaat. "Maar ze maken me duidelijk dat verdere betalingen misschien noodzakelijk zijn." Vervolgens schrijft hij: "Ik kan alleen maar hopen dat dit aanvaardbaar is. Neem alsjeblieft toch maar contact op met meneer R.L. Stevenson van de bank om de mo-gelijkheden na te gaan." Dat is heel vreemd, want die meneer Ste-venson bestaat niet, althans niet zover ik weet.'

'Ze laten hem niet gaan', zei de barones.

'Mag ik die brief hebben?' vroeg Morath.

Blanche overhandigde hem die. Morath stak de brief in zijn zak.

'Moet ik geld sturen?'

Morath dacht daarover na. 'Schrijf een brief waarin u hem vraagt hoeveel hij nodig heeft en wanneer hij thuiskomt. Schrijf daarna dat u zich ergert... of laat het blijken... over de manier waarop hij zich al-tijd in de nesten werkt. Waarom leert hij nooit de regels te respecte-ren? Het punt is dat u met smeergeld op de proppen komt, maar dat moet wel werken. Later kunt u zeggen dat het allemaal zijn schuld was. Ze zijn gevoelig als het om Amerika gaat, die nazi's. Ze willen geen verhalen in de krant.'

'Nicholas,' zei de barones, 'kan er iets worden ondernomen?'

Morath knikte. 'Misschien. Ik zal er mijn gedachten over laten gaan.'

Barones Frei keek naar hem op. Haar ogen waren zo blauw als een herfstlucht.

Blanche maakte aanstalten om hem te bedanken, en ze had al te veel gezegd en stond op het punt om het over geld te hebben, maar de barones was haar voor. 'Hij weet er alles van, Blanche, hij weet het', zei ze zachtjes. 'Graaf Nicholas heeft een goed hart.'

Vanuit de aparte ruimte op de eretribune glommen de gazons van de racebaan van Longchamps als groen fluweel. De zijden kleren – scharlakenrood, goud en koningsblauw – van de jockeys straalden in het zonlicht.

Silvana tikte met het uiteinde van haar potlood tegen een racekaart. 'Coup de Tonnerre?' zei ze. Donderslag. 'Was dat het paard met die blonde manen? Horst? Kun jij je dat nog herinneren?'

'Volgens mij is-ie dat', zei von Schleben. Hij tuurde naar het overzichtskaartje. 'Pierre Lavard is de jockey; ze laten hem elke dag wel een keer winnen. Misschien Bal Masqué. Welk paard hebt u op het oog, Morath?'

Silvana keek hem verwachtingsvol aan. Ze had een bedrukte, zijden jurk aan en droeg parels. Haar kapsel was duur.

'Coup de Tonnerre', zei Morath. 'De laatste keer kwam hij als derde aan. Aantrekkelijke kansen.'

Von Schleben gaf Silvana honderd franc. 'Regel het voor ons, wil je?' Morath overhandigde haar eveneens geld. 'Laten we afgaan op de intuïtie van graaf Morath.'

Nadat ze naar het bookmakersloket was vertrokken, zei von Schleben: 'Ik vind het erg van uw oom. We hebben ons vaak goed geamuseerd, maar ja, zo is het leven.'

'U hebt toch niets meer vernomen, nadat het is gebeurd?'

'Nee, nee', zei von Schleben. 'In het niets verdwenen.'

Terwijl de paarden naar de start liepen, ontstonden de gebruikelijke moeilijkheden – een assistent spong opzij om te voorkomen dat hij een schop kreeg.

'In Wenen woont een advocaat met wie ik graag in contact zou komen', zei Morath. 'Gerhard Kreml.'

'Kreml', zei von Schleben. 'Ik geloof niet dat ik hem ken. Waarom?'

'Ik wil weten wat het voor iemand is. Welke zaken hij aanneemt. Volgens mij heeft hij connecties met de Oostenrijkse partij.'

'Ik zal kijken wat ik voor u kan doen', zei von Schleben. Hij overhandigde Morath een visitekaartje. 'U kunt me opbellen, begin volgende week, als u dan nog niets hebt gehoord. Gebruik het tweede nummer, daar, onderaan.'

De race ging van start. De galopperende paarden vormden een kluwen. Von Schleben bracht een paarlemoeren toneelkijker naar zijn ogen en volgde de race. 'Neem de binnenkant, idioot', zei hij. De paardenhoeven maakten een roffelend geluid op het gras. Toen ze halverwege waren, begonnen de jockeys gebruik te maken van de zweep. *Ach scheisse*', zei von Schleben. Hij liet de toneelkijker zakken.

'Die Kreml', zei Morath. 'Heeft een cliënt in Wenen zitten, een vriend van een vriend met belastingproblemen. Het gaat om de vraag of hij toestemming krijgt het land te verlaten.'

'Een jood?'

'Ja. Een Hongaarse musicus die in Californië woont.'

'Als hij die belasting betaalt, zou er geen probleem mogen zijn. Natuurlijk zijn er uitzonderlijke situaties. En als die er zijn, onregelmatigheden dus, nou ja, de Oostenrijkse belastingdienst kan inderdaad afschuwelijk traag te werk gaan.'

'Zal ik u vertellen om wie het gaat?'

'Nee, doet u geen moeite. Laat me eerst eens uitzoeken met wie u in zee gaat. In Wenen is alles... een beetje gecompliceerder.'

De winnaars van de race werden aangekondigd. 'Jammer', zei von Schleben. 'Volgende keer beter.'

'Dat mag ik hopen.'

'Trouwens, in het gezantschapsgebouw werkt ene Bolthos. Vriend van u?'

'Ja. In elk geval een kennis.'

'Ik heb geprobeerd met hem in contact te komen, maar dat is niet makkelijk. Drukbezet man, neem ik aan.'

'Zal ik ervoor zorgen dat hij u belt?'

'Wilt u dat voor me doen?'

'Ik zal het hem vragen.'

'Dat zou ik zeer zeker op prijs stellen. We hebben gemeenschappelijke belangen, hier en daar.'

Silvana keerde terug. Morath zag dat ze haar lippenstift had bijgewerkt. 'Ik ga nu', zei hij.

'U hoort zeker van mij', zei von Schleben. 'Nogmaals, ik vind het erg van uw oom. We moeten er het beste van hopen.'

Met de schoenen uit, de stropdas los, een sigaret in een hand en een glas wijn in de andere, rekte Morath zich uit op de bruinfluwelen sofa en las en herlas de brief van Kolovitzky.

Mary Day had een badhanddoek om, terwijl een andere handdoek om haar hoofd was gewikkeld. Ze kwam net uit de badkamer en had het nog steeds warm. Ze zat naast hem.

'Wie is R.L. Stevenson?' vroeg Morath.

'Ik geef het op. Wie is dat?'

'Het staat in de brief van Kolovitzky. Hij speelde viool op het kerstfeestje van barones Frei. Hij heeft het voor elkaar gekregen om in Wenen in de val te lopen. Hij mocht van hen een brief schrijven naar zijn vrouw... slechts één keer, denk ik, de tweede brief zal niet aankomen... om te kijken of ze meer geld van hem kunnen lospeuteren voordat ze hem in een kanaal smijten.'

'Nicholas!'

'Het spijt me, maar zo is het nu eenmaal.'

'Staat die naam in de brief?'

'Een code. Hij probeert zijn vrouw iets duidelijk te maken.'

'O, nou ja, dan is het de schrijver.'

'Welke schrijver?'

'Robert Louis Stevenson.'

'Wie is dat?'

'Hij schreef avonturenromans. Ontzettend populair. Mijn vader had al zijn boeken, hij heeft ze in zijn jeugd gelezen.'

'Zoals?'

'*Schateiland.*' Ze wikkelde de handdoek van haar hoofd en begon haar lokken te drogen. 'Nooit van gehoord?'

'Nee.'

'Long John Silver, de piraat, met zijn houten been en een papegaai op zijn schouder. "En nu stoppen, maatjes!" Het gaat over een scheepsjongen en een begraven schat.'

'Ik heb geen idee', zei hij peinzend. 'Wat nog meer?'

'*De kapitein van de Ballantrae?*'

'Wat gebeurt er in dat boek?'

Ze haalde haar schouders op. 'Ik heb het nooit gelezen. O, ook *Ontvoerd.*'

'In de roos.'
'Maakt hij haar duidelijk dat hij is gekidnapt?'
'Ze willen losgeld.'

20.30 uur. Het was razend druk in de Balalaika. En rokerig en luid-ruchtig. De zigeunerviolen klonken klagend, de klanten lachten en schreeuwden in het Russisch, en de man die een eind van Morath vandaan aan de bar zat, huilde zachtjes terwijl hij dronk. Balki wierp hem een blik toe en schudde zijn hoofd. *'Kabatskaya melankholia'*, zei hij afkeurend met verkrampte lippen.

'Wat betekent dat?'

'Een Russische uitdrukking... herbergmelancholie.'

Morath keek toe terwijl Balki een *diabolo* bereidde; flink wat gre-nadine, vervolgens het glas vullen met limonade. Balki keek op zijn horloge. 'Ik kan elk moment worden afgelost.'

Enkele minuten later kwam de man opdagen, waarna Balki en Morath zich naar een bar aan de Place Clichy begaven. In een eerder stadium, toen het rustig was in de bar, had Morath de details be-treffende de brief van Kolovitzky uit de doeken gedaan. Daarna had het tweetal een strategie uitgedacht, een plan dat onmogelijk fout kon gaan, én een plan als dat onverhoeds toch het geval zou blijken te zijn.

In de bar groette Balki de eigenaar in het Russisch en vroeg aan hem of ze de telefoon konden gebruiken.

'Misschien kunnen we beter naar het treinstation gaan', zei Mo-rath.

'Bespaar je het ritje. De helft van alle Wit-Russen in Parijs ge-bruikt deze telefoon. Huurlingen, lui die bomaanslagen voorberei-den, gozers die de tsaar terug op de troon proberen te krijgen, ze gaan allemaal hierheen.'

'De tsaar is dood, Boris.'

Balki lachte. 'En of-ie dat is. Nou en?'

Morath vroeg bij de telefonist een internationale verbinding aan en werd bijna meteen doorverbonden met Wenen. De telefoon rin-kelde een hele tijd, waarna er werd opgenomen. 'Hotel Schoenhof.'

'Goedenavond. Meneer Kolovitzky, alstublieft.'

Heel even maakte de verbinding een sissend geluid. Vervolgens zei de man. 'Een moment.'

Morath wachtte, waarna iemand anders aan de lijn kwam. Deze stem klonk scherp en wantrouwig. 'Ja? Waarom wilt u Kolovitzky spreken?'

'Gewoon even met hem praten.'

'Momenteel heeft hij het druk. Hij kan niet naar het apparaat komen. Met wie spreek ik?'

'Meneer Stevenson. Op dit moment ben ik in Parijs, maar misschien ga ik volgende week naar Wenen.'

'Ik zal zeggen dat u hebt gebeld', zei de man, waarna hij ophing.

In de Agence Courtmain belde hij von Schleben op. Een secretaresse zei dat hij nu geen tijd had, maar enkele minuten later belde hij toch op. 'Ik heb de informatie die u wenst', zei hij. 'Gerhard Kreml is een onbelangrijke advocaat en van nature onbetrouwbaar. Vóór de *Anschluss* kon hij nauwelijks het hoofd boven water houden, maar daarna ging het hem voor de wind.'

'Waar houdt hij kantoor?'

'Hij heeft een eenkamerkantoor in de Singerstrasse. Maar hij is niet uw probleem. Uw probleem is de Oostenrijkse SS, Sturmbahnnführer Kammer. Hij en Kreml houden zich bezig met zwendel. Ze arresteren joden die nog iets over hebben om van te stelen. Ik vermoed dat uw vriend naar Wenen is gelokt. Bovendien moet ik u erop attent maken dat hij weinig kans maakt om daar weg te komen.'

'Kunt u iets ondernemen?'

'Ik denk niet dat ze hem opgeven... als het in Duitsland plaatsvond, zou ik wellicht iets kunnen doen. Wilt u dat ik een poging waag? Daar staat dan een quidproquo tegenover, en dan nog is er geen garantie.'

'En als we betalen?'

'Dat zou ik doen. U dient te begrijpen dat onderhandelen met Kammer betekent dat u in zee gaat met een krijgsheer. Hij zal niet toelaten dat iemand in zijn territorium komt en neemt wat van hem is.'

Morath bedankte hem en hing op.

'Liebchen.'

Wolfi Szubl zei het lief, dankbaar. Frau Trudi draaide zich om bij de muur, glimlachte verleidelijk naar hem en liep door de kamer. Haar immense billen en zware dijen schudden terwijl ze met haar heupen wiegde. Toen ze achter in de kamer arriveerde, draaide ze zich opnieuw om, boog zich naar hem toe, bewoog haar schouders en zei: 'En? Wat zie je nu?'

Wolfi zei: 'Het paradijs.'

'En mijn korting?'

'*Veel* korting, *liebchen.*'

'Ja?' Haar gezicht straalde nu van plezier. *Zelfs haar haar is dik,* dacht hij. Een krullende, kastanjebruine ragebol, die ze uitborstelde nadat ze zich in het korset had gewurmd; het ding deinde op en neer, net als de glorieuze rest van haar lichaam terwijl ze voor hem showde.

'Ik neem alles wat je hebt, Wolfi. Voor de *Madame Pompadour.* Mijn dames krijgen een appelflauwte.'

'Niet alleen jouw dames. Wat zie ik daar? Liet je daar iets vallen?'

'O ja? O jee.' Met haar handen in haar zij liep ze als een model over de catwalk. Bij elke stap deed ze een schouder naar voren, kin omhoog, compleet met een stijlvolle pruillip. 'Twee dozijn? Zestig procent korting?'

'Je leest mijn gedachten.'

Bij de muur boog ze zich voorover en hield die pose vast. 'Ik *zie* niets.'

Szubl kwam van zijn stoel, ging achter haar staan en maakte de piepkleine knoopjes los. Toen hij daarmee klaar was, trippelde ze met kinderachtige stapjes naar het bed. Vervolgens lag ze op haar buik, met de handen onder haar kin.

Szubl begon zijn stropdas los te maken.

'Wolfi', zei ze zachtjes. 'Er gaat geen dag voorbij zonder dat ik aan jou denk.'

Szubl trok zijn onderbroek uit en liet die om een vinger draaien.

Het appartement bevond zich boven haar winkel, *Frau Trudi,* in de Prinzstrasse naast een bakkerij. De geur van de gebakjes in de oven walmde omhoog en door het open raam naar binnen. Het was een warme dag in Wenen, en die beroerde *Föhn* waaide vandaag voor de verandering eens niet. De kanarie van Frau Trudi tjilpte in zijn kooi. Alles was vredig en kalm. Het was schemerig geworden en ze konden onder hen de deurbel van de winkel horen terwijl de klanten in en uit liepen.

Frau Trudi zag er na het vrijen helemaal klam en roze uit. Ze nestelde zich tegen hem aan. 'Vind je het hier fijn, Wolfi? Bij mij.'

'Wie niet?'

'Je mag best een poosje blijven als je dat wilt.'

Wolfi zuchtte. Kon hij dat maar doen. 'Ik vraag me af of je iemand kent die dringend wat geld moet verdienen. Misschien heeft een van jouw dames een echtgenoot die werkloos is.'

'Wat zou hij dan moeten doen?'

'Niet veel. Aan een vriend van mij een week lang zijn paspoort lenen.'

Ze leunde op haar elleboog en keek op hem neer. 'Zit je in de problemen, Wolfi?'

'Ik niet. Die vriend van mij wil voor het lenen van dat paspoort vijfhonderd Amerikaanse dollars neertellen. Dus dacht ik, nou ja, misschien weet Trudi iemand.'

Hij keek naar haar. In gedachten stelde hij zich voor dat hij een kassalade hoorde rinkelen terwijl ze dollars omrekende in schillingen. 'Misschien', zei ze. 'Ik ken een vrouw van wie haar man dat bedrag best zou kunnen gebruiken.'

'Hoe oud is hij?'

'Die man?' Ze haalde haar schouders op. 'Rond de vijfenveertig. Altijd problemen... soms klopt ze bij me aan voor een lening.'

'Kan het vanavond?'

'Ik neem aan van wel.'

'Ik geef je nu het geld, *liebchen*. Morgenavond wip ik aan voor het paspoort.'

28 juni. Een mooie dag met veel zon, hoewel geen zonnestraal het jachthuis bereikte. Drie verdiepingen, dertig kamers, een indrukwekkende hal, dat alles verzonken in een donkere, benauwende somberheid. Morath en Balki hadden in Bratislava een auto gehuurd en waren naar de beboste heuvels ten noorden van de Donau gereden. Ze

bevonden zich in het Slowakije van weleer – Hongaars grondgebied sinds 1938 – op enkele kilometers van de Oostenrijkse grens.

Balki keek om zich heen en straalde een soort moedeloos ontzag uit – jachttrofeeën aan elke muur; de glazen ogen glinsterden in het licht dat het bos doorliet. Aarzelend nam hij plaats op een leren kussen in een enorme houten stoel, met in de hoge rugleuning ingegraveerde jachttaferelen.

'Waarin de reuzen ooit zaten', zei hij.

'Dat is het idee erachter.'

Het oude imperium leeft voort, dacht Morath. Een van de lievelingsaristocraten van de barones was ermee akkoord gegaan om het jachthuis aan hem ter beschikking te stellen. 'Zo *intiem*', had hij met een knipoog gezegd. Dat was het ook. In de Kleine Karpaten, dichtbegroeid met pijnbomen, een ruisend beekje dat langs het raam meanderde en een pittoreske waterval die wit schuimde tegen de achtergrond van een donkere rotspartij.

Balki liep wat rond en staarde omhoog naar de ontzagwekkende schilderijen. Siciliaanse maagden betrapt terwijl ze bij een stroompje amfora's met water vulden, zigeunermeisjes met tamboerijnen, een sikkeneurige Napoleon die zijn hand op een kanon liet rusten. Achter in het vertrek, tussen een opgezette berenkop en een van slagtanden voorzien wild zwijn, stond hij voor een geweerkast en tikte met zijn vingers tegen de geoliede lade van een geweer. 'Hier gaan we niet mee spelen, of wel?'

'Nee, dat doen we niet.'

'Geen cowboys en indianen?'

Empathisch schudde Morath zijn hoofd.

Er was zelfs een telefoon. Van het soort waarmee je je in gedachten makkelijk kon voorstellen dat aartshertog Franz Ferdinand zijn taxidermist opbelde. Het betrof een houten doos aan de keukenmuur, met een luidsprekergedeelte aan een koord en een zwarte hoorn in het midden om in te spreken. *Schreeuwen was waarschijnlijker*. Hij nam de luidsprekerhoorn van de haak, hoorde statisch geruis en plaatste het ding terug. Vervolgens keek hij op zijn horloge.

Balki deed zijn arbeiderspet af en hing die aan een geweitak. 'Ik ga met je mee als je dat wilt, Morath.'

Dat was onvervalste onverschrokkenheid – een Rus die naar Oostenrijk ging. 'Jij bewaakt het kasteel', zei Morath. 'Het is al erg genoeg dat je vakantiedagen hebt moeten opnemen. Om nu ook nog op de koop toe gearresteerd te worden.'

Opnieuw keek Morath op zijn horloge. 'Zo, laten we het eens proberen', zei hij. Hij stak een sigaret op, drukte het luidsprekergedeelte tegen zijn oor en tikte tegen de haak. Te midden van het statisch geruis klonk de stem van een telefonist die Hongaars sprak.

'Ik wil graag een telefoongesprek aanvragen. Oostenrijk', zei Morath.

'Dat kan meteen, meneer.'

'Wenen, 4025.'

Morath hoorde de telefoon overgaan. Een tweetonig signaal. 'Met het kantoor van Herr Kreml.'

'Is Herr Kreml aanwezig?'

'Wie kan ik zeggen?'

'Meneer Stevenson.'

'Een moment, alstublieft.'

Kreml kwam onmiddellijk aan de lijn. Een gladde, zelfverzekerde, flemende stem van een man die zei dat hij er goed aan had gedaan om naar hem te bellen. Morath vroeg naar de gezondheid van Kolovitzky.

'Zeer opgewekt en vitaal! Nou ja, misschien ietwat, hoe zal ik het zeggen, *bedrukt* door de diverse belastingproblemen, maar die kunnen snel achter de rug zijn.'

Morath zei: 'Ik sta in contact met madame Kolovitzky, hier in Parijs. Als het papierwerk geregeld kan worden, dan stuur ik onmiddellijk een bankcheque.'

Kreml praatte nog wat verder, advocatenbabbels, waarna hij een bedrag noemde. 'Uitgedrukt in uw Amerikaanse munteenheid, meneer Stevenson, denk ik dat het zo in de buurt komt van tienduizend dollar.'

'De familie Kolovitzky is bereid aan die verplichting te voldoen, Herr Kreml.'

'Daar ben ik heel blij om', zei Kreml. 'Daarna, over een maand of zo, als de cheque door de molen van onze banken is gegaan, zal Herr Kolovitzky het land met een schoon geweten kunnen verlaten.'

'Een maand, Herr Kreml?'

'O, minstens, zoals de zaken er nu voorstaan.' De enige mogelijkheid om de zaak te bespoedigen, zei Kreml, zou bestaan uit een nogal obscure bepaling in de belastingwetten, voor betalingen in contant geld. 'Dat zou de zaak meteen ophelderen, begrijpt u.'

Morath begreep het. 'Dat is misschien wel de beste manier', zei hij.

Nou ja, dat was een stap die de familie Kolovitzky moest zetten, niet dan? 'Herr Stevenson, ik wil u complimenteren met uw uitstekende Duits. Voor een Amerikaan...'

'In feite ben ik geboren in Boedapest, Herr Kreml. Ik heette destijds Istvanagy. Na mijn emigratie naar Californië heb ik de naam laten veranderen in Stevenson.'

'Ah! Natuurlijk!'

'Ik zal er met madame Kolovitzky over praten, Herr Kreml, maar u kunt erop vertrouwen dat de contante betaling u binnen een week zal bereiken.'

Kreml was *zeer* ingenomen dat te horen. Ze babbelden nog een poosje door. Over het weer. Over Californië, Wenen. Ten slotte begonnen ze afscheid van elkaar te nemen.

'O ja', zei Morath. 'Nog iets. Ik zou graag even een woordje met Herr Kolovitzky willen wisselen.'

'Natuurlijk. Hebt u het telefoonnummer van Hotel Schoenhof?'

'Ik heb al gebeld. Hij lijkt steevast met andere zaken bezig te zijn.'

'Meent u dat? Nou, weet u, dat verbaast mij geenszins. Een aimabele man, die Herr Kolovitzky. Iemand die overal vrienden maakt. Ik vermoed dus dat hij in en uit loopt en zich amuseert in de lunchrooms. Hebt u een bericht achtergelaten?'

'Ja.'

'Wat is dan het probleem? Hij zal u terugbellen zodra hij daartoe in de gelegenheid is. Daar komt bij, Herr Stevenson, dat de telefoonverbindingen tussen hier en Parijs... het kan soms lastig zijn.'

'Dat zal het zijn.'

'Ik moet nu afscheid nemen, Herr Stevenson. Maar ik verheug me erop weer van u te horen.'

'Dat zal gebeuren, daar kunt u zeker van zijn.'

'Dag, Herr Stevenson.'

'Dag, Herr Kreml.'

De volgende ochtend reden ze naar Bratislava, waar Morath van plan was de trein te nemen naar Wenen, maar het mocht niet zo zijn. Chaos op het centraal station, drommen gestrande reizigers. Alle bankjes waren bezet. Mensen uit de Jaskovy Avenue zaten op hun koffers. 'De Zilina-lijn is de oorzaak', verklaarde de man achter het kaartjesloket. Alle passagierstreinen hadden plaats moeten maken voor diepladerwagons met Wehrmacht-tanks en artillerie; een gestage stroom in oostelijke richting. Morath en Balki stonden op het perron en staarden te midden van een zwijgende menigte naar twee locomotieven die veertig diepladers trokken, de lange lopen van de kanonnen staken onder de canvas zeildoeken uit. Twintig minuten later passeerde een treinlading paarden in veewagons, vervolgens kwam er een troepentransporttrein aan; soldaten zwaaiden terwijl ze voorbijgingen, en onder de wagonramen was een boodschap gekalkt. 'We gaan naar Polen om de joden verrot te slaan'.

De stad Zilina lag op zestien kilometer van de Poolse grens. Daar zou een ziekenhuis zijn, een hotel voor de generale staf en telefoonfaciliteiten. Toen Morath de treinen zag, zonk hem de moed in de schoenen; dit was de hoop die wegsijpelde. Het zou intimidatie kunnen zijn, dacht hij. Een afleidingsmanoeuvre. Maar hij wist wel beter. Dit was de eerste fase van een invasie. Dit waren de divisies die vanuit Slowakije via de passen in de Karpaten het zuiden van Polen zouden binnenvallen.

Morath en Balki liepen rond in Bratislava, dronken bier in een café en wachtten af. De stad deed Morath denken aan Wenen in 1938: joodse winkelruiten aan gruzelementen, 'Scheer je weg, jood!' stond er op de muren van de gebouwen gekalkt. De Slowaakse politici haatten de Tsjechen. Zij nodigden Hitler uit om hen te beschermen en ontdekten dat ze het niet leuk vonden om beschermd te worden. Maar het was te laat. Hier en daar had iemand *pro tento krat* op de telefoonpalen geschreven, ofwel 'voorlopig', maar dat was gesnoef en niemand was onder de indruk.

Eenmaal terug in de stationsrestauratie zat Morath met zijn reistas tussen zijn voeten. Er zat voor tienduizend dollar aan Oostenrijkse schilling in verpakt. Hij vroeg aan een ober of de brug over de Donau open was – voor het geval hij zou besluiten met de auto de grens over te steken – maar de man keek mistroostig en schudde zijn hoofd. 'Nee, die kunt u niet nemen', zei hij. 'Al dagenlang steken ze over.'

'Is er een andere manier om in Oostenrijk te komen?'

'Misschien laten ze om vijf uur een trein door, maar dan moet u wel op het perron zijn. Bovendien zal het... erg druk zijn, begrijpt u?'

Morath zei dat hij het snapte.

Toen de ober vertrok, zei Balki: 'Zul je in staat zijn om weer terug de grens over te steken?'

'Waarschijnlijk wel.'

Balki knikte. 'Morath?'

'Ja?'

'Je brengt het er toch wel levend af, hè?'

'Ik denk het wel', zei Morath.

Hij moest twee uur wachten. Hij gebruikte een telefoon op het station om een gesprek aan te vragen. Parijs. De wachttijd was twintig minuten, waarna hij verbinding kreeg met de Agence Courtmain. Nadat de receptioniste het diverse keren had geprobeerd, kwam ze erachter dat Mary Day in vergadering was en in het kantoor van Courtmain zat.

'Nicholas!' zei ze. 'Waar ben je?' Ze wist niet precies waar hij zich mee bezighield. 'Enkele familiezaken aan het regelen', zei hij tegen haar, maar zij wist dat er meer aan de hand was.

Hij zei: 'Ik bevind me in Bratislava.'

'Bratislava. Hoe is het weer daar?'

'Zonnig. Ik bel je om te zeggen dat ik je mis.'

Na een ogenblik zei ze: 'Insgelijks, Nicholas. Wanneer kom je terug?'

'Gauw. Over enkele dagen, als alles meezit.'

'Dat zal toch wel, niet dan? Gaat alles goed?'

'Ik denk het wel, je hoeft je geen zorgen te maken. Ik dacht eraan jou te bellen om te zeggen dat ik van je hou.'

'Dat weet ik', zei ze.

'Ik kan maar beter de lijn vrijmaken; achter me staan mensen die willen bellen.'

'Oké. Tot ziens.'

'Tot over enkele dagen.'

'Het weekeinde.'

'O ja, tegen die tijd ben ik er wel.'

'Nou, tot dan.'

'Dag, Mary.'

De ober had gelijk gehad over die passagierstrein, die even na half zeven langzaam binnen kwam. Overal verdrongen de mensen zich. Morath baande zich een weg, waarbij hij glimlachend en excuserend zijn ellebogen gebruikte en op het balkon een plekje voor hemzelf maakte. Gedurende de hele reis naar Wenen hield hij zich vast aan een metalen stijl.

In het hotel belde hij Szubl. Ze ontmoetten elkaar in een koffiehuis, waar de stamgasten rookten, hun krant lazen en op beleefde toon converseerden. Een stad waar iedereen verdrietig was, waar iedereen glimlachte en machteloosheid troef was – zo was het altijd op Morath overgekomen, en op die zomeravond in 1939 was dat erger dan ooit.

'Ik heb hetgeen waarnaar je op zoek bent', zei Szubl. Hij gaf hem een paspoort onder de tafel door. Morath staarde naar de foto. Een kleine, prikkelbare man keek boos naar hem op, compleet met snor en bril. *Er kon ook nooit iets van een leien dakje gaan.*

'Kun je dat voor elkaar krijgen?' vroeg Szubl.

'Ja. Min of meer. Ik heb een foto van een of ander document gehaald dat zijn vrouw bij zich had. Ik plak de foto erop. Maar met een beetje mazzel heb ik het paspoort niet nodig.'

'Hebben ze aan de grens in je tas gekeken?'

'Ja. Ik heb ze verteld waar het geld voor was, waarna ze alles gingen controleren. Maar het betrof gewone douanebeambten, niet de SS of zo.'

'Ik heb de baleinen uit een korset verwijderd. Wil je ze nog hebben?'

'Ja.'

Szubl overhandigde hem een lange hotelenvelop. Morath stopte die in zijn zak. 'Wanneer maak je dat je hier wegkomt?'

'Morgen. Rond de middag.'

'Zorg dat het gebeurt, Wolfi.'

'Doe ik. En het paspoort?'

'Vertel aan haar dat je vriend het document heeft verloren. Meer geld voor Herr X, zodat hij ervoor kan zorgen dat hij een ander krijgt.'

Szubl knikte, waarna hij ging staan. 'Tot in Parijs dan maar.'

Ze gaven elkaar een hand. Morath zag hem gaan. Log en traag was hij, nu zonder vertegenwoordigerskoffer, maar met een gevouwen krant onder zijn arm.

'Wilt u nog een keer om de Mauerplatz rijden?'

'Zoals u wilt.' De taxichauffeur was een oude man met een cavaleriesnor; zijn oorlogsmedailles waren aan de zonneklep van zijn auto vastgeprikt.

'Een nostalgisch reisje', verklaarde Morath.

'Ah, natuurlijk.'

Een klein keienplein. Mensen maakten een kuierwandeling op een warme avond. De bladkruinen van de oude lindebomen wierpen schaduwen in het licht van de straatlampen. Morath draaide het raampje naar beneden en de chauffeur reed nogmaals langzaam een rondje om het plein.

'Mijn vrouw en ik hebben hier enkele jaren geleden gelogeerd.'

'In het Schoenhof?'

'Ja. Is het er nog steeds hetzelfde?'

'Dat zou ik denken. Zin om uit te stappen en een kijkje te nemen? Mij maakt het niet uit.'

'Nee, ik wilde het hotel gewoon even zien, meer niet.'

'Zo, en nu naar de Landstrasse?'

'Ja. Het Imperial.'

'Komt u vaak in Wenen?'

'Zo nu en dan.'

'Heel anders, het afgelopen jaar.'

'Meent u dat?'

'Ja. *Rustig*, godzijdank. Voorheen waren er alleen maar problemen.'

20.15 uur. Hij zou het nog één keer proberen, besloot hij. Hij telefoneerde vanuit de hotellobby.

'Hotel Schoenhof.'

'Goedenavond. Met dr. Heber. Verbind mij alstublieft door met de kamer van Herr Kolovitzky.'

'Het spijt me. Herr Kolovitzky is er niet.'

'Is hij niet op zijn kamer?'

'Nee. Goedenavond, Herr Doktor.'

'Dit is urgent. U moet hem een bericht doorgeven. Hij heeft enkele onderzoeken laten doen in mijn kliniek, hier in Wahring, en hij moet zo snel mogelijk terugkomen.'

'Goed. Ik zal hem daarvan op de hoogte stellen.'

'Dank u. Wilt u nu zo vriendelijk zijn om de bedrijfsleider aan de telefoon te roepen?'

'Ik ben de bedrijfsleider.'

'En u bent?'

'De bedrijfsleider. Goedenavond, Herr Doktor.'

De volgende ochtend kocht Morath een aktetas, deed het geld en zijn paspoort erin, legde aan de receptionist uit dat hij een week weg zou zijn, betaalde voor zijn kamer tot de daaropvolgende donderdag en liet de aktetas in de hotelkluis deponeren. Van de kunsthandelaar in Parijs had hij een nieuw paspoort gekregen, ditmaal een Frans reisdocument. Hij keerde terug naar zijn kamer, controleerde zijn reistas voor de laatste keer zeer grondig, maar kon niets vinden dat ongewoon was. Vervolgens nam hij een taxi naar de Nordbahnhof, dronk een kop koffie aan het stationsbuffet, liep weer naar buiten en riep een taxi aan.

'Naar het Hotel Schoenhof', zei hij.

In de lobby bevonden zich alleen maar mannen.

De manier waarop ze waren gekleed, deed vaag onbeholpen aan, alsof ze gewend waren aan een militair uniform. *SS'ers in burger.* Niemand salueerde of liet zijn hakken klikken, maar hij voelde hoe het werkelijk zat door de manier waarop hun haar was geknipt, zoals ze stonden en naar hem keken.

De man achter de receptiebalie hoorde niet bij hen. De eigenaar, vermoedde Morath. Een vijftiger, zachtmoedig en bang. Hij keek Morath wat langer aan dan hij hoefde te doen. *Ga weg, je hoort hier niet.*

'Een kamer, alstublieft', zei Morath.

Een van de jongemannen in de lobby kuierde naar hem toe en leunde tegen de balie. Toen Morath naar hem keek, kreeg hij een vriendelijk knikje terug. Hij was hier om op een in het geheel niet onvriendelijke manier erachter te komen wie Morath was en wat hij kwam doen. Even goede vrienden, hoor.

'Eenpersoons of tweepersoons?' vroeg de eigenaar.

'Eenpersoons. Met uitzicht op het plein, als dat kan.'

De eigenaar keek in het receptieboek; hij maakte er een show van. 'Prima. Hoe lang wenst u te blijven?'

'Twee nachten.'

'Uw naam, alstublieft.'

'Lebrun.' Morath overhandigde hem het paspoort.

'Halfpension?'

'Ja, graag.'

'Het diner wordt opgediend in de eetkamer. Om zeven uur precies.'

De eigenaar haalde een sleutel van een genummerde haak, die achter zijn rug aan een bord was bevestigd. Met dat bord was iets vreemds aan de hand. Aan de bovenste rij haken hingen namelijk geen sleutels. 'Kamer 403', zei de eigenaar. 'Wilt u graag dat de portier uw reistas naar boven brengt?' Zijn hand zweefde boven de bel.

'Het lukt wel', zei Morath.

Hij nam vier trappen naar boven. Het tapijt was oud en gerafeld. Gewoon een handelsreizigershotel, dacht hij. Zoals er honderden van waren in Wenen, Berlijn, Parijs, waar dan ook. Hij vond kamer 403 en maakte het slot open. Edelweissdesign op de slappe gordijnen en de sprei op het smalle bed. Lichtgroene muren, versleten vloerbedekking en nauwelijks geluiden te horen. *Een heel rustig hotel.*

Hij besloot een wandelingetje te gaan maken, zodat ze de gelegenheid kregen om in zijn reistas te neuzen. Hij overhandigde de sleutel aan de eigenaar en liep de Mauerplatz op. Bij een kiosk keek hij vluchtig naar de krantenkoppen. POLEN DREIGT MET BOMBARDEMENTEN OP GDANSK! Hij kocht een sporttijdschrift; op het titelblad een foto van jeugdigen die volleybal speelden. Een chique buurt, dacht hij. Robuuste, bakstenen appartementsgebouwen, vrouwen met kinderwagens, een trolley, een school waar hij de kinderen kon horen zingen, een glimlachende kruidenier in de portiek van zijn winkel, een kleine man met het uiterlijk van een wezel achter het stuur van een versleten Opel. Eenmaal terug in het Schoenhof haalde Morath zijn sleutel weer op en liep naar boven, maar ditmaal passeerde hij de vierde verdieping en ging verder naar de vijfde. In de gang zat een zwaargebouwde man met een rood gezicht op een stoel die tegen de muur stond. Toen hij Morath zag, ging hij staan.

'Wat moet u hier?'

'Ik heb kamer 403.'

'Dan bent u op de verkeerde verdieping.'

'O. En wat is hier dan te vinden?'

'Gereserveerd', zei de man. 'Wegwezen.'

Morath verontschuldigde zich en maakte dat hij wegkwam. *Bijna in de roos*, dacht hij. Tien kamers op de vijfde verdieping. In een van die vertrekken zat Kolovitzky gevangen.

Drie uur 's ochtends. Morath lag op het bed in de donkere kamer. Zo nu en dan liet een briesje van de Mauerplatz de gordijnen bewegen. Voor de rest was het er stil. Na het avondeten was er een straatmuzikant op het plein verschenen. Hij zong en speelde accordeon. Daarna luisterde Morath naar de radio – Liszt en Schubert – die op het nachttafeltje stond. Hij luisterde tot middernacht, waarna de nationale zender uit de lucht ging. Hoewel, niet helemaal – tot de dageraad was het getik van een metronoom te horen. *Om de mensen gerust te stellen*, zo werd gezegd.

Morath staarde naar het plafond. Hij had drie uur op bed gelegen zonder iets om handen te hebben; alleen maar wachten. Wel had hij over vrijwel alles nagedacht wat maar mogelijk was. Zijn leven. Mary Day. De oorlog. Oom Janos. Hij miste Polanyi; het verbaasde hem hoe intens dat gevoel was. Echézeaux en *bay rhum*. De aimabele minachting die de graaf voelde voor de wereld waarin hij moest leven. En daarna zijn finale truc. *Hier, probeer dat maar eens.*

Hij verwonderde zich over de andere hotelgasten – de echte gasten, niet de SS'ers. Ze waren makkelijk genoeg te herkennen in de eetzaal terwijl ze de afschuwelijke maaltijd naar binnen probeerden te werken. Hij had het grootste deel van zijn tijd besteed aan het verschuiven van de noedels van de ene kant van het bord naar de andere, waarbij hij de ober onopvallend in de gaten hield en de werkwijze van het dienstpersoneel achterhaalde. Wat de gasten betrof, geloofde hij dat ze het straks wel zouden overleven. Hij hoopte het voor ze.

Ergens in de buurt sloeg een kerkklok het halve uur. Morath zuchtte en zwaaide zijn benen van het bed. Hij deed zijn colbert aan en trok zijn stropdas aan, waarna hij de baleinen uit de envelop haalde die Szubl hem had gegeven. *Celluloid*. Gemaakt van oplosbare schietkatoen en kamfer.

Hij ademde diep in en draaide langzaam aan de deurknop. Vervolgens luisterde hij twintig seconden en stapte de gang in. Trede voor trede nam hij langzaam de trap naar beneden. Iemand hoestte op de derde verdieping, er scheen licht onder een deur op de tweede.

Toen hij op enkele treden van de begane grond was – het receptiegedeelte – staarde hij in het halfduister. Er moest een bewaker zijn. Maar waar? Uiteindelijk zag hij een deel van een silhouet boven de achterkant van een sofa, en hij hoorde de oppervlakkige ademhaling van iemand die dutte. Voorzichtig bewoog hij om de trapstijl heen, nadat hij de laatste treden had genomen. Hij betrad de eetkamer, vervolgens de gang waar de ober tijdens het diner steeds uit te voorschijn was gekomen en weer naar was vertrokken.

Uiteindelijk belandde hij in de keuken. Hij streek een lucifer aan, keek om zich heen en blies de lucifer uit. In de steeg bevond zich een straatlamp, niet ver van de ramen vandaan, waardoor Morath voldoende licht had om te kijken wat hij deed. Hij vond de gootstenen. Grote, zware, zinken bakken. Hij knielde op de vloer onder die bakken en liet zijn vingertoppen over het cement glijden. Hij vond de vetvanger, realiseerde zich dat het lospeuteren van het dekseltje een probleem zou worden en liet het idee varen.

Vervolgens ging hij op onderzoek uit bij het fornuis en vond wat hij nodig had. In een kast, naast de fornuisdeur, bevond zich een grote, metalen kan die ooit varkensvet had bevat, maar die nu werd gebruikt om het overgebleven vet uit de bakpannen in te bewaren. Het ding was verrassend zwaar, misschien wel zeven kilo aan geel, ranzig vet, voor het grootste deel gestold, en enkele centimeters olie die op het vet dreef. *Worstjes, boter, spek*, dacht hij. *Gebraden gans.*

Hij keek om zich heen en zag boven het fornuis een ijzeren ring waaraan keukengerei werd opgehangen. Behoedzaam verwijderde hij een enorme soeplepel, waarmee hij een flinke portie van het gestolde vet oplepelde. Vervolgens nam hij er een handvol van en smeerde het op het houten keukenblad, daarna aan de muren, de raamkozijnen en de deuren van de kasten. Hij plaatste de kan op de zijkant in een hoek, stak de korsetbaleinen half in het vet, streek een lucifer aan en gooide die in de kan.

Het celluloid vatte onmiddellijk vlam; een venijnige, witte flits, waarna het vet begon te sputteren en er een riviertje van vuur over de vloer liep en zich omhoog werkte langs de muur. Enkele ogenblikken later zag hij dat het plafond zwart begon te worden.

Nu moest hij wachten. Bij de ingang van de keuken zag hij een bezemkast. Hij stapte erin, deed de deur dicht en ontdekte dat hij er nauwelijks elleboogruimte had. Hij telde elf bezems. Wat deden ze verdomme met zoveel bezems?

Hij maande zichzelf tot kalmte, maar het knetterende geluid in de keuken en de stank van het vuur zorgden ervoor dat zijn hart bonsde. Hij probeerde tot honderdtwintig te tellen, zoals hij had gepland. Maar zover kwam hij niet. Hij was niet van plan dood te gaan in een Weense bezemkast, en hij duwde de deur open en haastte zich de gang in door een mist van vette rook.

Hij hoorde een schreeuw van de bewaker in de lobby. Vervolgens weer een. Jezus, er bevonden zich daar *twee* bewakers. 'Brand!' krijste Morath, terwijl hij de trap op rende. Hij hoorde deuren opengaan, haastige voetstappen.

Tweede verdieping. Derde verdieping. Nu moest hij erop vertrouwen dat de Oostenrijkse SS-bewakers van plaats veranderden, zoals iedereen dat deed. Halverwege de trap naar de vijfde verdieping begon hij te gillen. 'Politie! Politie!'

Een man met een ronde kop kwam in hemdsmouwen over de trap naar beneden gerend, een Luger in zijn hand. 'Wat is er?'

'Maak die deuren open. Het hotel staat in brand.'

'Wat?' De man stapte een trede naar achteren. *De deuren openmaken?*

'Schiet op. Hebt u de sleutels? Geef ze aan mij. Ga gauw, rennen, in godsnaam!'

'Maar ik moet...'

Morath de politieman had andere dingen aan zijn hoofd. Hij greep hem bij zijn overhemd vast en trok hem haastig mee naar beneden, naar de hal. 'Ga uw superieuren wekken. *Nu*. We hebben geen tijd voor gelul.'

Dit zorgde om welke reden dan ook voor het gewenste effect. De man schoof de Luger in een schouderholster en bonkte de trap af, waarbij hij 'Brand!' schreeuwde.

Morath begon deuren te openen – de kamernummers waren godzijdank aan de sleutels gemarkeerd. De eerste kamer was leeg. In de tweede bevond zich een van de SS'ers. De man zat rechtop in bed en staarde Morath panisch aan. 'Wat? Wat is er?'

'Het hotel staat in brand. U kunt maar beter maken dat u wegkomt.'

'O.'

De man was opgelucht dat alleen maar het hotel in brand stond. Wat had hij dan gedacht?

Er hing rook in de gang. De man trippelde langs hem en had een pyjama met zuurstokdessin aan. Hij droeg een machinepistool aan de riem met zich mee. Morath vond nog een lege kamer. En nog een. In het volgende vertrek probeerde Kolovitzky uit alle macht het raam te openen.

'Zo gaat dat niet', zei Morath. 'Kom met mij mee.'

Kolovitzky draaide zich naar hem toe. Hij leek niet meer op degene die op het feestje van de barones viool had gespeeld. Deze man, in een smerig overhemd en met bretels, was oud, moe en bang. Hij keek Morath met een onderzoekende blik aan – haalde hij een nieuw spelletje met hem uit, een dat ze nog niet op hem hadden uitgeprobeerd?

'Ik ben voor u gekomen', zei Morath. 'Omwille van u heb ik het hotel in brand gestoken.'

Kolovitzky begreep het. 'Blanche', zei hij.

'Houden ze hier nog iemand anders gevangen?'

'Twee personen, maar die zijn gisteren vertrokken.'

Ze hoorden nu sirenes en zetten het op een hollen. Hoestend, met de handen voor de mond, haastten ze zich door de almaar dikker wordende rook over de trap naar beneden.

Op de straat voor het Hotel Schoenhof was de verwarring compleet. Brandweerauto's, brandweermannen die waterslangen het hotel in trokken, politieagenten, drommen mensen, een man met alleen een deken om, twee vrouwen in badjassen. Morath loodste Kolovitzky over de Mauerplatz, daarna een zijstraat in. Toen ze dichterbij kwamen, startte de chauffeur van de versleten Opel zijn auto. Kolovitzky ging achterin zitten. Morath nam naast de bestuurder plaats en zei: 'Hallo, Rashkow.'

'Wie is dat?' vroeg Kolovitzky later die ochtend terwijl Rashkow tegen een boom langs de kant van de weg plaste.

'Hij is van Odessa', zei Morath. 'Arme, kleine Rashkow.' Zo had Balki hem genoemd. De man die spoorwegobligaties uit de tsarentijd verkocht, die de niet-afgemaakte roman van Tolstoj in zijn bezit had en die eindigde in een Hongaarse gevangenis. Morath had contact opgenomen met Sombor om hem vrij te krijgen.

'Zoals hij eruitziet,' zei Kolovitzky, 'kan hij maar beter meegaan naar Hollywood.'

Rashkow reed over landwegen door het Oostenrijkse platteland. Een dag in juli, de uitlopende rodekool en aardappelen zagen er stralend groen uit op de glooiende akkers. Ze bevonden zich op slechts vijfenzestig kilometer van de Hongaarse grens bij Bratislava, ofwel Pressburg of Pozsony, wie dat liever had. Op de achterbank staarde Kolovitzky naar het Australische paspoort met zijn naam erop. 'Denk je dat ze naar mij op zoek zijn?'

'En of.'

Ze stopten tamelijk dicht bij de Donaubrug, in Petrzalka, ooit een Tsjechische grenspost, nu in het Slowaaks protectoraat. Ze verlieten de auto en begaven zich naar een gehuurde kamer boven een café, waar ze alle drie donkere pakken aandeden. Toen ze beneden kwamen, stond een Grosser Mercedes met Hongaarse diplomatieke nummerplaten voor ze gereed. De chauffeur was een van Bolthos' collega-diplomaten in Boedapest.

Bij de grensovergang bevond zich een zwerm Oostenrijkse SS'ers. Ze rookten, lachten en paradeerden in het rond in hun hoge, gepoetste laarzen. De chauffeur negeerde hen echter. De auto reed zachtjes tot bij het douanekantoor, waar de chauffeur stopte en door het raampje vier paspoorten overhandigde. De douanier plaatste een vinger tegen de klep van zijn pet, keek vluchtig in de auto en gaf de reisdocumenten terug.

Toen ze de Hongaarse kant van de rivier overstaken, zei de chauffeur tegen Kolovitzky: 'Welkom thuis.'

Kolovitzky huilde.

Een middernachtssouper in de Rue Guisarde.

Mary Day wist dat de treinen die door Duitsland reisden verlaat arriveerden, ze had er dus rekening mee gehouden. Ze zette een bord met plakjes ham klaar, en een vegetarische salade en een *baguette*. 'En dit was gisteren afgeleverd', zei ze, terwijl ze uit de kast een fles wijn haalde en uit de keukenla een kurkentrekker. 'Je moet het per telefoon hebben besteld. Heel attent van je om tijdens... wat het ook was... aan ons te denken.'

Een Echézeaux uit 1922.

'Is dat wat je wilde?'

'Ja', antwoordde hij glimlachend.

'Je bent een kei, Nicholas. Echt waar', zei ze.

'Historische fictie, spionagethriller – noem het zoals u wilt, want de auteur heeft geen moeite met genrefictie. Heel geloofwaardig, zoals met alles wat hij inmiddels heeft geschreven... het lezen van een roman van Furst is bijna zo goed als *Casablanca* voor de eerste keer zien.' Liz Thomson, *Books Magazine*

'Een intelligent, goed geschreven, zeer sfeervol verhaal over avontuur en spionage uit het Europa in oorlogstijd. Een van de beste in dat genre.' *Bookseller*

'Voor wie begrijpt dat de beste historische roman uit drama en romantiek bestaat, is Alan Furst een verslaving.' Peter Miller, *The Times*

'Zijn uitstekend doorwrochte spionagethrillers, met als achtergrond de jaren dertig en veertig van de vorige eeuw, hebben nieuwe eisen gesteld aan het genre. Het zijn de personages, samen met een zelfverzekerde setting van tijd en plaats, die het verhaal kracht geven. De roman legt de buitengewoon koortsachtige sfeer van de jaren voor de oorlog vast, terwijl Europa de adem inhoudt en wacht tot Hitler zijn volgende zet doet... zoals in de andere romans van Furst geeft het feit dat gewone mensen buitengewone moed moeten opbrengen het werk zijn kracht... de lezer wordt gegrepen door de suspense van het moment... Furst vangt die sfeer met virtuoze vaardigheid.' David Robson, *Sunday Telegraph*

'Alan Furst heeft een spionagethriller geschreven die obsederend, weemoedig en verlokkelijk is. Het werk is doorspekt met hopeloosheid, het nemen van risico's en hartzeer. Toen ik het las, wilde ik dat er geen einde aan kwam... een meesterwerk.' Philip Oakes, *Literary Review*

'Lezers van het werk van Furst zullen begrijpen hoe bewonderenswaardig het onderwerp past bij zijn bijzondere vaardigheden. De roman is doorspekt met de topografie van Parijs, de sfeer in de restau-

rants en de stemmingen van mensen die reageren op de samenpak-
kende donderwolken boven de Europese politiek... Wie zo vloeiend
omgaat met de historische details, wat zeldzaam is, dient geprezen te
worden.' Ian Ousby, *TLS*

'Niemand kan tegen hem op als het gaat om het ingehoudene, het te-
ruggeschroefde, de beschrijvende zinnen die een gevoel of een emotie
in het bewuste etsen. Door zoveel weg te laten uit de structuur worden de beelden speels, sprankelend helder. En hij doet dat zo moeiteloos; zoals alle grote schrijvers laat hij zijn werk eenvoudig lijken...
naar mijn inschatting is *Het rijk der schaduwen* een meesterwerk.
Furst schrijft op het hoogtepunt van zijn kunnen, en hij is zelfverzekerd als het gaat om zijn stijl, zijn toon en de vorm. En het te voorschijn roepen van die sinistere tijd van de ziel, voor en tijdens de
Tweede Wereldoorlog, trilt na in de geest zoals het beroemde roepsig-
naal in de symfonie van Beethoven op de radio te horen was, zoveel
jaren geleden.' Vincent Banville, *Irish Times*